YANNICK VALLET

LA **GRAMMAIRE** DU **CINÉMA**

De l'écriture au montage : les techniques du langage filmé

2e édition enrichie

ARMAND COLIN

Illustration de couverture : Jessica Harper dans *Suspiria* (Dario Argento, 1977)

Réalisation des dessins : Rachid Maraï

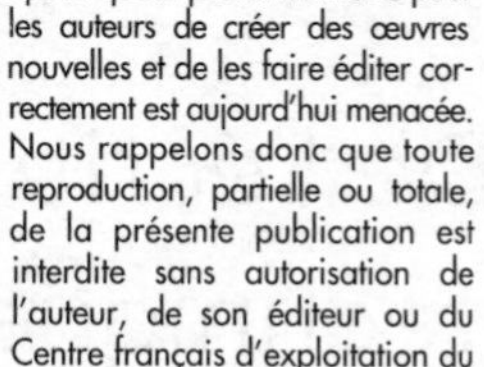

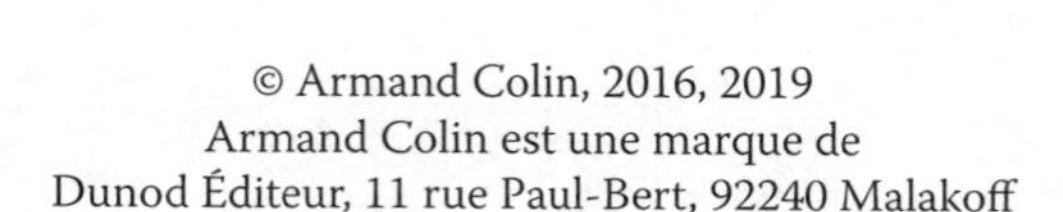

Armand Colin est une marque de
Dunod Éditeur, 11 rue Paul-Bert, 92240 Malakoff

ISBN : 978-2-200-62251-0

www.armand-colin.com

Tout le monde peut faire du cinéma, si on connaît les 180° ou si on connaît un certain nombre de règles. Le problème, c'est d'avoir du talent.

Georges de Beauregard, producteur

J'ai dit à mes débuts qu'il ne fallait pas plus de quatre heures – et encore, quand on n'est pas doué – pour apprendre la mise en scène, et je le pense toujours.

Claude Chabrol, réalisateur

Le premier travail c'est de créer de l'émotion et le deuxième travail c'est de la préserver.

Alfred Hitchcock, réalisateur

Avant-propos

Lorsque j'étais un adolescent passionné de 7e art puis, quelques années plus tard, lorsque je devins étudiant en cinéma puis apprenti réalisateur, je cherchai longtemps un ouvrage de référence sur le langage cinématographique. Un ouvrage qui soit tout à la fois théorique et pratique et par ailleurs didactique. Mais je ne l'ai jamais trouvé, ou alors dans une forme tout à fait insatisfaisante ou incomplète.

LANGAGE : ensemble des moyens d'expression particuliers à un art, ou utilisés par un artiste pour créer une œuvre[1].

Le temps passant, je me suis rendu compte que le grand public ou certains cinéphiles que je côtoyais – mes voisins, mes amis, ma famille, et même certains stagiaires étudiants en cinéma – ne comprenaient pas toujours ce que je disais lorsque nous parlions 7e art. Ils confondaient travelling et zoom, n'entendaient rien au champ-contrechamp et ne voyaient guère de différences entre un plan large et un plan américain. Jusqu'au jour où je me suis décidé à confectionner, en quelques pages et une vingtaine de notions, un petit précis de grammaire du cinéma. L'ouvrage que vous avez entre les mains était né !

GRAMMAIRE : ensemble des principes et des règles qui président à l'exercice d'un art[2].

Si exercer un art nécessite d'en connaître les règles et les principes, encore faut-il pouvoir les acquérir. Répertorier, définir, préciser, tels sont les buts d'une grammaire moderne, mais celle-ci ne pourrait être complète sans sa confrontation au réel. L'expérience factuelle du réalisateur que je suis m'a permis pendant de nombreuses années de mettre en perspective théorie

1. Définition du CNRTL (Centre national de ressources textuelles et lexicales), portail de linguistique créé par le CNRS.
2. Voir note précédente.

abstraite et pratique concrète. C'est pourquoi vous pourrez retrouver dans ces pages des notions qui non seulement composent l'incontournable base théorique du 7e art, mais qui également ont toutes été éprouvées dans la réalité, sur les tournages et jusque dans les salles de montage. Car le cinéma est un art qui vit, et donc évolue, s'adapte et se façonne, en fonction des pratiques professionnelles et des hommes et des femmes qui l'exercent.

ANALYSER : décomposer un tout en ses éléments de manière à le définir, le classer, le comprendre, etc.[1]

Ce qui fait l'originalité de cette grammaire c'est que sa construction repose, pour une part importante, sur l'analyse d'un grand nombre d'extraits de films venant étayer les définitions théoriques. À chaque notion, principe ou règle, regroupés sous huit chapitres principaux (prise de vues, montage, cadre, mouvements de caméra, raccords, transitions, effets) correspond un énoncé explicatif, ainsi que trois exemples pris dans la cinématographie mondiale et répartis ainsi :

- un exemple pris dans le cinéma dit « classique », des origines aux années 1950 ;
- un exemple pris dans le cinéma populaire et de genre des années 1960 à 1980 ;
- un exemple pris dans le cinéma contemporain des années 1990 à aujourd'hui.

Car quelles que soient ces règles, elles sont inhérentes au cinéma, elles sont nées avec lui, ont traversé plus d'un siècle de pratique et sont toujours valables aujourd'hui, aux quatre coins de la planète.

Avertissement

Le choix des films qui jalonnent ces pages n'est pas nécessairement un gage de qualité desdits films, de même que la non-citation d'un ou d'une cinéaste n'est pas un signe d'ostracisme. Il était en effet matériellement impossible, dans les limites de cet ouvrage, de citer tous les réalisateurs et réalisatrices dignes de ce nom, qu'ils soient de grands artistes mondialement reconnus ou de petits maîtres seulement adulés par quelques spécialistes.

1. Voir note 1 p. 5.

Mes choix se sont portés sur les extraits les plus variés, les plus éclectiques et les plus originaux possibles, soit retrouvés au fin fond de ma mémoire cinématographique, soit glanés au hasard du visionnage de plusieurs centaines de films. En outre j'ai essayé, lorsque cela était possible, de m'affranchir des sempiternelles références cinéphiliques obligatoires, surtout lorsque j'avais souvenir d'exemples tout aussi parlants chez d'autres cinéastes.
Précisons que pour la partie consacrée aux effets spéciaux, il n'a pas toujours été possible de respecter à la lettre le système de répartition des trois exemples tirés de l'histoire du cinéma, certaines techniques n'étant apparues que très récemment.
Quant à l'analyse des exemples proprement dits, qui constitue une part importante de cet ouvrage, elle n'est pas une analyse au sens universitaire du terme mais bien plutôt un « décorticage » précis de chaque extrait, prenant en compte la forme et la fonction de la notion prédéfinie. Le but étant de faire comprendre le rôle de chacun des éléments du langage cinématographique et, par extrapolation, leurs éventuelles interactions au sein d'un plan ou d'une séquence.

Remerciements

Je tiens à remercier tout particulièrement Pascal Marzin, mon monteur de toujours, pour ses relectures et ses remarques toujours pertinentes.

Un grand merci également à Michel Marie qui m'a fait confiance en proposant l'édition de ce projet, ainsi qu'à Jean-Baptiste Gugès et Cécile Rastier, des Éditions Dunod, qui ont su me conseiller tout au long de l'écriture.

Un remerciement spécial à ma famille et aux amis cinéphiles qui m'ont soutenu dans ce parcours au long cours et parfois éclairé de leur lanterne bienveillante et avisée : Fabienne, Dorian, Erwan, Pierre, Basile, Anne, Jean-Luc, Julien, Aurélie.

Un grand merci aux « professionnels de la profession », très nombreux, qui ont jalonné mon parcours et m'ont beaucoup appris sur le cinéma et son histoire.

Et enfin, un remerciement tout exceptionnel à deux personnes qui ont éclairé mon adolescence cinématographique et ont fini par croiser et accompagner ma trajectoire professionnelle, pour mon plus grand bonheur : Jean-Pierre Dionnet et Claude Chabrol.

Merci à tous.

Première partie

Petites notions cinématographiques

La fabrication habituelle d'un film est faite de quatre phases successives : l'écriture, la préparation, le tournage, la postproduction. Chaque phase est elle-même faite de plusieurs étapes.

L'écriture commence par une idée souvent exprimée par un pitch de quelques lignes. Puis vient la rédaction du synopsis, d'un séquencier, d'un traitement et enfin d'une continuité dialoguée plus connue sous le nom de scénario.

La préparation du tournage, fondée sur l'étude approfondie du scénario, permet d'apprécier à la fois financièrement et artistiquement ce qui est faisable et dans quelle mesure. Elle occupe plusieurs postes, de la production à la mise en scène en passant par les effets spéciaux, les décors, les costumes, l'image et le son.

Le tournage peut prendre, selon le projet, de quelques semaines – voire quelques jours ! – à plusieurs mois. Il est dirigé du point de vue artistique par le réalisateur ou la réalisatrice, et du point de vue financier par le directeur ou la directrice de production, représentant principal du producteur ou de la productrice sur le tournage.

Puis vient ensuite la postproduction qui permet de finaliser le film. On procède tout d'abord au montage (image et son) en assurant très souvent en parallèle l'achèvement des trucages avant de passer au mixage (pour le son) et à l'étalonnage (pour l'image).

De manière transversale depuis maintenant quelques années, de plus en plus de projets – principalement ceux faisant intervenir des effets spéciaux – intègrent également un suivi optimisé de toute la chaîne de fabrication (appelée également workflow). Du storyboard à la postproduction, les outils numériques sont mis à contribution afin de faciliter le travail des équipes et du réalisateur ou de la réalisatrice. La prévisualisation (ou préviz) permet d'anticiper et de prévoir de façon rationnelle le travail. L'animatique, montage plus ou moins sophistiqué des vignettes du storyboard, permet de tester le rythme des séquences à truquer. La Design-visualisation (ou D-viz) permet de modéliser en trois dimensions des éléments de décors et des personnages virtuels, et la Technical-previz d'anticiper le placement et le déplacement d'éléments divers (véhicules ou vaisseaux mais aussi machinerie et éclairage) lors des prises de vues. Après le tournage, la postproduction des effets visuels peut ainsi être réalisée de manière plus sereine. Et puis, dernière étape cruciale, le compositing permet d'assembler de manière homogène toutes les images de sources différentes nécessaires à la fabrication d'un plan.

Enfin, lorsque le film a acquis sa forme définitive, on tire la première copie (film ou numérique), ou master, nécessaire à l'établissement des nombreuses copies d'exploitation (analogiques ou numériques).

Chapitre 1

Notions techniques liées à la prise de vues

Le tournage reste le lieu emblématique du cinéma, le lieu qui fait rêver, celui où tout peut encore arriver. Il est le moment crucial de la fabrication d'un film car une fois le tournage terminé, il y a peu de chance que tout ce qui n'aura pas été tourné puisse voir le jour[1]. Le réalisateur, grand patron de cette étape un peu spéciale qui peut prendre de quelques semaines à plusieurs mois, doit savoir ce qu'il veut en matière d'images, de décors, de costumes, de places de caméra mais également de son[2]. La préparation, qui a eu lieu quelques semaines auparavant, a normalement permis de fixer précisément le déroulement du tournage. Un plan de travail établi de manière ultrarigoureuse par l'assistant réalisateur servira de référence permanente jusqu'à la dernière seconde du dernier plan du dernier jour[3]. Un tournage coûtant très cher, chaque minute de chaque poste doit être optimisée pour un maximum d'efficacité. Tout

1. Retourner des scènes ou des bouts de séquences, parce qu'au montage on se rend compte qu'il manque des plans, reste tout à fait exceptionnel, même pour les gros budgets !
2. Il n'y a rien de pire sur un tournage qu'un réalisateur qui hésite sans cesse et ne semble jamais savoir ce qu'il veut.
3. Même si ce plan de travail est très fréquemment remanié, à cause des nombreux imprévus (météo, maladie, indisponibilité de dernière minute, suppression de certaines scènes, rajout d'autres scènes, problèmes financiers...).

étant prévu dans les moindres détails, les erreurs éventuelles de certains peuvent être parfois mal tolérées.

Pour cela, le réalisateur ou la réalisatrice doit connaître le vocabulaire et les règles essentielles du langage cinématographique sous peine de ne pouvoir communiquer avec le reste de l'équipe et de se heurter à des problèmes d'incompréhension ou d'interprétations erronées.

Il y a autant de façons de filmer qu'il y a de réalisateurs. Certains adorent cette étape, d'autres non. Pour Alfred Hitchcock, le tournage n'était qu'une simple formalité, un moment un peu pénible par lequel il fallait bien passer alors que tout était déjà écrit et storyboardé par ses soins[1]. Il savait exactement ce qu'il voulait et dirigeait ses équipes et ses comédiens d'une main de fer, ne laissant que très peu de latitude à une création extérieure.

Claude Chabrol, lui, adorait ce moment. C'est pour cela d'ailleurs qu'à une certaine période de sa carrière, il enchaînait les films (jusqu'à trois par an), tournant le suivant alors que le dernier était encore en cours de montage. Il aimait être là tôt sur le plateau afin de réfléchir à sa journée et prendre le pouls du décor. Pour lui, l'essentiel se faisait au tournage, en prévision d'un montage et d'un ordre des plans déjà très précis.

Quelle que soit la façon dont le réalisateur ou la réalisatrice va aborder les prises de vues, celui-ci doit être conscient que sa façon de filmer devra être nécessairement en parfaite adéquation avec son sujet, du premier au dernier jour de tournage, car il est le seul et unique membre de l'équipe garant de la cohérence et de la vraisemblance de l'histoire.

Le réalisateur ou la réalisatrice doit être capable, non seulement d'indiquer la place de la caméra, mais également la focale à utiliser[2] et les mouvements de caméra éventuels à réaliser.

---

1. Aujourd'hui, certains délèguent aux storyboardeurs, aux réalisateurs de seconde équipe la création du découpage technique, surtout lorsqu'il s'agit de scènes particulières comme des courses-poursuites, des combats ou des scènes d'actions dangereuses.
2. C'est pour cela d'ailleurs que les réalisateurs s'aident d'un chercheur de champ (cette sorte d'objectif qu'ils laissent pendre sur leur poitrine) leur permettant, à tout moment, de simuler le cadre qui les intéresse, en fonction du format du film et de la focale désirée.

1.1 La profondeur de champ

La profondeur de champ est, pour ce qui est filmé, la partie d'espace en profondeur qui sera nette sur l'image générée par l'objectif, au niveau de la pellicule ou du capteur. Elle peut varier en fonction de la **focale** (l'objectif utilisé), du **diaphragme** (la quantité de lumière qui entre dans la caméra) et de la distance de **mise au point**.

Une faible profondeur de champ permet d'isoler le sujet dans le décor alors qu'une grande profondeur l'intégrera à son environnement. Une importante profondeur de champ autorise également, comme son nom l'indique, une mise en scène « dans la profondeur », un peu comme le permettrait une scène de théâtre.

Citizen Kane

Impossible de parler de profondeur de champ sans évoquer Orson Welles. Grâce à un plan qu'il sait être net « de zéro à l'infini », Welles peut travailler sa mise en scène dans la profondeur, donnant ainsi encore plus de force à la scène et à ses personnages. Une des séquences les plus emblématiques de *Citizen Kane* (1941 – illus. **1**) par exemple, est celle, au début du film, où le banquier vient chercher le jeune Kane en plein hiver. Le plan le plus important (de près de 2 minutes) est celui qui débute par un travelling arrière, commençant à la fenêtre pour arriver au fond de la maison, là où va se signer le document qui scellera l'entière existence de l'enfant. Le cadre final comprend plusieurs niveaux de profondeur[1] : le premier plan (là où tout se décide) est occupé par la mère (Agnes Moorehead) et M. Thatcher (George Coulouris), tous deux bien assis dans leur position, au second plan se situe le père (Harry Shannon), debout et qui ne cesse de s'agiter – certainement le personnage le plus vivant des trois adultes – et tout à fait au fond, en arrière-plan donc et, qui plus est, inclus dans l'encadrement de la fenêtre, l'enfant (Buddy

1. Voir dans le chapitre 3 « Cadres, cadrage et caméra », la section 3.3 « Les plans dans l'image ».

1 Grande profondeur de champ : *Citizen Kane* (Orson Welles, 1941).

Swan) qui joue à l'extérieur dans la neige. Ici, chaque position a été minutieusement étudiée et calculée afin de donner à chacun la place qui lui convient : la mère et le représentant de la banque sont les plus importants puisqu'ils sont les seuls à décider, le père est relégué au second plan car il ne peut rien dire, son avis n'intéressant personne ; quant à l'enfant, séparé des adultes par l'encadrement de la fenêtre, il n'a aucun lien de proximité avec eux puisqu'il ne sait pas encore quel sort on lui réserve (sans compter qu'il n'a évidemment pas voix au chapitre). La très grande profondeur de champ, de plusieurs mètres, est utilisée ici par Orson Welles de façon extrêmement symbolique et se révèle, pour chaque niveau de lecture, particulièrement lourde de signification. Mais dans ce cas, la forme est tellement en parfaite adéquation avec le fond qu'elle peut aussi être ressentie comme redondante, voire artificielle. Cette utilisation de la profondeur de champ pour rajouter « du signifiant » dans l'image est ainsi présente à de multiples reprises, tout au long de *Citizen Kane*. Elle est une des marques de fabrique de Welles.

Le Temps du massacre

Dans le western de Lucio Fulci *Le Temps du massacre* (1966 – illus. **2**), les personnages évoluant dans les intérieurs (principalement des saloons) sont généralement isolés de leur environnement par des plans à faible profondeur de champ. Le but : montrer et faire ressentir l'égocentrisme et l'individualisme à outrance qui règnent dans l'Ouest américain, doublés d'une solitude certaine et d'un manque de lien évident entre les êtres. Les lieux publics, où l'on boit et fait la fête, sont en fait des lieux d'isolement où chacun essaie d'oublier la brutalité et la violence de son environnement. Mais dans le film, deux scènes d'intérieur importantes sont traitées différemment. La première se déroule au début, lorsque Tom Corbett (Franco Nero) revient chez lui et retrouve sa mère et son frère Jeffrey (George Hilton). Les plans, tournés ici en courte focale, sont nets, des amorces de premier plan jusqu'aux arrière-plans, y compris dans les déplacements et malgré la relative obscurité. Le foyer devient le lieu de l'équité où tout le monde est traité sur un pied d'égalité, il est le lieu du repos et de la sérénité... même si, quelques minutes plus tard, tout bascule lorsque le monde extérieur y fait tragiquement irruption. La deuxième scène, que l'on peut

2 Faible profondeur de champ : *Le Temps du massacre* (Lucio Fulci, 1966).

voir à la fin du film, fait en quelque sorte écho à la première, lorsque les deux frères Corbett viennent régler son compte au fils Scott (Nino Castelnuovo). L'hacienda, lieu très blanc baigné de lumière (par opposition à la maison des Corbett, très sombre) est l'endroit où la vengeance va pouvoir s'exprimer au grand jour. La traque du méchant, filmée en focale courte, permet une étonnante profondeur de champ y compris dans la longue enfilade des pièces, et dans les travellings qui suivent ou précèdent les personnages.

USS Alabama

En combinant deux techniques de prise de vues (l'utilisation des longues focales et celle des basses lumières) Tony Scott, dans *USS Alabama* (1995), plonge immédiatement le spectateur dans un univers d'enfermement où l'horizon n'existe pas. En effet, dès le début du film, que ce soit lors des séquences de l'anniversaire de la fille de Ron Hunter (Denzel Washington) ou dans le bureau militaire du capitaine Franck Ramsey (Gene Hackman), la majorité des plans – et plus spécifiquement les plans serrés – n'ont presque pas de profondeur de champ, isolant chacun des protagonistes de leur environnement. Ils sont ici annonciateurs de tout le reste du film qui, on le sait, va se dérouler à l'intérieur d'un sous-marin nucléaire en alerte. Dans ce lieu clos par excellence, le réalisateur a choisi de jouer la plupart du temps avec une faible profondeur de champ, donnant de cette manière une importance prépondérante aux hommes et à la tragédie qui se noue dans cet environnement « claustrophobique » et déshumanisé.

À noter

L'utilisation par certains cinéastes des caméras vidéo (DV, HDV, Beta Num, XDCam, HDCam...), à la fin des années 1990, a permis de retrouver une très grande profondeur de champ, même par faible éclairement, de par leur objectif et leur très grande sensibilité (entre autres). Il faut voir par exemple les films dits « intimistes » comme *Festen* de Thomas Vintenberg ou la trilogie de Jean-Marc Barr et Pascal Arnold *Lovers*, *Too much flesh* et *Being Light*, qui furent tournés en DV. Les scènes de nuit de *Collatéral* de Michael Mann, un des tout premiers films tournés entièrement en HDCam, sont étonnantes à ce propos : alors que la lumière est par essence limitée, la profondeur de champ est ici particulièrement importante. A contrario, l'arrivée sur le marché, à la fin des années 2000, d'un matériel pouvant filmer en HD avec de grands capteurs (appareils photographiques reflex, caméras 4K...) a relancé la mode du flou de mise au point et des plans à profondeur de champ réduite.

1.2 La focale

La focale est le terme communément employé pour désigner l'objectif utilisé sur la caméra. La focale normale ou moyenne, en pellicule 35 mn ou pour un capteur plein format, se situe entre 40 mm et 60 mm – un objectif de 50 mm étant celui qui serait le plus proche de la vision humaine. Tout ce qui est en dessous est appelé courte focale (ou grand-angle), et tout ce qui se situe au-dessus longue focale (ou téléobjectif).

Courte focale (ou grand-angle)

La courte focale permet une grande profondeur de champ et englobe un champ plus large que la focale moyenne.

Elle augmente l'impression de perspective, magnifie les volumes et accélère les mouvements dans la profondeur.

Le Procès

Si Orson Welles peut jouer avec la profondeur de champ comme il le fait si souvent, c'est en partie dû au fait qu'il utilise énormément les courtes focales. Son film le plus représentatif de l'utilisation de ce procédé est sans conteste *Le Procès* (1962). La quasi-totalité du film est tournée au grand-angle et la séquence d'ouverture, dans la chambre de Joseph K. (Anthony Perkins), est à ce titre très éloquente. Les effets déformants sur les lignes (perspectives fuyantes) et les personnages sont évidents ; l'atmosphère de la séquence s'en ressent énormément, distillant une sorte de malaise et d'artificialité, amplifiée par des effets sur les décors (les plafonds surbaissés) ou sur l'image elle-même (utilisation de la contre-plongée quasi systématique et lumière très plate, pratiquement sans ombres). Tout au long du film, les plans séquences, les amples mouvements de caméra ou les longs travellings se trouvent, grâce à l'utilisation de la courte focale, sublimés et dramatisés à l'excès.

Lucky Luciano

Les courtes focales ont la faculté de magnifier des lieux déjà imposants en les rendant encore plus monumentaux voire solennels. Au début de *Lucky Luciano* (1973 – illus. **3**) de Francesco Rosi, le paquebot, qui est à quai, prend une incroyable dimension, symbolisant ainsi la force et la grandeur du parrain qui retourne au pays.

3 L'utilisation d'une courte focale dans *Lucky Luciano* (Francesco Rosi, 1973).

Les Visiteurs

De nombreux plans dans *Les Visiteurs* (1993) de Jean-Marie Poiré utilisent des focales courtes, spécialement lorsque Godefroy de Montmirail (Jean Réno) et Jacquouille la Fripouille (Christian Clavier) s'approchent exagérément de la caméra, jouant ainsi sur les effets burlesques et déformants du grand-angle : pendant la scène du repas où les deux compères entonnent une chanson paillarde, quand ils souhaitent une bonne nuit aux enfants ou à la fin, pendant la transformation de Jacquouille. Le choix de cette focale commence d'ailleurs dès le début du récit, avec la sorcière de Malcombe, premier personnage à être filmé au grand-angle. Viendront ensuite, tout au long de l'histoire, plusieurs scènes intégrant ici ou là des plans à très courte focale, comme rappel symbolique d'un Moyen Âge imprégnant l'ensemble du récit, y compris lors des scènes contemporaines. Grâce à cet artifice, Jean-Marie Poiré a pu ainsi caractériser de manière simple et cohérente l'identité du film, sans toutefois en abuser.

Fish-eye

Le Fish-eye est un très-grand-angle d'environ 5 à 8 mm, donnant un effet d'incurvation exagérée des lignes. Il peut être utilisé, par exemple, pour simuler la vision que l'on a à travers le judas d'une porte. C'est un objectif également très prisé pour les films de skate.

Longue focale (ou téléobjectif)

Avec une longue focale, la profondeur de champ est réduite. Tout ce qui n'est pas à la même distance de la caméra que le sujet filmé (devant et derrière lui donc) est flou.

Une longue focale donne l'impression d'écraser les perspectives et de réduire l'espace. Elle isole les personnages de leur environnement en générant du flou de mise au point. Les distances semblent écrasées, l'effet de vitesse est minimisé.

Missouri Breaks

Dans *Missouri Breaks* (1976), la longue focale permet à Arthur Penn de tourner les plans serrés d'une scène tout en laissant la caméra, et donc l'équipe, au même endroit. Le gain de temps et d'argent est ici considérable puisqu'on n'a pas à mettre en place un nouveau plan, il « suffit juste »[1] de changer d'objectif ou de zoomer. Comme cette séquence

1. Évidemment, les choses ne sont pas aussi simples que cela mais tout de même, la mise en place des comédiens est pratiquement la même (surtout à cette distance) et seuls le cadre et le point sont à affiner.

sur laquelle se déroule le générique de début, qui s'ouvre par le plan d'ensemble d'une plaine de l'Ouest au milieu de laquelle arrivent trois cavaliers. S'ensuit un long plan séquence (de plus de 2 minutes) plus serré, filmé en longue focale et dans le même axe que le premier (avec au premier plan, flous, des plants de pissenlit en graine). Ce second plan permet ainsi de suivre de plus près les trois protagonistes qui se mettent à parler, mais sans encore les identifier clairement. Lorsque le groupe finalement s'arrête tout proche, on retrouve la focale normale sur les trois cowboys, mais les champs-contrechamps sont à nouveau filmés avec une longue focale, pour les mêmes raisons que celles énoncées précédemment. Penn aura recours de nombreuses fois à cette technique, tout au long du film : lors de la première rencontre entre Jane Braxton (Kathlenn Lloyd) et Lee Clayton (Marlon Brando), pendant la balade à cheval de Jane et Tom Logan (Jack Nicholson), lorsque M. Braxton (John McLiam) présente Lee Clayton à Tom, quand Jane rend visite à Tom dans son potager, lorsque Clayton vient provoquer Tom Logan dans son ranch, lors de la scène finale entre Jane et Tom...

Tire encore si tu peux

Dans son chef-d'œuvre halluciné *Tire encore si tu peux* (1967), Giulio Questi a énormément utilisé les longues focales pour filmer, entre autres, les acteurs en gros plan. Les codes du western-spaghetti sont ici portés à leur paroxysme dans une exaltation visuelle jubilatoire, à tel point que tous ces visages burinés, suants ou ensanglantés, filmés sous une lumière très crue, semblent comme isolés de leur environnement par une profondeur de champ extrêmement réduite. Il faut voir également la scène d'opération à vif d'Oaks (Piero Lulli) où tous les gros plans (de plaie, du « chirurgien », de chair entaillée, de la balle extraite) sont faits à la longue focale. Chaque mouvement, chaque acte, chaque souffrance sont ainsi disséqués avec une précision chirurgicale. Idem pour la séquence où Django (Tomas Milian) découvre les corps tailladés et meurtris des bandits, lynchés par les villageois et exposés au soleil violent du désert. L'alternance des très gros plans du visage du héros (suivi le plus souvent en travelling latéral) avec les gros plans sur les morts (majoritairement filmés en travellings verticaux) instille un malaise teinté de voyeurisme très ambigu. Le contraste entre le sujet (la sauvagerie de l'homme) et l'esthétique parfaite des images (magnifique lumière, cadres parfaits, beauté et charisme du comédien) est ici en parfaite adéquation avec le propos du film : la fascination morbide que peut avoir l'être humain pour des atrocités commises dans certaines circonstances[1].

Les Petits Mouchoirs

Dans *Les Petits Mouchoirs* (2010), Guillaume Canet utilise les longues focales principalement de deux manières : soit lors de scènes intimistes où le dialogue est essentiel, ce sont alors des champs-contrechamps très classiques ; soit dans le cas où le point de vue doit rester en retrait.

Pour les scènes intimistes, le réalisateur se sert de sa caméra à la manière d'un photographe portraitiste. L'accent est alors mis sur chacun des personnages présents dans la scène et les visages, filmés en plan serré et comme extraits de leur environnement, prennent à tour de rôle toute leur dimension. Rien d'étonnant à cela, puisque Guillaume Canet, étant lui-même comédien, connaît bien l'importance du visage quand il s'agit de faire passer des émotions. Ici, les scènes les plus caractéristiques sont certainement celles où deux personnages se retrouvent face à face sans échappatoire possible. Comme les deux scènes de confrontation entre Vincent (Benoît Magimel) et Max (François Cluzet) au restaurant de ce dernier, la scène entre Vincent et Marie (Marion Cotillard) qui avoue à demi-mot à celui-ci qu'elle a été amoureuse de lui, celle entre Marie et Éric (Gilles Lellouche) qui, lui, essaie de comprendre pourquoi elle n'a jamais voulu coucher avec lui ou celle entre Antoine (Laurent Lafitte) et Juliette (Anne Marivin) dans la voiture.

Guillaume Canet utilise également la longue focale pour des scènes où la caméra (et donc le spectateur) doit regarder les choses de loin,

1. Giulio Questi a fait ce film en réaction aux atrocités auxquelles il avait été confronté durant la Seconde Guerre mondiale, et qui l'ont marqué profondément.

discrètement et avec beaucoup de pudeur. Deux scènes sont emblématiques de cette façon de filmer : celle à l'aéroport de Bordeaux, lorsque Éric vient chercher Léa (Louise Monot) et celle de la fin, lors de l'enterrement.

Pour la première, les plans sont non seulement tournés intégralement au téléobjectif mais en plus, ils passent tous par le filtre naturel d'une vitre du hall de l'aéroport. Rarement des personnages ont été autant isolés. Derrière et autour d'eux, le flou de la longue focale est accentué par cette barrière transparente, presque immatérielle, mais pourtant bien présente[1].

La scène qui clôt le film, devant l'église et au cimetière, est construite de manière identique mais cette fois-ci sur une chanson de Ben Harper[2]. Le but est encore une fois le même : isoler chacun dans sa souffrance et ses pensées, comme pour mieux souligner l'ambivalence des sentiments qui peuvent exister au sein d'un groupe d'amis, entre égoïsme et partage.

1.3 Le diaphragme (ou ouverture)

Plus l'ouverture est grande (petite valeur de diaph.) et plus la profondeur de champ est réduite. A contrario, plus le diaphragme est fermé (grande valeur de diaph.), laissant ainsi entrer peu de lumière, plus la zone de netteté est grande.

On peut dire qu'un diaph. normal est de f5,6 ou f8, que tout ce qui se situe en dessous (f4.5, f4, f2.8, f1.4) est à pleine ouverture et que tout ce qui est au-dessus (f11, f16, f22) est une petite ouverture.

Les scènes de nuit, par exemple, demanderont une ouverture plus grande (petite valeur de diaph. : f2.8) alors que les scènes en plein soleil seront filmées avec un diaphragme plutôt fermé (grande valeur de diaph. : f22).

1. Ces plans ne sont pas sans rappeler la façon qu'avait Claude Sautet de filmer très souvent certains de ses personnages discutant derrière la vitre d'un café, par temps de pluie.
2. *Amen Omen* sur l'album *Diamonds on the Inside* (2003).

1.4 La mise au point (ou faire le point)

La mise au point permet de rendre net ce que l'on veut désigner a priori au spectateur comme étant le centre d'intérêt du plan. À l'intérieur d'un même plan, le point peut varier d'avant en arrière, en fonction justement des centres d'intérêt sur lesquels le réalisateur ou la réalisatrice désire insister. Le point est effectué soit par un assistant caméra, soit par une personne dont c'est la fonction principale et que l'on appelle le pointeur.

Lorsque le point n'est pas tout à fait là où il devrait être, on dit qu'il est (un peu) mou.

En pratique

Le travail de haute précision effectué par le pointeur est souvent très risqué. Lorsqu'on travaille en basse lumière, le point est particulièrement périlleux à faire car la marge de manœuvre au niveau de la profondeur de champ est extrêmement mince (moins il y a de lumière et plus la profondeur de champ est réduite). L'angoisse du réalisateur (et bien sûr du pointeur) : avoir à refaire le plan à cause d'un point approximatif.

Dans les exemples qui suivent, on peut voir que la focale, le diaphragme et la mise au point peuvent se combiner à l'infini et varier de façon importante à l'intérieur d'un même plan, en fonction des besoins de la narration et de la mise en scène.

La Beauté du diable

La longue séquence du miroir de *La Beauté du diable* (1949) de René Clair, dans laquelle le professeur Faust (Gérard Philippe) voit se dérouler sous ses yeux son avenir, est un exemple intéressant du travail effectué par le pointeur. Ici, le principe – toujours le même – est simple. Faust, sur invitation de Méphistophélès (Michel Simon), regarde l'image que lui renvoie un grand miroir posé sur une cheminée. Au lieu d'y voir son propre visage, il y découvre des scènes de sa vie future. La caméra entre alors à l'intérieur du miroir en travelling, oubliant toute référence à la pièce dans laquelle se trouve Faust. Puis, pendant un temps variable, une séquence du futur défile, accompagnée des commentaires off de Méphistophélès. En fin de séquence, la caméra recule pour récupérer les références de la pièce telles que l'entourage du miroir, les vases posés près de celui-ci ou le manteau de la cheminée. Le travail du pointeur consiste donc à suivre le mouvement de la caméra, en anticipant sur ce que le spectateur doit regarder dans ce plan en mouvement et qui doit bien entendu être net.

Ainsi, dans la première séquence, alors que le plan est fixe au début, le point est sur Méphistophélès qui parle. Puis, lorsqu'il se tourne pour désigner le reflet de Faust, le point glisse discrètement sur le jeune homme de l'autre côté du miroir. La caméra se mettant alors en mouvement dans un travelling avant pour « entrer » dans le miroir, le point suit « le reflet » qui s'éloigne vers le fond de la pièce où va se dérouler la scène du baiser. Puis, la caméra recule en travelling arrière. Au moment où celle-ci « ressort » du miroir, Méphistophélès entrant dans le champ par la gauche, le point glisse rapidement sur celui-ci. La scène au fond, devenue secondaire, reste floue pendant le monologue du vieillard, prince de l'enfer.

La douzaine de plans similaires qui entrent dans le montage de cette séquence de près de 2 minutes fonctionnent tous de façon identique. Le challenge que doit relever à chaque fois le pointeur est de faire en sorte que les spectateurs sentent le moins possible les changements de points, qui doivent donc se faire avec une grande dextérité et surtout beaucoup d'intuition, afin d'anticiper et de ressentir à chaque seconde où se situe l'intérêt du plan. Les mouvements de chacun des comédiens, ainsi que les passages le long des éléments de décor, servent ainsi à conduire le plus souvent le point vers un nouveau centre d'intérêt.

Peu connu, et souvent dans l'ombre du directeur de la photographie, le pointeur a ainsi un rôle essentiel, voire prépondérant dans la mise en scène.

Sweet Sweetback's Baad Asssss Song

Dans *Sweet Sweetback's Baad Asssss Song* (1971) de Melvin Van Peebles, tous les cas de figure possibles et imaginables dans l'utilisation du point sont réunis ! Que ce soit pour isoler (dans des plans parfois très beaux) des personnages sur des fonds flous, pour faire varier de manière hallucinatoire la netteté entre divers éléments d'un plan, pour jouer avec les amorces et les arrière-plans... jusqu'à se retrouver même parfois en limite de point, sur des gros plans de personnages qui deviennent ainsi malencontreusement flous ! En effet, de très nombreux flous – visiblement non volontaires de la part du caméraman mais plutôt dus à des reprises de point lors de plans en mouvement – ont tout de même été gardés. Par cette astuce, le cinéaste réintroduit une certaine dynamique au montage tout en donnant une texture intéressante à l'image. Un très bon exemple de ce que l'on peut faire en jouant avec le point, que ce soit voulu, réfléchi ou subi, et dans un esprit finalement pas très éloigné du cinéma expérimental.

Strange Days

Un changement de point, utilisé avec subtilité et comme pour mieux jouer avec les multiples profondeurs de l'image, peut se voir au début de *Strange Days* (1995) de Kathryn Bigelow lorsque Lenny Nero (Ralph Fiennes), qui vient de rentrer chez lui, s'apprête à visionner un clip « auto-vécu » de son ex-petite amie (Juliette Lewis). Une fois qu'il a choisi sa séquence, on découvre sa main en train de dévisser le bouchon d'une bouteille de vodka. Ce plan, tourné de profil par rapport au personnage, est construit dans la profondeur : au premier plan, un verre complètement flou et à peine identifiable ; au second plan (là où est le point en début d'action), la main qui ouvre la bouteille ; et enfin, en arrière-plan, l'image floue de Nero se reflétant dans un miroir. Lorsque la main, qui vient d'enlever le bouchon, approche la bouteille de la caméra pour verser l'alcool dans le verre, le point suit le mouvement, gardant ainsi la bouteille nette. Du coup, au premier plan, le verre devient net, lui aussi, lorsque l'alcool s'y déverse, et on peut également voir qu'en arrière-plan, l'image dans le miroir devient encore plus floue. À tel point d'ailleurs que plus rien n'y est identifiable. Une très légère reprise de point est effectuée ensuite sur la bouteille, lorsque celle-ci vient se poser au tout premier plan, juste devant le verre. Puis, profitant du mouvement de la main qui se retire, le point glisse naturellement vers le fond du plan, pour finalement se stabiliser sur l'image dans le miroir. Pendant quelques secondes, on peut lire l'action (la main qui porte le verre aux lèvres) sur deux niveaux : au premier plan, l'action est totalement floue alors qu'en arrière-plan, dans le miroir, tout est net. Puis, dans la continuité de l'action, la caméra suit en panoramique le mouvement du bras qui lève le verre et le point revient naturellement au second plan, sur le visage de profil du personnage qui, ensuite, repose le verre. Cut et raccord dans le mouvement. On retrouve le cadrage de début du plan précédent mais cette fois-ci le point est au fond, sur l'image reflétée par le miroir : la main pose le verre (flou au premier plan). Puis le point est ramené au second plan, lorsque la main se saisit du casque à vision, pour le poser sur la tête.

Afin de suivre l'action, tout en restant au plus près du personnage, le premier plan compte ainsi pas moins de quatre changements de point en moins de 15 secondes, tous effectués avec une précision chirurgicale et un grand professionnalisme.

1.5 Les formats d'image

Le mot « format » désigne ici le rapport hauteur/largeur de l'image impressionnée sur la pellicule ou enregistrée par un signal vidéo (illus. **4** à **6**), et non la largeur de la pellicule (70 mm, 35 mm, 16 mm) ou le type de support vidéo.

4 Comparaison entre les différents formats d'image utilisés au cinéma.

Les formats standards

1,33:1 Format de base, identique à celui d'un écran de télévision cathodique normal. Correspondait à l'origine au standard du cinéma muet.
1,37:1 Format standard du cinéma sonore.

5 Format standard, le 1,33 : *Intolérance* (D.W. Griffith, 1916).

Quelques exemples de films tournés dans un format standard

1,33 : *Le Cabinet du docteur Caligari* (Robert Wiene, 1920), *Festen* (Thomas Vintenberg, 1998), *Le Projet Blair Witch* (Daniel Myrick et Eduardo Sánchez, 1999).
1,37 : *Charulata* (Satyajit Ray, 1964), *Pauline à la plage* (Éric Rohmer, 1983), *Les Ailes du désir* (Wim Wenders, 1987).

Les formats larges

1,66:1 Format panoramique européen.
1,78:1 Format des caméras numériques (16/9).
1,85:1 Format panoramique américain.
2,35:1 CinemaScope standard.
2,39:1 CinemaScope moderne.

6 Format large, le 2,35 : *Le Seigneur des anneaux* (Peter Jackson, 2001).

Quelques exemples de films tournés dans un format large

1,66 : *Répulsion* (Roman Polanski, 1965), *La Nuit américaine* (François Truffaut, 1973), *37°2 le matin* (Jean-Jacques Beineix, 1986).
1,85 : *Diamants sur canapé* (Blake Edwards, 1961), *E.T., l'extraterrestre* (Steven Spielberg, 1982), *Casse-tête chinois* (Cédric Klapisch, 2013).
2,35 : *Le Garde du corps* (Akira Kurosawa, 1961), *Blue Velvet* (David Lynch, 1986), *Agora* (Alejandro Amenábar, 2009).
2,39 : *Blade Runner* (Ridley Scott, 1982), *Forrest Gump* (Robert Zemeckis, 1994), *L'Ombre des femmes* (Philippe Garrel, 2015).

Les formats spéciaux

1:1 Format carré.
1:1,78 Format vertical.
Ces formats sont extrêmement rares et plutôt utilisés de manière ponctuelle, comme l'a fait Xavier Dolan avec le format carré, pour *Mommy* (2014).

Chapitre 2

Notions de montage

Le montage est la première mise en forme du film grâce à l'assemblage des plans tournés (les rushes) et l'association de l'image et du son. Le montage se doit de préserver, de façon cohérente et vraisemblable, la continuité du scénario.

Si au tournage le réalisateur ou la réalisatrice a filmé « utile », le montage risque d'être relativement aisé. En revanche, s'il y a des heures et des heures de rushes – soit parce qu'on a tourné à plusieurs caméras, soit parce que le réalisateur ou la réalisatrice n'a pas su choisir entre les divers axes possibles de prises de vues – le montage peut vite devenir un véritable cauchemar. Et dans ce cas-là, il faut savoir compter sur l'organisation méticuleuse du monteur et sa grande expérience des raccords et du rythme.

Car le montage est avant tout une histoire de timing et de tempo dans l'assemblage des images et des sons. Un bon montage est un montage qui ne se voit pas mais se ressent.

Le montage peut être nerveux comme avec les courses-poursuites de *Rue de la violence* (Sergio Martino, 1973) ou celle encore plus hystérique d'*Osterman week-end* (Sam Peckinpah, 1983) qui, sur un peu plus de 2 minutes, aligne une bonne centaine de plans dont certains ne durent que le temps de huit images[1]. Mais il peut également être lent

1. Chaque seconde de film étant faite de 24 images successives, Peckinpah a ici monté des plans d'à peine un tiers de seconde, tout juste perceptibles par un spectateur lambda. L'idée est bien là de faire ressentir plutôt que de montrer, et de suggérer plutôt que de démontrer.

comme souvent dans *Printemps, été, automne, hiver... et printemps,* anxiogène comme dans certaines scènes de *The Eye 2,* contemplatif comme dans *Solaris,* dynamique comme pour les scènes de combat de *Matrix,* énervé comme souvent dans *Les Affranchis,* violent comme pour la scène des émeutes et du massacre des musulmans au début de *Slumdog Millionaire,* ou même destructeur comme dans de nombreuses scènes de *Sweet Sweetback's Baad Asssss Song...*

La combinaison des plans aussi bien au niveau de l'image que du son étant infinie, seul le réalisateur (unique personne à avoir une vision globale du film car généralement présent depuis le début du projet) est en mesure de donner la direction à prendre pour le choix des plans, des prises, des sons et de leur agencement.

Cela pose la question du *final cut,* pratique courante aux États-Unis et qui fait du producteur le seul et unique décisionnaire « artistique » au montage[1] – le réalisateur étant, dans ce cas, relégué au rang de simple exécutant aux ordres du studio, une sorte de super manager garant de la bonne fin du film. Son avis est appréciable, voire important, mais non prépondérant. Aux États-Unis, le plus souvent, c'est le producteur qui tranche ; en Europe c'est le réalisateur.

2.1 Le plan

Le plan est la plus petite entité d'un film, comprise entre deux coupes dans l'image. Au tournage, c'est la durée comprise entre « Moteur » et « Coupez ». Les plans assemblés entre eux constituent des séquences. Chaque plan se caractérise par son cadrage et sa durée.

Pour préparer le tournage, le réalisateur, en collaboration avec son assistant et le directeur de la photo, rédige un découpage technique, sorte de liste chronologique des plans du film. Ce découpage peut se traduire, en totalité ou partiellement, par un storyboard.

1. Sauf, bien entendu, pour quelques réalisateurs stars (ou producteurs de leurs propres films) mais finalement fort peu nombreux...

À NOTER

La durée d'un plan monté est forcément plus courte que celle d'un plan tourné : au montage, on enlève a minima, au début et à la fin du plan, tout ce qui ne concerne pas directement l'histoire (les annonces, le clap, la mise en place des acteurs, les recadrages et calages caméra, etc.). Ce qui est supprimé constitue une partie des chutes.

L'Arrivée d'un train en gare de La Ciotat

Un des premiers plans historiquement les plus célèbres du cinéma, et qui est également un film à lui tout seul, est celui des frères Lumière intitulé *L'Arrivée d'un train en gare de La Ciotat*. Tourné en 1895, il est l'essence même du plan, il commence au moment où l'opérateur s'est mis à tourner la manivelle de la caméra et se termine une cinquantaine de secondes plus tard, au moment où celui-ci s'est arrêté, c'est-à-dire en fin de bobine.

La Planète des singes

L'un des plans les plus emblématiques du cinéma de genre des années 1960-1970 est certainement celui qui clôt la toute première adaptation de *La Planète des singes*, réalisée en 1968 par Franklin J. Schaffner. Alors que Taylor (Charlton Heston) et Nova (Linda Harrison), enfin libres, avancent à cheval sur une plage déserte, ils se retrouvent face aux vestiges hautement symboliques de la civilisation humaine, une preuve incontestable que des centaines d'années plus tôt l'homme a bien régné sur la planète, avant les singes. Ce plan, qui est annoncé quelques secondes plus tôt par deux plans successifs avec chacun une amorce différente de carcasse métallique, est un zoom arrière commençant sur les personnages, les pieds dans l'eau, et finissant en plan général. Face à eux (et aux spectateurs) apparaît la vérité : à quelques mètres, au pied d'une falaise, gît la statue de la Liberté à moitié détruite, et ensablée jusqu'à la poitrine. Un plan d'une vingtaine de secondes s'achevant par un fondu au noir avec, pour seul fond sonore, le bruit des vagues s'écrasant perpétuellement sur la plage. Un plan qui, à lui seul, permet de tout expliquer.

37°2 le matin

C'est en 1986 que sort sur les écrans *37°2 le matin* de Jean-Jacques Beineix, un film devenu aussi culte que sa séquence d'ouverture dont, à l'époque, tout le monde se demandait comment elle avait été faite. En effet, pendant près de 2 minutes, on peut voir Zorg (Jean-Hugues Anglade) et Betty (Béatrice Dalle) faire l'amour sur un lit. Il s'agit d'un lent travelling avant, commençant en plan relativement large de l'intérieur du bungalow occupé par les deux jeunes gens, et finissant en plan américain. Alors que la caméra s'arrête finalement sur le couple épuisé, on entend en off la voix de Zorg qui résume la situation[1]. En un seul et unique plan, le réalisateur a su suggérer les enjeux dramaturgiques d'une histoire d'amour naissante qui, rapidement, va devenir un formidable mélo passionnel, ancré dans son époque.

2.2 Séquence *vs* scène

La séquence est une notion purement cinématographique. Elle désigne une suite de plans exprimant une idée principale à l'intérieur d'une unité dramatique de lieu et de temps. C'est l'assemblage et la succession cohérente de ces séquences qui constituent un film, chacune générant son propre rythme au service de la narration et de la dramaturgie de l'œuvre.

EN PRATIQUE

À l'écriture du scénario, l'intitulé de chaque séquence comporte les indications INTÉRIEUR ou EXTÉRIEUR puis JOUR ou NUIT ainsi que le lieu (le décor) où l'action se déroule. Par exemple, pour la première séquence du film de François Truffaut *Les 400 coups* (1959) : 1 – EXTÉRIEUR – JOUR – SALLE DE CLASSE

1. « *Ça faisait une semaine que j'avais rencontré Betty. On baisait toutes les nuits. Ils avaient annoncé des orages pour le soir.* »

Le terme de scène est rarement utilisé par les professionnels, car il ne correspond à rien de tangible si ce n'est très spécifiquement pour les scénaristes. Certains font ainsi de la scène une succession de séquences ayant une unité d'action[1].

Jour de fête

Au début de *Jour de fête* (1949) de Jacques Tati, la séquence de la mouche dure moins d'une minute et ne compte que 3 plans, elle commence au moment où le facteur (Jacques Tati) arrive à vélo, et se termine avec le plan dans lequel il s'éloigne : un lieu (une route de campagne), une action (un gag), un moment précis (le temps du gag).

Nuits blanches

En ouverture de *Nuits blanches* (1975) de Luchino Visconti, la rencontre qui va tout déclencher entre Mario (Marcello Mastroianni) et Natalia (Maria Schell) est une séquence dialoguée de 5 minutes et 8 plans qui s'insère dans une scène plus large de 8 minutes. Une séquence qui se déroule au milieu des ponts surplombant les canaux de la ville et dont la durée de chaque plan augmente de façon exponentielle, passant ainsi de 3 secondes pour le plus court (le premier) à 1 minute 30 pour le plus long. Cette mise en scène permet d'installer progressivement le spectateur dans la relation complexe en train de naître entre Mario et Natalia, au risque d'ailleurs de le perdre dans une lenteur toute slave[2].

Le Seigneur des anneaux, Le Retour du roi

Dans *Le Seigneur des anneaux, Le Retour du roi* (2003) de Peter Jackson, la séquence de la Moria dure environ 23 minutes. Elle commence au moment où le groupe passe la porte de la cité du peuple nain et se termine au moment où le groupe, devenu orphelin de Gandalf, sort

1. Pour Yves Lavandier (in *La Dramaturgie*, p. 481), une scène est la « partie d'une œuvre dramatique présentant une action locale ».
2. Le film est l'adaptation du roman éponyme de Dostoïevski publié en 1848.

à l'air libre. Elle est divisée elle-même en une demi-douzaine de sous-séquences, comme celle du combat contre les gobelins et le troll des cavernes qui dure près de 7 minutes et compte plus de 240 plans.

Le plan séquence

Le plan séquence est un plan souvent très long dans lequel se passe généralement une action complète. Il peut être soit fixe (toute l'action se situe dans le champ mais aussi hors-champ), soit en mouvement (et permet en général de suivre l'action au plus près).

Un plan séquence donne l'impression au spectateur qu'il est totalement dans le film, puisque l'action se déroule sous ses yeux en temps réel. Il donne un sentiment accru de véracité. Il est toujours une performance, car extrêmement compliqué à mettre en place et à réaliser.

La Soif du mal

Un exemple célèbre de plan séquence est celui du magnifique plan d'ouverture de plus de 3 minutes de *La Soif du mal* (1958 – illus. **7**) d'Orson Welles qui, dans un long mouvement complexe de grue et de travellings, suit une voiture piégée passant la frontière américano-mexicaine. Grâce à une ambiguïté toute contrôlée, Welles place le spectateur dans la position de celui qui sait, voire de celui qui voudrait agir, mais qui finalement est impuissant… Le cinéaste semble ainsi nous dire que c'est le réalisateur qui contrôle tout, tandis que le spectateur se contente de regarder ce que le réalisateur a créé.

L'Étrangleur de Boston

Dans *L'Étrangleur de Boston* (1968), Richard Fleischer a utilisé à plusieurs reprises le plan séquence, marqué à chaque fois par la présence de l'étrangleur Albert DeSalvo (Tony Curtis). Le premier (d'environ 2 minutes), au bout d'une heure de film, nous révèle enfin la véritable identité du criminel : il est assis sur une chaise devant sa télévision, regardant les infos qui relatent la mort de Kennedy. Il semble seul, mais

7 Plan séquence : *La Soif du mal* (Orson Welles, 1958).

un lent travelling avant révèle qu'il a une femme (qui est en train de faire la cuisine), un petit garçon et une petite fille (qui vient se faire câliner). Le tueur en série qui terrorise Boston est en fait un tranquille père de famille qui, bouleversé par la mort du président américain, préfère sortir pour se changer les idées...

Le réalisateur utilise le procédé une deuxième fois une demi-heure plus tard, lorsque DeSalvo (enfermé dans un hôpital psychiatrique) fait le point avec son médecin sur l'impact qu'ont sur lui les interrogatoires du procureur John Bottomly (Henry Fonda). Le plan, plus complexe et plus long (près de 3 minutes), est une combinaison de travellings, de panoramiques et de zooms avant qui nous permettent de découvrir, en même temps que le tueur se confie, les grandes lignes de sa personnalité.

Et enfin, une dizaine de minutes plus tard, 3 plans séquences (dont un de plus de 3 minutes) se succèdent pendant près de 8 minutes pour filmer un personnage en proie à ses démons. Au début, Bottomly questionne en off l'étrangleur qui, finalement, va revivre pendant de longues minutes ses meurtres sordides. Littéralement habité, Tony Curtis, filmé en gros plan, y est magistral, emplissant de façon incroyable un cadre dépouillé de tout artifice.

Reviens-moi

Le plan séquence qui se déroule sur une plage de Dunkerque en juin 1940 dans *Reviens-moi* (2007) de Joe Wright est assez incroyable et particulièrement long, puisqu'il dure pas loin de 5 minutes. On suit au Steadicam Robbie Turner (James McAvoy) cherchant à embarquer pour l'Angleterre avec deux de ses camarades de combat. Lorsque tous les trois arrivent sur la plage, ils découvrent, effarés, des milliers de soldats attendant un hypothétique rapatriement vers l'Angleterre. La caméra les suit au milieu d'une mise en scène stupéfiante où l'on croise des files de soldats par centaines, au milieu de tonnes de matériel militaire ; des hommes blessés à la tête, attablés pour leur casse-croûte, un sous-officier abattant des chevaux devenus inutiles, un voilier échoué, et encore des soldats, brûlant des livres, hagards et tremblants ou chantant en chœur face à la mer et puis une grande roue, un manège et toujours des soldats, ivres et fatigués, fumant face à cette scène qu'on croirait tout droit « sortie de la bible »[1]. Ce plan a nécessité plus d'un millier de figurants et deux jours de répétition. L'opérateur Steadicam, tout d'abord monté sur un petit véhicule tracté, dut ensuite en descendre afin de suivre les personnages, monter plusieurs fois des marches, slalomer au milieu de véhicules militaires et éviter tous les pièges dont son parcours était parsemé. Une véritable performance cinématographique, aidée forcément par une technique numérique particulièrement efficace.

Faux plan séquence

Mais parfois les apparences sont trompeuses...

Les trois exemples qui suivent posent une question de bon sens : qu'est-ce exactement qu'un plan séquence ? Doit-il être entièrement tourné sans aucune interruption ou peut-il être fabriqué en postproduction ? Qu'est-ce qui prévaut : la virtuosité du réalisateur – et de son équipe – ou le plaisir et la sensation du spectateur ? D'autant que les techniques numériques de trucage d'image permettent maintenant, comme jamais aucune autre technique auparavant, de fabriquer un plan séquence à partir de très nombreux plans, voire de morceaux d'images, sans que l'on puisse soupçonner à aucun moment le subterfuge (et cela, même en regardant image par image). Le danger étant peut-être alors de basculer dans une sorte de dessin animé hyperréaliste, avec des séquences réalisées uniquement en images de synthèse. La question reste donc posée, mais si on retourne aux racines du cinéma, le seul plan séquence digne de ce nom[2] serait celui que l'on tourne en une seule fois, sans interruption et en cohérence parfaite avec la dramaturgie de la scène.

La Corde

La Corde (1948) d'Alfred Hitchcock est une succession d'une dizaine de plans séquences de 4 à 10 minutes chacun, et non pas un plan séquence

1. Selon les mots d'un des camarades de Robbie.
2. Pour les puristes et les plus cinéphiles...

unique de 1 h 20[1]. Les raccords sont faits essentiellement dans les passages au noir afin de donner l'illusion d'une seule unité de temps.

Snake Eyes

Dans le même ordre d'idée, le plan d'ouverture de *Snake Eyes* (1998) de Brian De Palma, tourné entièrement au Steadicam[2] et qui se passe lors d'un match de boxe au casino d'Atlantic City, est un faux plan séquence de 10 minutes fabriqué à partir d'au moins 4 plans et raccordés entre eux de manière presque totalement invisible. Ici, De Palma marche une fois de plus sur les traces d'Hitchcock mais en magnifiant et perfectionnant le système grâce, entre autres, à des techniques cinématographiques (et numériques) largement plus performantes et sophistiquées que dans les années 1940.

Birdman

Quant à *Birdman* (2014), il emprunte idées et technique aux deux films précités, à savoir le raccord de plusieurs plans entre eux (une quinzaine d'une durée de 1 à 10 minutes) et des raccords réalisés grâce à des panoramiques filés, des passages au noir et l'utilisation de la postproduction numérique (y compris par la reproduction hyperréaliste en images de synthèse de certains décors). Si Alfred Hitchcock et Brian De Palma ont utilisé le système afin de donner l'illusion d'une unité de temps, on peut se demander légitimement à quoi sert chez Alejandro González Iñárritu l'illusion de ce faux plan séquence, alors même que le film est censé se dérouler sur plusieurs jours. Le concept, échafaudé autour de la personnalité de Riggan Thomson (Michael Keaton), ne convainc pas vraiment.

1. La raison en est très simple : les bobines de pellicule 35 mm servant au tournage ne dépassaient pas les dix minutes utiles.
2. Par Larry McConkey, l'opérateur Steadicam attitré de Brian De Palma mais qui a également depuis le milieu des années 1980 travaillé sur de très nombreux films hollywoodiens comme *After Hours* (Martin Scorsese, 1985), *Le Silence des agneaux* (Jonathan Demme, 1991) ou *Kill Bill* (Quentin Tarantino, 2003).

À NOTER

Le montage virtuel sur ordinateur a énormément contribué à la mise en place de ce genre de plans extrêmement délicats à fabriquer dans le sens où la coupe « à l'image près » est devenue, grâce à cette technique, une réalité concrète (alors que les coupes sur la table de montage, directement sur pellicule, étaient souvent complexes voire, parfois, hasardeuses). Ajoutez à cela des logiciels de trucage et de compositing permettant le mélange invisible de plusieurs couches d'images et vous obtenez un outil idéal vous permettant de sublimer la réalité d'un tournage déjà complexe[1]...

2.3 Le montage image

Le montage image est l'assemblage des images tournées (ou rushes). Chaque seconde de film étant composée de 24 images (ou photogrammes) sensiblement différentes (25 images par seconde en vidéo), le monteur devra choisir précisément avant (et après) quelle image il devra couper, en fonction des besoins de la narration.

Le cut

Le cut (ou coupe franche) est le passage le plus simple d'un plan à un autre. C'est une sorte de raccord élémentaire ne faisant appel à aucun effet, de quelque ordre que ce soit. Le terme *cut* (en anglais : couper) fait référence au montage film dans lequel on coupe physiquement la pellicule entre deux images.

Escamotage d'une dame chez Robert Houdin

Le premier à avoir compris l'utilité et les multiples utilisations du cut est l'immense Georges Méliès qui, par cette simple coupe (en fait un arrêt caméra qui s'apparente à un cut de montage et qui, à l'écran, revient au même), a pu pour la première fois faire apparaître et disparaître des objets, des animaux et même des êtres humains. Dès 1896, dans son film

1. Voir chapitre 8 « Effets visuels, la révolution numérique ».

Escamotage d'une dame chez Robert Houdin, il fait tout d'abord disparaître son personnage, puis apparaître un squelette et enfin réapparaître son personnage – tout cela dans l'apparence d'un seul et même plan...

L'Homme de l'Ouest

Dans la séquence d'ouverture (d'une durée de 1 minute 30) de *L'Homme de l'Ouest* (1958) d'Anthony Mann, les raccords de montage sont tous parfaits et exécutés dans les règles de l'art[1], chaque cut ayant été réfléchi pour un maximum d'efficacité et une continuité sans faille[2]. Lorsque Link Jones (Gary Cooper) entre à cheval en plan large dans Crosscut, on le suit tout d'abord en panoramique et travelling arrière, puis après le cut le montage se déroule ainsi : raccord dans l'axe, Link Jones est filmé en plan taille de trois quarts face sur son cheval et toujours en travelling arrière – cut – raccord dans l'axe arrière avec un plan large (et toujours en travelling arrière et panoramique) jusqu'à ce qu'il s'arrête devant le saloon. À noter qu'ici, afin de parfaire le raccord dans l'axe, le monteur a également coupé dans le mouvement de bras de Gary Cooper qui pose sa main gauche sur sa cuisse puis le travelling s'arrête alors que Willie (Dick Elliott), sortant du saloon avec une échelle, barre la route à Link Jones, qui maintenant se retrouve de profil par rapport à la caméra – cut – raccord dans le mouvement lorsque celui-ci descend de cheval de trois quarts face, puis panoramique sur l'enseigne du saloon – cut – plan moyen sur l'entrée du saloon d'où sort Billie Ellis (Julie London) et léger travelling arrière pour laisser entrer Link Jones dans le champ à droite – cut – raccord dans l'axe sur Billie en plan épaules qui vient serrer la main de Willie – cut – contrechamp sur Willie en plan épaules – cut – plan large avec panoramique suivant la jeune femme qui s'éloigne en passant devant Link – cut – raccord dans le mouvement de

1. Pour la définition des différents raccords, voir le chapitre 5 « Les raccords ».
2. À chaque étape de la construction du film, tous les intervenants ont fait leur travail de façon irréprochable, chapeautés par un grand réalisateur : les comédiens ont refait la scène plusieurs fois et toujours au millimètre près, le cadreur et les machinistes ont ajusté les mouvements de caméra de façon parfaite, et le montage est un travail d'orfèvre à l'image près.

Link Jones qui se tourne vers Willie en plan serré puis sortie de champ par la gauche des deux personnages et fin de la séquence. Cette ouverture est typiquement une séquence où le travail et l'expérience du monteur sont essentiels. Afin de sublimer le travail du réalisateur, le monteur doit savoir trouver avec précision l'endroit exact où couper dans chaque mouvement ou, au contraire, dans un temps d'arrêt précis, apportant ainsi un rythme et un souffle supplémentaires à la scène, le but de chaque cut étant de préserver à tout prix la continuité de la scène.

Le Cinquième élément

Contrairement à quelques idées reçues, Luc Besson n'est pas un réalisateur à effets. Ses montages sont d'un grand classicisme où le cut basique prend toute sa place. Pour exemple, la fameuse scène de la poursuite en voiture volante, entre Korben Dallas (Bruce Willis) et la police dans *Le Cinquième élément*[1] (1997). Cette séquence, d'une durée d'environ 2 minutes, compte plus de 70 coupes, des cut à chaque fois pertinents et préservant l'esprit de chacune des sous-séquences. Le début est ultra-dynamique jusqu'à ce que Leeloo (Milla Jovovich), tombant entre les immeubles, se retrouve dans le taxi de Korben. S'ensuit un long champ-contrechamp très académique et plutôt posé entre la jeune femme et le chauffeur. Puis la police arrive. On assiste alors à un changement de ton avec un montage alterné à trois entre les policiers, Korben et Leeloo : quelque chose semble se préparer mais toujours dans un montage pondéré[2]. Puis, en deux secondes, Korben s'arrache (au sens propre comme au figuré) et la poursuite reprend avec un montage dynamique comme au début de la séquence. Les plans sont mis bout à bout, presque trop sagement, mais rien n'est laissé au hasard. Chaque cut permet d'amener un nouveau plan pour une compréhension immédiate. Et le montage, qui nous prend ici par la main, permet d'amener sans heurts, mais

1. Le montage est assuré ici par Sylvie Landra, trois fois nominée aux César pour son travail avec Luc Besson.
2. Seule la nature des plans tournés peut nous faire augurer d'un changement de ton : mouvements légers au Steadicam ou à l'épaule, zoom, plans de profil…

également sans le perdre, le spectateur jusqu'à la fin de la séquence, qui finalement s'achèvera par un fondu dans le brouillard.

L'insert

L'insert est un gros plan, un détail, généralement d'objet ou éventuellement de corps, inséré à l'intérieur d'une continuité d'action et la plupart du temps en rapport avec celle-ci.

Il permet de pointer, de mettre l'accent sur une information spécifique, a priori importante pour le spectateur et la compréhension de l'histoire.

Un insert est donc toujours le pivot central au sein d'une séquence, il est d'une importance capitale. Il y a l'avant-insert et l'après-insert, radicalement différents.

Alfred Hitchcock

Tous les films d'Alfred Hitchcock comprennent de nombreux inserts : le plan sur le nom de la vieille Lady (« Froy »), tracé sur la vitre du wagon-restaurant du train d'*Une femme disparaît* (1938) ; le plan serré sur une main qui dérobe des bijoux pendant que John Robie (Cary Grant) fait le guet sur les toits dans *La Main au collet* (1955) ; les quatre gros plans successifs sur la main du Dr McKenna (James Stewart) écornant un bottin téléphonique alors qu'il attend, angoissé, des nouvelles de son fils dans *L'homme qui en savait trop* (1956) ou même encore, dans *Les Enchaînés* (1946), les très gros plans sur la serrure du cellier puis, plus loin, sur le trousseau contenant la clef du cellier où se cachent certaines bouteilles suspectes, et enfin sur la clef elle-même tombant au sol alors qu'Alicia (Ingrid Bergman) serre son mari dans ses bras. À chaque fois, les intentions du réalisateur sont identiques : mettre le spectateur dans la confidence afin qu'il se sente partie prenante dans l'histoire et, par ricochet, faire monter le suspense.

La Vallée de Gwangi

Au début de *La Vallée de Gwangi* (1969), le western de Jim O'Connolly qui met en scène des dinosaures, lorsque le professeur Bromley (Laurence Naismith) montre à Tuck (James Franciscus) un fossile de l'ancêtre du cheval, le minuscule Eohipus, un gros plan sur l'échantillon de roche nous permet d'apprécier la petitesse de cet animal préhistorique. Il est inséré entre deux plans moyens des deux protagonistes. Plus loin, lorsqu'un des cowboys lance son lasso sur le tyrannosaure, un gros plan nous indique qu'il a réussi à attraper la patte du dinosaure (le plan est inséré entre un plan large de la scène et un plan moyen de Tuck). Puis quelques secondes plus tard, c'est un nouvel insert : un nouveau gros plan sur la patte du dinosaure qui, cette fois-ci, se libère de son entrave, entre deux plans moyens de l'action.

Ici, les inserts ont, par leur lisibilité forcée d'un détail de l'action, une fonction évidente d'aide à la compréhension de l'intrigue.

A History of Violence

Chez David Cronenberg, les inserts peuvent paraître parfois étranges ou même faire penser à des plans de coupe[1] mais il n'en est rien, car ils sont évidemment pensés dans une optique dramaturgique. Ainsi, dans la scène de braquage du début de *A History of Violence* (2005 – illus. **8**), lorsque les malfrats exigent qu'on leur serve un café alors que le restaurant est en train de fermer : pendant que Tom Stall (Viggo Mortensen) verse le breuvage, un insert lourd de sens – un gros plan très court sur la tasse qu'il remplit – donne à cet acte une importance extrême. L'instant est ressenti comme décisif et on comprendra bien vite qu'il va en effet déterminer toute la suite de la scène et même du film... Après ce plan, rien n'est plus comme avant, la vie de Tom et de sa famille va basculer définitivement.

Un peu plus loin, un autre insert qui n'en a pas l'air : Edie Stall (Maria Bello) s'avance un fusil à la main vers son mari qui vient d'entrer dans la maison, tout essoufflé. Dans son mouvement, Cronenberg nous montre en gros plan le fusil qu'elle pose sur la table basse du salon. Cette façon d'insister sur cet objet particulier nous fait comprendre, à nous spectateurs, que cette arme va avoir une importance vraisemblablement tragique pour la suite de l'histoire. Mais Cronenberg est très malin : il attend une

1. Voir ce terme p. 45.

8 Insert : *A History of Violence* (David Cronenberg, 2005).

dizaine de minutes avant de le faire réapparaître. À ce moment-là, alors que nous l'avions presque oublié, le fusil prend une place considérable au sein de la séquence et en devient l'élément central, celui qui peut tout faire basculer. Mais il faudra attendre encore 5 minutes pour savoir...

L'insert permet donc ici au réalisateur d'installer pendant près de 15 minutes une tension qui va aller grandissante, une tension dont le cinéma est particulièrement friand et qui se nomme « suspense ».

À noter

Pendant la période classique hollywoodienne, on utilisait presque toujours l'insert de manière statique (plan fixe sur un objet, sur une main tenant un objet, sur un signe distinctif, etc.) comme pour être sûr que sa fonction « soulignante » soit bien comprise. Or, les cinéastes modernes comme Cronenberg ont eu à cœur de faire évoluer ce procédé en rajoutant du mouvement. Le plan, ainsi conçu, ne provoque plus de cassure dans le déroulement du récit (comme c'était souvent le cas auparavant) mais est intégré à l'action et à l'environnement par un raccord dans le mouvement. Plus question au XXIe siècle d'insister lourdement sur un élément de compréhension, sous peine d'être taxé d'utiliser des effets faciles, voire téléphonés. La durée des inserts a d'ailleurs, pour les mêmes raisons, considérablement diminué.

Le plan de coupe

Le plan de coupe est un plan de valeur variable, intercalé entre deux plans d'une même action difficiles à monter successivement. Le fait d'éloigner les deux plans non raccordables en insérant entre eux un plan de coupe est un moyen, en quelque sorte, de noyer le poisson. Il s'agit donc d'une astuce de montage permettant la plupart du temps de régler un problème, de raccord ou d'axe par exemple, voire de couper dans un plan afin d'en éliminer une partie sans que cela se remarque.

Le plan de coupe peut être assimilé à l'insert, même s'il n'a pas a priori la même fonction : l'insert a toujours une utilité dramaturgique (il a été pensé et conçu en fonction de la narration) alors que le plan de coupe masque souvent un problème et n'a qu'une utilité technique – surtout s'il a été tourné au dernier moment à toutes fins utiles, pour se couvrir en postproduction ![1] Il est un subterfuge, un artifice de montage.

Sur les films où l'on utilise deux caméras (voire parfois trois ou quatre comme aux États-Unis) la multitude de plans et d'axes différents permet

1. Cette pratique est en partie héritée des sujets news du journal télévisé où l'on fait des gros plans sur les mains des interviewés, les objets de leur bureau ou les bibelots de leur bibliothèque (!) pour pouvoir tailler aisément dans leurs propos et ainsi, masquer ces coupes pas très heureuses...

l'utilisation à outrance de ce stratagème (on peut voir ainsi des plans de coupe sur tout et n'importe quoi, sans rapport direct avec la dramaturgie). Finalement, le film se construit sur la table de montage et non pas dans la tête du réalisateur.

Abus de langage

En pratique, sur un tournage ou en salle de montage, c'est souvent le terme *plan de coupe* qui est utilisé de manière indifférenciée pour désigner *l'insert* ou *le plan de coupe*.

2.4 Le montage son

Le montage son est une étape cruciale permettant de mettre en adéquation la matière sonore avec les images. Après le tournage, les sons récupérés par le monteur et servant à créer la bande son du film peuvent être de provenances multiples.

Depuis de nombreuses années maintenant, en long métrage, le montage son est le plus souvent séparé du montage image : il est le travail spécifique du monteur son.

Les sons directs

Les sons directs sont des sons qui correspondent de façon totalement synchrone à l'image tournée.

Les sons seuls

Les sons seuls sont ceux qui ont été enregistrés indépendamment de l'image afin d'enrichir la bande sonore (sons d'ambiance, silences, bruits spécifiques, voix diverses, off ou dialogues supplémentaires).

Les bruitages

Les bruitages proviennent le plus souvent de sonothèques. Ils peuvent également être fabriqués par un bruiteur en auditorium, « à l'image », en direct face au film qui défile.

La musique

La musique peut être calée lors du montage image et son ou, plus tard, lorsque le montage est terminé, juste avant le mixage.

2.5 Montage parallèle et montage alterné

Le montage parallèle et le montage alterné utilisent deux ou plusieurs actions distinctes montées en alternance mais pour des raisons radicalement différentes.[1]

Le montage parallèle

Le montage parallèle est la succession de plans montés successivement mais n'ayant aucun rapport de temps ou de lieu. On est ici typiquement dans l'utilisation symbolique des images qui permet, par leur association, de créer du sens. Cette figure de style un tantinet lourdaude pour la fiction traditionnelle, mais fréquente au début du cinéma, ne se voit plus guère aujourd'hui que dans le film expérimental, où elle prend toute sa dimension.

Les Temps modernes

Au début des *Temps modernes* (1936), Charlie Chaplin met en parallèle un troupeau de moutons avec des ouvriers qui sortent d'une bouche de métro. La charge symbolique n'appelle ici aucun commentaire !

Intolérance

Intolérance (1916) de D.W. Griffith est un immense montage parallèle, puisqu'il montre tour à tour quatre récits plongés dans l'histoire de l'humanité et parlant tous de l'intolérance. Le but est ici de nous indiquer que l'intolérance, liée depuis la nuit des temps à l'être humain, est une

1. La distinction entre ces deux montages a, en fait, été théorisée dans les années 1950 par Marcel Martin, historien et critique de cinéma.

plaie qui a toujours raison de l'amour. Le film est d'ailleurs sous-titré *L'amour en lutte à travers les âges*[1]. Ce qui est assez drôle c'est que, les spectateurs de 1916 n'étant pas vraiment habitués à ce genre de figure, on leur impose en début de film un carton expliquant la façon dont le récit va être construit : « Vous verrez les quatre histoires alterner de l'une à l'autre, à mesure que le thème évolue. »[2]

Psycho

Le remake par Gus Van Sant du *Psychose* d'Alfred Hitchcock, *Psycho* (1998), a déjà fait couler beaucoup d'encre ; mais au-delà de la polémique il pose la question de l'utilité, aujourd'hui, de ce fameux montage parallèle. En effet, lors de la célébrissime scène de douche, Van Sant a rajouté deux plans de ciel nuageux[3] (de 12 et 18 images chacun) filmés en accéléré qui n'existaient pas dans le montage original du *Psychose* d'Hitchcock. Placés systématiquement et immédiatement après un très gros plan de Marion Crane (Anne Heche) qui paraît questionner le ciel de ses yeux affolés, les deux plans semblent vouloir rajouter du sens à la destinée de la jeune femme. La dimension mystico-chrétienne (le regard implorant tourné vers des cieux en colère) est évidente, tout comme la dimension humaine d'une vie qui passe (la course accélérée des nuages dans le ciel).

Fallait-il rajouter cette symbolique intellectualisée au chef-d'œuvre d'Hitchcock ? La question reste posée, mais on est, dans cette séquence-ci, assurément plus proche du cinéma expérimental que du cinéma classique de fiction.

Le montage alterné

Le montage alterné, lui, sert le plus souvent à montrer des actions qui se déroulent simultanément mais dans des lieux différents. C'est une des

1. *Love's Struggle Throughout the Ages.*
2. « *Therefore, you will find our play turning from one of the four stories to another, as the common theme unfolds in each.* »
3. Ainsi qu'un plan de pupille dilatée.

manières les plus efficaces pour faire monter le suspense, car il permet au spectateur d'anticiper ce qui pourrait arriver – contrairement aux personnages qui, eux, n'ont qu'une vision partielle des événements.

L'Inconnu du Nord-Express

L'un des plus célèbres montages alternés se situe dans *L'Inconnu du Nord-Express* (1951) d'Alfred Hitchcock, entre la partie de tennis que doit gagner rapidement Guy Haines (Robert Walker) et les efforts de Bruno Anthony (Farley Granger) pour récupérer le briquet de Guy tombé dans un égout. La séquence, de plus de 3 minutes, alterne deux actions qui se déroulent à plusieurs centaines de kilomètres l'une de l'autre, mais sont pourtant totalement interdépendantes. C'est certainement, avec la scène finale, le moment du film le plus tendu en termes de suspense. Au point même que le spectateur se surprend à prendre parti aussi bien pour le gentil Guy (qui risque d'être condamné à tort) que pour le méchant Bruno (qui doit se servir de ce fameux briquet pour faire accuser Guy).

À noter d'ailleurs que le film repose entièrement sur ce système puisqu'il commence dès les premières images avec des plans des pieds des deux protagonistes, arrivant de manière alternée à la gare, et se poursuivra jusqu'à la fin. Guy Haines et Bruno Anthony se retrouvant régulièrement tout au long du film, lors de rendez-vous et de rencontres chaque fois plus tendus.

Course contre l'enfer

Dans *Course contre l'enfer* (1975), l'excellent film de série B de Jack Starrett, une séquence haletante et d'une grande tension nerveuse, grâce à un montage alterné ultra-efficace, montre Roger (Peter Fonda), Franck (Warren Oates) et leurs épouses (Loretta Swit et Lara Parker), tous paniqués, s'enfuyant dans la nuit en camping-car alors que des adorateurs de Satan, bien décidés à les éliminer, se lancent à leur poursuite.

Cette séquence, que l'on peut faire débuter au moment où le camping-car démarre, s'achèvera lorsque les satanistes auront rattrapé le véhicule à la faveur d'un ralentissement et l'attaqueront. Construite en trois actes bien distincts[1], la scène fait intervenir un montage alterné, principalement dans la partie centrale. Alors que les enjeux ont été posés en amont (les satanistes, découverts, se lancent à la poursuite des quatre autres), il est ensuite plus simple de construire le suspense autour de la tentative de désenlisement du véhicule, en parsemant l'action de quelques rares plans des satanistes courant (seulement six plans de quelques secondes sur 2 minutes). C'est l'alternance de sous-séquences, assez longues, de panique des deux couples tentant de s'enfuir et de très courts et très rares plans des satanistes courant qui contribue grandement à la montée de l'angoisse. Le fait que nous ayons très peu d'informations sur « les méchants » (mais juste assez pour ne pas les oublier) accroît ainsi de manière exponentielle la peur que nous ressentons pour « les bons ».

Slumdog Millionaire

L'avant-dernière séquence de *Slumdog Millionaire* (2008) de Danny Boyle met à profit toute l'étendue de ce genre de montage, en alternant pas moins de quatre actions, vécues par six personnages (ou assimilés) différents – Latika (Freida Pinto), Jamal (Dev Patel), Salim (Madhur Mittal), Javed (Mahesh Manjrekar), la foule des téléspectateurs indiens, et même le portable de Salim – et dans cinq lieux principaux – la maison de Javed (salon, salle de bain, couloir), la voiture de Latika, le commissariat, le studio de télévision (plateau, régie), le territoire indien (dont Mumbai et le Taj Mahal). Et cela dure une dizaine de minutes.

Même si le début de la séquence est assez simple dans le schéma du montage alterné (alors que de son côté Latika part retrouver Jamal, celui-ci à l'autre bout de la ville rejoint le studio de télévision), la suite se complique quelque peu, mais sans jamais perdre le spectateur. Pour une raison toute simple : les lieux et les enjeux dramatiques ont été préparés et clairement mis en place, bien en amont de la séquence. Danny

1. 1. Le début de la fuite (20"). 2. L'enlisement dans la rivière (2'). 3. La fin de la fuite (20").

Boyle se paye même le luxe d'intégrer une autre temporalité à l'intérieur de cette narration alternée, en revenant sur le passé de Jamal, Latika et Salim par l'intermédiaire de très courts flash-back. Le résultat est une longue séquence où le suspense télévisuel, somme toute mineur, est lentement mais sûrement supplanté par le suspense cinématographique, une sorte de parabole où la vie et les vrais sentiments (le cinéma) l'emportent finalement sur l'artificialité de la société de consommation (la télévision).

Abus de langage

Souvent le *montage alterné* est également appelé *montage parallèle* par les monteurs ou les réalisateurs. On aura donc tendance, dans la salle de montage, à regrouper ces deux formes sous une seule et même appellation, celle de *montage en parallèle,* terme qui finalement prévaut quelque peu dans la profession.

Le split screen

Littéralement, avec le split screen, l'écran est fractionné en plusieurs parties. Il peut se rapprocher du montage alterné lorsque l'écran divisé permet de suivre plusieurs actions en même temps. Il peut aussi servir à suivre la même action, vue sous des angles différents.

L'Étrangleur de Boston

L'Étrangleur de Boston de Richard Fleischer (illus. **9**) a été un des premiers films de fiction[1] à utiliser largement ce système qui, par la suite, devint très à la mode dans les années 1960-1970. Par exemple, dans la première demi-heure du film, là où l'on découvre les victimes puis où l'on voit la police au travail, le nombre et la durée des séquences utilisant le split screen sont particulièrement importants (la séquence la plus longue dure plus de 4 minutes). Le nombre d'écrans à l'image va

1. *L'Affaire Thomas Crown* de Norman Jewison, sorti la même année, utilise également cet effet.

crescendo pour atteindre, pendant la séquence des témoignages de la population, pas moins de sept divisions simultanées de l'image, Fleischer utilisant en effet toutes les ressources possibles (à l'époque[1]) de ce principe.

9 Split screen : *L'Étrangleur de Boston* (Richard Fleischer, 1968).

Grand Prix

Dans *Grand Prix* (1966), John Frankenheimer se sert du split screen uniquement lors des courses automobiles, par exemple pour montrer différentes actions situées en trois points différents lors du Grand Prix de Monte Carlo ou pour magnifier une course. Mais il l'exploite également pour montrer des images plus humanisées, comme celles ressurgies du passé des pilotes et occupant leur esprit pendant qu'ils risquent leur vie sur un circuit.

1. Le son mono (et donc l'absence de stéréo dans la plupart des films des années 1960) interdisait de jouer avec la place du son (gauche-droite) pour hiérarchiser la lecture des images. À noter tout de même que Fleischer aurait pu, par un mixage plus marqué, privilégier tel ou tel écran afin justement de hiérarchiser ses images pour une meilleure compréhension. Parfois le flot d'images arrivant est tel qu'il n'est plus possible de suivre quoi que ce soit et la narration devient excessivement confuse.

Time Code

Time Code (2000) de Mike Figgis nous montre pendant toute la durée du film, et de quatre points de vue différents, des personnages se débattant dans le milieu du cinéma à Los Angeles[1]. Il est en cela un tour de force incroyable en termes de réalisation et une performance impressionnante de la part de toute l'équipe de tournage.

1. Mike Figgis a, lui, totalement réussi son pari car il a su, grâce à des choix sonores très marqués, hiérarchiser ses images.

Deuxième partie

Des principes et des règles

De l'écriture au mixage, en passant par le tournage et le montage, la fabrication d'un film est jalonnée de garde-fous théoriques.

Les règles et les principes qui régissent le langage cinématographique, s'ils peuvent être utiles pour régler certaines problématiques, ne doivent pas être sacralisés. A contrario, pouvoir les dépasser demande une certaine dose de talent et, surtout, nécessite de les connaître parfaitement.

Tout est possible, certes, mais pas n'importe comment ni sans réflexion. La légende qui voudrait qu'un ou une artiste crée mieux lorsqu'il est libéré de toutes contingences théoriques et sans référence préexistante est bien entendu totalement ridicule et sans fondement factuel. Tous les grands cinéastes, aux quatre coins de la planète et à toutes les époques, connaissent leur grammaire sur le bout des doigts et l'ont largement expérimentée avant de la transgresser.

Chapitre 3

Cadres, cadrage et caméra

La caméra est l'outil essentiel du langage cinématographique. Grâce à celle-ci, le cadrage devient le tout premier vecteur de ce langage. Intimement lié aux notions de champ/hors-champ, place de la caméra, valeur de plan, et autres angles de prise de vues, le cadrage – et donc le cadre de l'image – est le principe essentiel et fondamental par lequel le cinéaste va pouvoir s'exprimer.

Andreï Tarkovski

Un réalisateur comme Andreï Tarkovski, metteur en scène obsessionnel du cadre parfait, a jalonné son entière filmographie de plans rigoureusement cadrés. Lorsqu'on regarde ses films, force est de constater à quel point chaque composante interne du cadre (les comédiens, les objets, la lumière, les lignes, les mouvements...) y trouve sa place de manière optimale. Les exemples existent par centaines dans sa filmographie, chaque plan pouvant être examiné à la loupe, qu'il s'agisse de plans fixes ou en mouvement mais de durée normale, comme dans *Solaris* (1972) ou *Stalker* (1979), ou au contraire de longs plans séquences comme dans *Le Sacrifice* (1986). À chaque fois, le cadre de début, le cadre de fin, les mouvements de caméra, voire les recadrages éventuels, sont accomplis avec une maestria incroyable, au millimètre près et selon les indications du maître. On est ici plus proche de la vision d'un peintre ou d'un photographe qui aurait le temps de composer son cadre, plutôt que de celle du réalisateur qui souvent, pressé par le temps et les impératifs de production, finit malheureusement par lâcher du lest sur ses ambitions picturales et graphiques. Chez Tarkovski, chaque plan est construit de manière rigoureusement parfaite et sans aucune concession.

3.1 Le cadre, le champ et le hors-champ

Le cadre

Le cadre est l'espace délimité par la fenêtre de la caméra (ou les bords du capteur en vidéo) et par lequel entre la lumière qui va impressionner la pellicule. Physiquement, les limites du cadre sont celles de l'image.

Théoriquement, il existerait deux conceptions différentes du cadre et donc deux grandes « familles » de cinéastes :

- Le cadre est une fenêtre et le ou la cinéaste cherche le meilleur angle pour son cadre, y compris lorsqu'il est en mouvement. Il s'agit dans ce cas-là du cadrage de la mise en scène. Sur le tournage, chronologiquement, cette approche se traduit dans un premier temps par la mise en espace des comédiens et des comédiennes ainsi que par le réglage de leurs déplacements et de leurs regards puis, dans un deuxième temps, par le positionnement de la caméra (y compris dans ses déplacements éventuels) en fonction de la place de chacun des protagonistes et de ce que le réalisateur désire montrer (ou non).
- Le cadre est un encadrement et le ou la cinéaste fait sa mise en place à l'intérieur d'un cadre, y compris lorsqu'il est en mouvement. Sur le tournage, chronologiquement, cette approche se traduit dans un premier temps par un placement succinct des comédiens et des comédiennes dans l'espace, dans un deuxième temps par le réglage du cadre et des éventuels mouvements de caméra et enfin, dans un troisième temps, par le positionnement exact des comédiens et des comédiennes et l'ajustement très précis de leurs déplacements et regards en fonction de la caméra.

Ces deux conceptions sont évidemment théoriques et finissent toujours par se côtoyer, en fonction des contraintes de lieu, d'accessoires et/ou de trucages, au sein d'un même film.

Champ et hors-champ

La fraction d'espace se situant à l'intérieur du cadre de l'image est appelée champ. Tout ce qui n'est pas dans le cadre est qualifié de hors-champ. Le hors-champ est tout ce qui peut être suggéré (par un regard, un son, une ombre...) et que le spectateur peut imaginer aisément.

Soy Cuba

Mikhaïl Kalatozov et son directeur de la photographie Sergueï Ouroussevski sont des habitués des plans complexes où inévitablement le hors-champ prend une place prépondérante.

Dans le sublime *Soy Cuba* (1964), un plan séquence de plus de 3 minutes nous emmène du toit d'un immeuble jusqu'au fond d'une piscine, plusieurs étages plus bas. Ce plan majestueux débute sur le toit-terrasse d'un gratte-ciel où trois musiciens cubains pleins d'énergie sont filmés au grand-angle. Après quelques secondes, la caméra les laisse s'échapper par la droite et ils finissent par sortir totalement du cadre alors que leur musique, toujours présente, signifie au spectateur qu'ils sont toujours là, mais hors-champ. Puis la caméra, glissant au milieu d'un défilé de mannequins, vient cadrer un commentateur, micro à la main. Les jeunes femmes passent hors-champ, mais nous « sentons » toujours leur présence. Ensuite, presque comme s'il s'agissait du regard du commentateur, la caméra descend dans ce que l'on suppose être un ascenseur à ciel ouvert, découvrant ainsi un panorama étonnant. À perte de vue, s'étend la ville et, au pied de « notre » immeuble, un complexe hôtelier avec piscine. Soudain, des applaudissements retentissent nous indiquant que, hors-champ (vraisemblablement en contrebas), se trouve une foule enjouée. Foule que nous découvrons sans tarder et qui passe donc dans le champ. Les regards, tournés vers le haut, nous signifient que les mannequins vus une minute plus tôt sont toujours là, défilant hors-champ. Puis, arrivant au niveau de la piscine, le champ de la caméra balaye la foule des nombreuses personnes présentes, sirotant un verre ou jouant aux cartes.

Tout ce que nous avons vu depuis le début est passé hors-champ, mais grâce à cette astuce, et alors même que nous n'entendons plus les applaudissements, nous sentons la présence immense des gens un peu partout.

Enfin, la caméra suit une jeune femme qui se dirige vers la piscine. Elle entre avec elle dans l'eau puis plonge sous la surface, découvrant les autres nageurs. Le travail sur la bande son (le morceau censé être joué par le groupe vu au début) nous fait entendre la musique comme si nous la percevions justement à travers l'eau de la piscine. Ce filtrage sonore, rappelant au spectateur la présence des musiciens, est l'ultime touche du réalisateur pour asseoir la crédibilité de sa mise en scène.

Retour vers le futur

Si le suspense se traduit le plus souvent à l'écran par le montage alterné de deux séquences[1], il est évident que le hors-champ prend ici toute son importance dans la relation personnage/spectateur. Dans *Retour vers le futur* (1985), Robert Zemeckis a joué pleinement sur ce ressort lors de la scène du bal où Marty (Michael J. Fox) a pris la place du guitariste. Le postulat de départ est simple : alors que nous sommes dans le passé, si les parents de Marty n'arrivent pas à sortir ensemble lors de cette soirée, Marty lui-même ne verra jamais le jour et disparaîtra donc à tout jamais. Afin de mettre une sorte d'horloge dans cette séquence, on a utilisé un référent temporel : sur une photo que Marty a coincée sur le manche de sa guitare pour ne pas la lâcher des yeux, les protagonistes (Marty, son frère et sa sœur) disparaissent au fur et à mesure que la possibilité d'une rencontre entre les parents s'amenuise. La séquence alternera ainsi entre des plans du couple en train de danser ou non, des plans de Marty jouant de la guitare ou regardant la photo et des gros plans de la photo sur laquelle Marty disparaît progressivement.

Avec le montage alterné, à chaque fois que la caméra montre autre chose que des plans serrés de la photo, on ne peut s'empêcher de se

1. Voir l'exemple fameux de la bombe posée sous la table et dont parle Alfred Hitchcock dans le livre d'entretiens réalisé par François Truffaut (Gallimard).

demander où en est la disparition, qui dans ce cas-là est d'ailleurs plus souvent hors-champ que dans le champ – une astuce qui contribue ici fortement à l'établissement d'un suspense notable.

Drive

Il y a une énorme tension également dans *Drive* (2011) de Nicolas Winding Refn avec la séquence de voiture qui suit immédiatement le braquage du début. Alors que le conducteur (Ryan Gosling) essaie de ne pas se faire repérer par les agents de police dont il reçoit en permanence les conversations sur sa radio, il se retrouve à rouler sur le pont de la septième rue à Los Angeles, avec en face de lui l'hélicoptère qui est à ses trousses et dont on aperçoit vaguement la silhouette et le faisceau du projecteur avant. Au moment où il se sait repéré, le conducteur accélère. Très rapidement, l'hélico passe alors hors-champ. Seuls indices attestant de sa présence : le bruit des pales (sur 2 plans extérieurs à la voiture) et le rond de lumière du projecteur (sur 3 plans). Puis plus rien. La fin de la séquence sera vue uniquement de l'intérieur de la voiture : Ryan Gosling s'arrête sous le pont, recule et attend, silencieux. Soudain, le bruit de l'hélico se fait à nouveau de plus en plus présent, un rond de lumière passe tout près de la Chevrolet Impala. Le faisceau semble scruter la nuit pendant encore un long moment tout en s'éloignant, puis le bruit décline lentement.

La tension extrême mais maîtrisée (à l'image du conducteur) qui émane de cette courte séquence d'une minute repose principalement sur l'utilisation du hors-champ. C'est parce qu'on sait l'hélicoptère omniprésent sans jamais le voir qu'on est tendu, accroché à son siège, dans l'attente de la résolution du problème. Le découpage, qui choisit de laisser pour l'essentiel la caméra à l'intérieur de l'habitacle, et le montage virtuose font le reste.

3.2 Les valeurs de plan

Outre les plans que l'on désigne par des parties du corps (plan épaules, plan poitrine, plan taille, plan pieds...) indiquant la limite basse du cadre, il existe d'autres dénominations de cadrage.

Le **plan d'ensemble** (ou plan général – illus. **10**) sert souvent à désigner le cadrage le plus large qu'on peut avoir d'une scène (plan de la totalité d'une pièce, d'une foule sur une place, d'un vaste paysage...).

10 Plan d'ensemble : *Tire encore si tu peux* (Giulio Questi, 1967).

Un peu plus restreint que le plan d'ensemble, le **plan large** (PL) est plutôt resserré sur les protagonistes et le décor principal où se situe l'action.

Resserré sur une partie de la scène et centré uniquement sur les personnages, le **plan moyen** (PM) ne tient pas spécialement compte du décor.

Dans un **plan serré** (PS) ou plan rapproché, les personnages peuvent être plusieurs, et au moins en plan américain, voire en plan taille.

Les plans moyen et serré ainsi que les gros ou très gros plans sont des termes également utilisés pour les objets.

La limite basse du **plan italien** (PI) se situe au niveau du genou.

Le **plan américain** (PA – illus. **11**) s'arrête à mi-cuisse. À l'origine, dans le cinéma américain, la limite était donnée par l'extrémité du colt pendu à la ceinture (et qui arrivait donc à mi-cuisse).

Avec un **gros plan** (GP), le personnage est cadré à la limite des épaules, ou ne prend en compte qu'une partie du corps (GP de main, GP de pied, GP de nuque, etc.).

11 Plan américain : *Tire encore si tu peux* (Giulio Questi, 1967).

Le **très gros plan** (TGP) ne prend en compte qu'une partie spécifique du visage ou du corps (les yeux, le nez et la bouche, une main...) ou même un détail qu'il est difficile de voir correctement dans un plan plus large (un grain de beauté, une cicatrice, un tatouage...).

PL : plan large - PI : plan italien - PA : plan américain - PT : plan taille
PP : plan poitrine - PE : plan épaules - GP : gros plan - TGP : très gros plan

12 Valeurs de plan sur un personnage.

Précision

La dénomination d'un plan peut parfois porter à controverse. Par exemple, le plan d'un paysage immense dans lequel entre, au premier plan, un personnage coupé au niveau des cuisses est-il un plan d'ensemble ou un plan américain ? Lors de la rédaction du découpage technique, il conviendra donc d'être précis dans la description de chaque plan. Ainsi dans l'exemple, la dénomination peut être la suivante : plan d'ensemble du paysage avec un homme entrant en plan américain.

Cris et Chuchotements

Dans *Cris et Chuchotements* (1972), Ingmar Bergman a réalisé ce type de plan, où les valeurs changent souvent sans que la caméra ne se déplace, et où seuls quelques panoramiques permettent de recadrer l'action au moment opportun. Il s'agit d'un plan séquence de plus de 2 minutes, qui débute en plan moyen sur Maria (Liv Ullmann) assise au salon dans un fauteuil. Puis un panoramique vers la gauche permet de découvrir, en plan large, le fond de la pièce d'où arrive Anna (Kari Sylwan) avec une lampe. On suit la servante en panoramique gauche/droite, retrouvant ainsi Maria en plan moyen qui se lève de son fauteuil et vient se positionner tout près de la caméra en gros plan. Léger recadrage vers la gauche lorsqu'Anna arrive derrière elle. Elles écoutent le vent, puis Maria sort du cadre et son gros plan fait place au gros plan d'Anna. Nouveau panoramique vers la droite lorsqu'Anna rejoint Maria près du fauteuil. Alors que Maria s'éloigne et sort du champ par la droite, la servante, en plan américain, baisse la lumière puis s'assoit pour tricoter. Un temps. Puis en off, s'élève la voix d'Agnès (Harriet Andersson) qui appelle Anna. Celle-ci tourne la tête vers la gauche du cadre, se lève et se dirige vers la chambre de la malade. Panoramique pour la suivre, elle passe en gros plan devant la caméra puis s'éloigne pour s'approcher du lit, et nous découvrons un plan large de la chambre, cadre final de ce long plan séquence.

On le voit ici, alors même que la caméra n'a fait que panoter[1] simplement sur son axe, un seul plan tourné ne veut pas dire une seule grosseur de plan. La valeur sur les personnages a changé six ou sept fois, au gré de leurs déplacements, permettant ainsi à la mise en scène de prendre toute sa dimension dramatique. Le cadre varie souvent, semblant glisser doucement dans cette atmosphère feutrée de la nuit où seuls les gémissements du vent et d'Agnès viennent rappeler que la vie n'est pas aussi douce qu'il y paraît.

Pour ce genre de scène, Ingmar Bergman avait a priori le choix entre trois grands principes de tournage :

- tourner un seul plan suffisamment large pour laisser les comédiens jouer à l'intérieur, le spectateur faisant lui-même son propre découpage (peu intéressant cinématographiquement puisqu'on est, pour cette configuration, pas très loin du théâtre) ;
- découper la scène en plusieurs plans de différentes grosseurs et les monter ensuite dans la continuité (réalisation très classique d'une scène à plusieurs comédiens et déplacements) ;
- être au plus près des comédiens tout en préservant leur liberté de déplacement et la continuité de jeu, en occupant tout l'espace, y compris dans la profondeur.

Le cinéaste suédois a choisi la dernière possibilité, évidemment la plus apte à faire passer ses objectifs de mise en scène.

Le Bon, la Brute et le Truand

Un de ceux qui a le plus utilisé ce genre de plan à dénomination multiple est certainement Sergio Leone. Pour exemple, le tout premier plan de *Le Bon, la Brute et le Truand* (1966) est un plan extrêmement large d'un paysage aride et montagneux. Après une ouverture au noir, entre, gauche cadre, la tête en très gros plan (coupée au niveau du menton) d'un homme avec un chapeau sur la tête. L'effet est d'autant plus saisissant que, scrutant l'horizon, le spectateur ne s'attend absolument pas à

1. Voir le glossaire en fin de volume.

ce genre d'entrée de champ directe. Et même encore aujourd'hui, alors que nous sommes pourtant habitués à d'incroyables prouesses visuelles, ce plan fonctionne à merveille.

Toute la filmographie du maître italien foisonne d'ailleurs de ce genre de plans à dénomination variable et surprises jubilatoires.

Starship Troopers

Paul Verhoeven qui est plutôt du style « un plan/une valeur », et à découper beaucoup, a réalisé trois plans à valeurs variables dans une séquence emblématique de *Starship Troopers* (1997) : l'arrivée de l'infanterie sur la planète P.

Alors que les hommes viennent de se faire attaquer par un parasite volant, Rico (Casper Van Dien), fraîchement nommé sergent, prend la tête de la compagnie. Le plan qui suit immédiatement sa nomination est un mouvement de grue commençant en plan taille sur le jeune militaire. Puis, alors que les hommes se mettent en marche, la caméra suit Rico en reculant et en panotant vers la droite puis elle s'élève dans les airs, découvrant au fond, par un plan d'ensemble de la vallée, le fort du général Owen.

On retrouve exactement le même genre de plan quelques secondes plus tard, lorsque la troupe entre dans le fort : plan moyen sur la porte d'entrée vue de l'intérieur avec trois militaires en pied, puis la caméra recule et un mouvement de grue s'élevant dans les airs permet de découvrir en plan large le massacre qui a eu lieu dans l'enceinte même du fort.

Quatre minutes plus tard, nouveau plan de grue. Alors que l'alerte aux parasites vient d'être donnée, les militaires se ruent en masse sur les hauteurs du fort afin de défendre la place : la caméra, réglée au début en plan serré sur quelques soldats, se met à suivre le mouvement général, s'élevant pour accompagner les hommes sur leurs positions. Puis, continuant son mouvement ascendant, elle révèle de l'autre côté des remparts d'acier, dans un incroyable plan d'ensemble de la vallée, des centaines de milliers de parasites grouillant, affluant de tous côtés.

À chaque fois, avec ces mouvements qui débutent au plus près des hommes, Verhoeven nous donne la possibilité de découvrir les mêmes choses que ses personnages, presque en même temps qu'eux. Une manière habile de soutenir l'attention des spectateurs, en construisant une sorte de suspense sur quelques secondes. Tout cela dans une progression constante de la dramaturgie, le dernier de ces trois plans faisant basculer l'histoire vers une autre séquence, celle de l'attaque des parasites.

3.3 Les plans dans l'image

Pour un cadrage donné, il existe plusieurs plans dans la profondeur, identifiés selon leur situation par rapport au sujet principal.

Le **premier plan** est la partie de la scène nette qui se passe relativement proche de la caméra et qui concerne généralement l'action principale. À ne pas confondre avec l'amorce qui, elle, est souvent floue.

Le **second plan** est la partie de la scène moins proche de la caméra que le premier plan, mais qui peut également concerner l'action principale. Ici, le terme de « second plan » ne signifie pas de « second ordre », et détermine bien la place d'une action dans l'espace et dans la profondeur du plan.

L'**arrière-plan** concerne tout ce qui se passe au fond de la scène, derrière l'action principale, comme une toile de fond.

L'**avant-plan** est ce qui se trouve au plus près de la caméra, c'est-à-dire encore plus proche que le premier plan et qui ne concerne généralement pas l'action principale mais qui peut interagir avec elle. L'avant-plan peut parfois se confondre avec une amorce.

Le Garde du corps

À la fin du *Garde du corps* (1961) d'Akira Kurosawa, juste avant le combat final, on peut voir un plan étonnant où la valeur des plans dans l'image semble changer en fonction de l'action. Voici son évolution :

Au début, le plan large et fixe du village est composé ainsi : à droite au premier plan, deux des sbires du gang de Seibei jouent aux dominos ; en arrière-plan, au centre et très au fond, à plusieurs dizaines de mètres, Sanjuro (Toshiro Mifune) attend, sabre à la ceinture. En plus, dans l'angle supérieur gauche, en avant-plan, pend un pied au bout d'une jambe (on comprendra juste après qu'il s'agit de Gonji [Eijirô Tono] qui a été attaché en hauteur, les mains dans le dos, les pieds ballants).

Puis les deux sbires, apercevant Sanjuro, se lèvent et courent jusqu'à une maison (à gauche). À ce moment-là, la caméra, pour les suivre dans leur déplacement, s'élève en travelling et vient cadrer Gonji en plan serré. Derrière lui, en arrière-plan donc, les deux autres disparaissent, sortant du champ par la gauche. Resté seul, Gonji passe logiquement au premier plan (dans le mouvement, Sanjuro, lui, est sorti du cadre).

Enfin les deux autres, accompagnés de plusieurs de leurs camarades de combat et entrant à nouveau dans le cadre par où ils en sont sortis, prennent la place centrale (leur action est à ce moment-là la principale, la caméra les suivant en panoramique), tandis que Gonji, en avant-plan cette fois-ci, devient une amorce importante. Au fond, Sanjuro reprend sa place d'arrière-plan. Chaque protagoniste est maintenant dans ses marques, le combat peut enfin avoir lieu.

Cela pourrait être une lecture basique de ce plan, mais ce serait ignorer les détails de l'histoire. En effet, si l'on revient quelques minutes en arrière dans le film, on comprend que si Sanjuro est venu combattre c'est essentiellement parce que Gonji a été fait prisonnier. Gonji, élément central de cette scène, est donc au premier plan du début à la fin et ses pieds pendant dans le vide en ouverture de séquence ne sont pas une amorce (et donc un avant-plan) mais bien plutôt le premier plan – les deux sbires n'étant finalement qu'au second plan, coincés entre Gonji et Sanjuro. On peut aisément imaginer Kurosawa cherchant le meilleur axe pour sa caméra, dans le but de trouver la manière la plus efficace et la plus cinématographique possible de poser, en moins d'une minute, les bases et les enjeux du combat final.

On touche ici à une notion particulièrement importante pour un réalisateur, à savoir celle du *point de vue*, matérialisé sur le tournage de manière extrêmement concrète par l'endroit précis où le cinéaste décide de poser sa caméra[1].

1. Impossible de traiter ici la notion de *point de vue* tant elle est vaste et concerne nombre de disciplines artistiques, qu'elles soient visuelles ou non.

The Shooting

Dans le premier tiers de *The Shooting* (1966 – illus. **13**), le réalisateur, Monte Hellman, a construit un plan tout en profondeur dans lequel différents niveaux de lecture se superposent. La scène de ce western américain se déroule entièrement autour de la tombe de Leyland Drum, tué quelques jours plus tôt par un inconnu. Le plan, de plus de 1 minute, combine plusieurs panoramiques permettant de varier les cadrages successifs. Outre la tombe, les intervenants sont Coley Boyard (Will Hutchins) qui a enterré son camarade, Willet Gashade (Warren Oates), un ami des deux autres qui n'était pas là lors du meurtre, et enfin une femme mystérieuse, de nom inconnu (Milly Perkins), qui vient d'arriver. Celle-ci leur demande s'ils veulent bien l'escorter jusqu'à une ville proche contre une grosse somme d'argent.

13 Premier plan, second plan et arrière-plan : *The Shooting* (Monte Hellman, 1966).

Au début de la scène, à droite au premier plan, on découvre une amorce de la base de la planche tombale plantée dans le sol ; et au second plan, les pieds de la jeune femme. Une voix off, celle de Coley Boyard, explique qu'il a fait de son mieux pour enterrer son vieux camarade alors que son autre ami (le frère de Willet) s'était enfui. Pendant ce temps, la caméra a d'abord panoté vers le haut afin de cadrer la femme en plan américain, puis elle a panoté vers la droite (en profitant du déplacement de la femme) jusqu'à découvrir Coley accroupi face à la tombe. Lorsque le plan devient fixe, on a toujours au premier plan la planche tombale (qui, positionnée exactement au milieu de l'image, sépare celle-ci en deux parties égales) et au second plan, à gauche la femme et à droite Coley. Et tout à fait au fond, en arrière-plan (et dans la partie de droite), Gashade qui se retourne et vient vers nous (son déplacement étant en partie masqué par la planche). Ici vient donc de se jouer le premier acte – explicatif – de ce plan séquence : un homme a été enterré par son ami et celui-ci s'est retrouvé seul. La planche, qui est au premier plan, focalise bien à ce moment-là toute l'action (ou plutôt le dialogue) sur elle.

Puis on passe au deuxième acte. Alors que la femme sort du cadre, Gashade réapparaît à gauche de la planche, et prend naturellement la place de la femme, au second plan. À ce moment-là, la tombe devient moins importante (on ne parle plus du mort mais de la jeune femme) et retrouve une place d'amorce à droite en avant-plan. Puis Coley apparaît par la droite et passe ainsi au premier plan. La caméra n'ayant pas bougé on ne voit pas le haut de son corps, le cadre s'arrêtant sous sa poitrine. Les deux hommes parlent de l'argent que la femme leur propose et la caméra panote vers le haut lorsque Gashade se rapproche de la tombe. Fin du deuxième acte.

Dernier et troisième acte : les quatre amis sont à nouveau réunis. Les deux vivants, devant la tombe du troisième, évoquent le problème rencontré par le quatrième qui s'est enfui. Et cette fois-ci, tous sont au premier plan.

La planche tombale, qui a changé trois fois de statut en quelques secondes, est en fait le pivot de la scène, l'homme qu'elle représente (Leyland Drum) devenant ainsi le symbole de la quête qui va se matérialiser tout au long du film. Les autres personnages changent sans cesse de position dans l'image et ce, en fonction de l'importance de leurs propos dans le dialogue en cours. Avec une mention spéciale pour Willet Gashade qui, de l'arrière-plan, arrive progressivement au premier plan – une certaine métaphore de son parcours futur en forme de quête durant une traversée du désert, au sens propre comme au figuré, qui va s'avérer des plus ardues.

Muukalainen

Lorsque le visiteur (Pavel Liska), dans *Muukalainen*[1] (2008) du Finlandais Jukka-Pekka Valkeapää, se rend dans la forêt, on découvre à la faveur d'un plan large que l'enfant (Vitali Bobrov) l'a suivi et l'observe de loin. Ce plan, d'une dizaine de secondes, semble tout d'abord n'être occupé que par l'adulte : au premier plan un tronc d'arbre couché et en arrière-plan l'homme qui marche, traversant le cadre de gauche à droite dans la continuité des plans précédents. C'est lorsque l'enfant se redresse légèrement qu'on comprend qu'il était dissimulé tel un caméléon (la couleur de ses cheveux se confondant avec l'écorce des arbres), au second plan.

On voit bien dans cette séquence que la place dans l'espace n'a aucun rapport avec l'importance de chacune des actions. La marche du visiteur, alors même qu'elle est, au début, le centre de l'action, se situe entièrement au fond, donc en arrière-plan. Le jeu de cache-cache du jeune garçon, en revanche, est toujours en second plan.

L'importance donnée à chacun est plutôt soulignée ici par le point qui, sur l'homme au début, passe ensuite sur l'enfant.

3.4 Amorce

L'amorce[2] est une petite partie d'un objet ou d'un personnage, en bord de cadre, très proche de la caméra et souvent floue. L'amorce est toujours en avant-plan.

1. Parfois titré *The Stranger*, *The Visitor* ou *Le Visiteur*.
2. Terme à ne pas confondre ici avec l'amorce de pellicule, voir le glossaire en fin de volume.

Dans les champs-contrechamps, où elle est souvent utilisée, l'amorce permet d'ajouter à l'impression de réalité ou de fixer davantage les personnages dans l'espace (dans ce cas précis, l'amorce d'épaule ou de tête est souvent floue, le point étant sur le personnage de face).

La Beauté du diable

Même si dans *La Beauté du diable* René Clair utilise très peu les amorces, le réalisateur aura recours à celles-ci en début de film, pour la scène cruciale où Méphistophélès (d'abord jeune – Gérard Philippe – puis vieux – Michel Simon) apparaît pour la première fois devant le Professeur Faust (Michel Simon). Le jeu avec les doubles[1], lié aux diverses apparitions de Méphistophélès aux deux bouts de la pièce, justifie à lui seul l'utilisation de ces amorces. Cela permet de fixer dans l'espace chaque personnage, sans risquer de perdre le spectateur.

La première amorce de Faust se situe dans le seul plan où l'on voit Méphistophélès jeune (Gérard Philippe, donc) : tandis que Faust vient de jeter un livre orné d'une croix sur Méphistophélès vieux, un rire retentit dans son dos. Alors qu'il se retourne, Faust découvre Méphistophélès qui a pris l'apparence d'un de ses élèves. Dans ce plan large, on voit au fond Méphistophélès (Gérard Philippe) net, accoudé à un meuble et au premier plan, et floue, en amorce, la silhouette de Faust qui se découpe. Faust devient ainsi le pivot de la scène puisqu'il se trouve au milieu de la pièce et donc, par la même occasion, juste entre les deux places successives de Méphistophélès.

Quelques secondes plus tard Faust, en plan américain, s'assied dans son fauteuil alors que Méphistophélès, à nouveau apparu à l'autre bout de la pièce, lui fait une proposition (en off) : « Je puis te donner une nouvelle vie pour jouir de mes bienfaits. » Tandis que Faust lui répond « Et que me demanderas-tu en échange ? », la caméra recule le long d'une table encombrée de livres jusqu'à le montrer en plan moyen.

1. Michel Simon joue donc ici à la fois le rôle de Faust et celui de Méphistophélès.

Alors que la caméra s'arrête, on voit, simultanément à la réponse de Méphistophélès (toujours en off : « Au bas de ce pacte une petite signature, écrite avec ton sang ! »), se dérouler en amorce gauche le fameux parchemin sur lequel se trouve consigné le pacte. Après être passé par un plan de face de Méphistophélès parlant à Faust, qui lui est en amorce droite, toujours assis sur son fauteuil et bien entendu flou (le point est sur Méphistophélès), René Clair revient à un plan de Faust légèrement plus large que le cadre de fin du travelling précédent. Dans ce plan, on peut voir au fond Faust net, et en premier plan à gauche une amorce conséquente de Méphistophélès tenant le pacte déroulé.

Même si l'amorce a, dans cette séquence, une utilité évidente dans le jeu du champ-contrechamp (afin de fixer clairement, comme on l'a dit, chaque personnage dans l'espace de la pièce), le réalisateur n'en a pas abusé. Pourtant, il aurait été tentant pour le réalisateur de faire jouer « les deux » Michel Simon dans un même plan ![1]

Ipcress, danger immédiat

Tout au long d'*Ipcress, danger immédiat* (1965) de Sidney J. Furie, on trouve un très grand nombre de plans avec amorces, surtout en intérieur. Ce sont [par ordre d'apparition] des amorces de verre de vin, bouilloire, dossier de chaise, abat-jour, épaule, poche de costume, nuque, bras, corbeille, bureau, main, téléphone, rideau, blouses, ampoule, jambes, revolver, etc. ; l'intention étant simple : enfermer les personnages dans un décor avec ses limites, afin de donner une ambiance quelque peu claustrophobe.

1. Les techniques de trucage de l'époque étant assez lourdes, il semble naturel que René Clair se soit contenté des plans utiles à une bonne compréhension, sans avoir à en rajouter comme on pourrait le faire aujourd'hui, juste « pour s'amuser ». La performance visuelle finalement assez simple est ici aussi, et avant tout, au service de la mise en scène et de la dramaturgie. Un peu à la manière du *Faux-semblants* de David Cronenberg étudié au chapitre 7 dans la section 7.3 « Travelling matte et incrustation ».

The Eye 2

Chez les frères hongkongais Oxide et Danny Pang, l'utilisation des amorces est assez courante, mais dans *The Eye 2*[1] (2004 – illus. **14**) elle est omniprésente. Que ce soit traditionnellement avec les champs-contrechamps ou dans de nombreuses autres configurations (gros plans et très gros plans fixes en longue focale, travellings latéraux, verticaux ou circulaires, plans dans des miroirs, plongées ou plans au ras du sol...), les amorces sont toujours extrêmement floues, permettant ainsi de décliner de façon continue, et tout au long du film, la thématique visuelle mise en place autour des fantômes. Dès le début, ceux-ci sont passablement flous, indistincts. Et même s'ils « s'incarnent » de manière beaucoup plus précise lorsque Joey (Shu Qi), l'héroïne enceinte, prend réellement conscience de cette présence, le fait de ramener des zones de flou dans la majorité des plans laisse planer un doute. La moindre amorce d'objet,

14 Amorce gauche cadre : *The Eye 2* (Oxide et Danny Pang, 2004).

1. Contrairement à ce que l'on pourrait croire, le 2 du titre ne fait pas référence à une suite issue du premier film *The Eye*, mais au deuxième volet d'une trilogie intitulée *Gin gwai* qu'on pourrait traduire par « Le regard (du) démon ».

d'épaule, de tête ou de main, toujours floue, permet ainsi d'introduire de manière assez insidieuse une tension permanente, suggérant au spectateur que ces revenants sont (peut-être) partout et pas forcément là où on les attend. C'est en effet bien plus la texture des amorces due à leur proximité de l'objectif que les amorces elles-mêmes qui intéresse ici les deux réalisateurs.

La bonnette Split Field

En général, à l'intérieur d'une même image, un seul des plans est net (soit le premier plan, soit l'arrière-plan, par exemple). La mise au point pouvant éventuellement varier d'avant en arrière ou d'arrière en avant, en fonction de ce que l'on veut souligner. Il est en effet quasiment impossible d'avoir le point de quelques centimètres à l'infini, à moins de bénéficier d'une lumière incroyable ou d'objectifs ultraperformants[1]. En revanche, un filtre spécial (la bonnette Split Field) placé devant l'objectif permet de diviser le champ en deux parties, l'une avec le point très proche, l'autre avec le point beaucoup plus éloigné. Un réalisateur comme Brian De Palma en a fait d'ailleurs sa marque de fabrique, puisqu'il a largement utilisé cette bonnette dans pratiquement tous ses films.

Brian De Palma

Dans *Carrie* (1976), Brian De Palma utilisera au moins trois fois le Split Field. La première fois se situe vers le début du film, dans la maison familiale : alors qu'en arrière-plan, on voit Carrie rentrer chez elle, sa mère est au premier plan en train de coudre à la machine.

Un peu plus tard, dans la salle de classe, un plan fixe utilisé plusieurs fois dans le montage permet de voir au premier plan Tommy, le bellâtre du collège, très à l'aise, et au fond Carrie, passablement introvertie, baissant la tête. Ici, du reste, le trucage en direct avec ce filtre est bien visible puisqu'on peut voir où se situe la césure entre les deux valeurs,

1. Voir également dans le chapitre 1 « Notions techniques liées à la prise de vues », la section 1.1 « La profondeur de champ ».

la bordure des cheveux du garçon, verticalement au milieu de l'image, étant totalement floue alors que son visage est parfaitement net.

Dans *Pulsions* (1980), De Palma l'utilise notamment lorsque Peter (Keith Gordon) calcule le temps que mettent les patients à sortir de chez le Dr Elliott. À ce moment, le chronomètre à droite au premier plan est net et quelques mètres en arrière-plan l'entrée (à gauche), l'est aussi.

Vingt-cinq ans plus tard, dans *Le Dalhia noir* (2007), il l'utilise toujours autant (au moins trois fois). Par exemple, lorsque Dwight « Bucky » Bleichert (Josh Hartnett) est en planque dans un parc et qu'il aperçoit la suspecte. Cette fois-ci, la bonnette est utilisée horizontalement : dans la moitié inférieure de l'écran, l'amorce du journal qu'il est en train de lire ; dans la moitié supérieure, la suspecte à plusieurs mètres de lui et qui ne se doute de rien. La frontière entre ces deux parties de l'image est là aussi bien visible, puisque le texte du journal a tendance à se dédoubler « au contact » de la ligne de partage. D'autant plus visible que le journal monte ou redescend légèrement lorsque Dwight a besoin de voir plus précisément la jeune femme, ou de se dissimuler.

3.5 Position normale de la caméra

La position normale de la caméra se situe approximativement entre 1,50 et 1,70 m du sol et correspond en gros à la vision humaine moyenne, globalement assez neutre.

Cette hauteur moyenne donne la sensation au spectateur que c'est lui qui voit, elle correspond à peu près à la vision que l'on a dans la vie courante. C'est souvent l'expression d'une normalité élémentaire et/ou consensuelle.

La Sortie des usines Lumière à Lyon

Pour la position normale de la caméra, il faut revenir aux origines du cinéma, là où tout a commencé. *La Sortie des usines Lumière à Lyon* (1895) des frères Lumière nous montre un plan relativement large de la porte de la fameuse usine, côté rue. Positionnée frontalement par rapport au sujet, la caméra se trouve être effectivement à hauteur d'homme. La raison en est simple : il fallait que l'opérateur (Louis Lumière en personne) puisse tourner aisément et le plus régulièrement possible la manivelle qui faisait avancer la pellicule. Pendant longtemps, la position prédominante de la caméra fut donc celle-ci.

Pauline à la plage

Beaucoup de films à petit budget[1] ont tendance à poser la caméra sur un pied, de façon très basique, juste à hauteur d'homme et à filmer des plans fixes ou des panoramiques simples. Le risque étant de glisser vers une sorte de non-cinéma ou de théâtre filmé, il faut alors au réalisateur une certaine dose de talent pour captiver son auditoire.

Éric Rohmer est certainement le cinéaste français le plus élémentaire dans sa façon d'utiliser une caméra. Sa filmographie est faite presque exclusivement de plans tournés à hauteur d'homme et dans *Pauline à la plage* (1983) par exemple, tous les plans, sans exception, sont tournés de cette façon. Parfois, pour ne pas perdre les comédiens, la caméra va légèrement piquer vers le sol lorsqu'ils sont assis, ou filmer en contre-plongée pour les voir monter un escalier. Mais rien de plus. Car pour Rohmer l'essentiel est ailleurs, la caméra ne semblant être là que pour enregistrer le plus neutralement possible l'expression du sentiment amoureux et la formidable dramaturgie qui en découle.

Comédies françaises

La majorité des plans composant certaines comédies françaises sont également des plans de ce type, l'accent étant plutôt mis sur l'action, le gag ou le bon mot, plutôt que sur la forme. Et même les champions du box-office comme *Bienvenue chez les Ch'tis* de Dany Boon, *Camping* de Fabien Oteniente ou *Les Tuche* d'Olivier Baroux ne dérogent guère à la règle.

1. Films de série B ou Z mais également films plus classiques, et même d'Art et Essai.

3.6 Plongée

Pour une plongée, la caméra est placée au-dessus du sujet, elle est donc dirigée vers le bas.

La plongée rabaisse les personnages, les enfonce, les rend plus petits, comme écrasés par la vie ou les événements. Elle accentue également l'effet de petitesse sur les personnages mauvais en les faisant paraître ridicules ou minables.

Citizen Kane

À la moitié de *Citizen Kane*, devant un portrait gigantesque de lui-même, Charles Foster Kane fait un discours dans un théâtre, en vue des élections. L'homme, debout derrière un pupitre, est étonnamment et majoritairement filmé en plongée. Il semble ainsi comme écrasé par son image (au sens propre comme au figuré), jusque dans le plan de fin du discours où la caméra, placée sur un des balcons latéraux de la salle, filme dans une plongée vertigineuse un plan très large où Kane et ceux qui l'entourent semblent être de minuscules fourmis dominées par les (futurs) tourments de la politique.

Foxy Brown

Dans *Foxy Brown* (1974), Jack Hill a utilisé les plongées de façon tout à fait académique. Elles prennent ici leur véritable dimension parce qu'elles sont accolées immédiatement à des contre-plongées.

Trois séquences, toutes construites sur le même modèle simple (le champ-contrechamp), rythment le film de manière métronomique toutes les trente minutes environ. La première se situe donc à la fin du premier tiers : Foxy Brown (Pam Grier) est venue corriger son propre frère Link (Antonio Fargas), pour l'avoir trahie. Celui-ci, réduit à pas grand-chose, se retrouve acculé contre un mur de son studio, recroquevillé dans un coin, écrasé par un plan en plongée qui contraste grandement avec le plan en contre-plongée de l'impétueuse Foxy.

Un peu plus tard, fin du deuxième tiers (deuxième acte) : cette fois-ci, c'est Foxy Brown qui se retrouve sous la pression du plan en plongée. Capturée par les sbires de Katherine Wall (Kathryn Loder), elle a été allongée sur un matelas à même le sol, pieds et mains liés. Alors que la patronne de la drogue la regarde par au-dessus, dans un plan en contre-plongée serré, Foxy, en contrechamp, subit sa violence sans pouvoir faire quoi que ce soit.

Et finalement, fin du film et dernière séquence : Foxy vient de tirer sur Katherine Wall qui s'écroule, blessée au bras. Alors que la belle Foxy triomphe dans une combinaison en cuir moulant et dans un plan en contre-plongée, Mlle Katherine souffre dans un plan en plongée, très similaire d'ailleurs dans son attitude et dans son cadrage au précédent de Foxy Brown souffrant. Juste retour des choses, la vengeance est consommée et la méchante est désormais à terre.

Agora

Le cinéma étant avant tout une affaire de point de vue, il est normal qu'un film qui parle de(s) Dieu(x) et des sciences comme *Agora* (2009 – illus. **15**) d'Alejandro Amenábar[1] regorge de plans en plongée dont certains sont tout à fait remarquables. Et dès le début, le ton est donné : le film s'ouvre par un panoramique sur le cosmos où l'on croise la Terre – si proche qu'elle n'entre pas complètement dans le cadre – puis la Lune, beaucoup plus petite. Si l'on considère que le regard porté sur la Terre est celui d'un observateur scrupuleux (un dieu qui scruterait ce qui se passe sur sa surface), ce plan peut être qualifié de plongée. En revanche, s'il est juste le plan d'un astre parmi tant d'autres (le regard d'un scientifique), alors il s'agit d'un plan normal d'une planète, qu'il soit large, moyen ou serré.

De manière tout à fait rigoureuse et mathématique, Amenábar utilisera trois fois dans son film cette figure de style du long plan séquence en

1. Le personnage principal du film est celui d'Hypatie (Rachel Weisz), philosophe et mathématicienne grecque, et le sujet central l'opposition conflictuelle entre religion et sciences, à Alexandrie au IVe siècle de notre ère.

15 Plongée : *Agora* (Alejandro Amenábar, 2009).

plongée, descriptif et/ou scrutateur. Au début donc, comme on vient de le voir. Au milieu, avec un long et lent travelling plongeant sur la Terre pour arriver sur la bibliothèque d'Alexandrie pendant les funérailles de Théophile (Manuel Cauchi). Et à la toute fin, en fermeture du film, après la lapidation d'Hypatie (Rachel Weisz) avec, là aussi, un long et lent travelling arrière s'élevant dans les airs, jusque dans l'espace. À l'image de ce que le réalisateur nous a donné à voir tout au long du film, il est impossible ici de savoir s'il s'agit d'un regard divin ou d'un regard scientifique. Est-ce la science ou la religion qui détient la vérité ? À chacun, par ce qu'il a vu, de se faire son opinion et d'interpréter les images et l'histoire à sa manière.

Mais là où Alejandro Amenábar atteint au sublime, c'est lorsqu'il nous montre les affrontements entre païens et chrétiens suite aux provocations répétées de Théophile, patriarche[1] d'Alexandrie, et des chrétiens justement. À chaque fois, les séquences sont annoncées par des plans vertigineux en plongée au-dessus des bâtiments. Ainsi le premier choc, après une demi-heure de film, nous montre des chrétiens s'enfuyant, poursuivis par des païens en furie, délogés de leurs lieux d'habitation ou de réunions, frappés à mort par des hommes devenus fous. Ces hommes,

1. L'équivalent des évêques actuels.

filmés de très haut en hélicoptère, font immanquablement penser à une armada d'insectes affolés et totalement désorientés.

Plongée totale (ou plongée verticale)

On parle de plongée totale lorsque la caméra est parfaitement et totalement à la verticale du sujet. Ce placement de caméra peut être assimilé à une vision divine.

Diamants sur canapé

Dans *Diamants sur canapé* (1961) de Blake Edwards, après que Holly (Audrey Hepburn) et Paul (George Peppard) se sont enfin embrassés devant la porte d'entrée de leur immeuble, on retrouve Paul endormi, seul dans son lit, dans un plan en plongée totale. A-t-il couché avec Holly ? On peut le supposer avec les plans suivants, alors qu'il ouvre les yeux et découvre sa chambre. Un peu plus loin, Blake Edwards utilise le même plan, cadré exactement de la même manière, mais cette fois-ci en plongée sur le lit de Holly. Celle-ci, effondrée d'avoir appris la mort de son frère, est en train de pleurer. Or c'est à ce moment-là que son nouveau prétendant (José Luis de Vilallonga) ouvre la porte de sa chambre…

Dans les deux cas, la plongée est clairement utilisée comme métaphore d'une vision divine, scrutatrice et pleine de jugement. Particulièrement pour le deuxième plan où le poids du destin semble une fois de plus peser lourdement sur le déroulement de la vie de Holly. Des plongées qui résonnent immanquablement avec la contre-plongée du début (voir illus. **16** p. 83), comme l'écho contrarié de parcours inversés.

Le Dossier 51

Dans *Le Dossier 51* (1978) de Michel Deville, certains documents des services secrets sont de petits films en noir et blanc tournés à l'insu des protagonistes. Ainsi, la maison du diplomate que l'on espionne à Luxembourg est vraisemblablement filmée d'un étage élevé d'un immeuble situé en face, juste de l'autre côté de la rue. En plongée totale sur l'avant de la maison et le jardinet sur rue, les plans sont larges ou serrés avec parfois des panoramiques ou des zooms. L'effet d'un œil espionnant des innocents est ici parfait : les personnages semblent minuscules, fragiles, comme écrasés par le poids d'une terrible machine.

Agora

Dans *Agora*, Amenábar va jusqu'au bout de ses visions divines en filmant une ultime fois les chrétiens détruisant méthodiquement tous les manuscrits de la bibliothèque d'Alexandrie. Ce sont des plans en plongée totale dans lesquels on voit de minuscules êtres s'agiter dans tous les sens pour amener sur des bûchers les parchemins païens. Habillés de noir et filmés en accéléré, les chrétiens font penser sans équivoque à une cohorte de fourmis[1] accomplissant scrupuleusement leur devoir, sans état d'âme, comme une armée sous les ordres d'un général tout-puissant.

3.7 Contre-plongée

Pour une contre-plongée, la caméra est placée en dessous du sujet, elle est donc dirigée vers le haut.

La contre-plongée grandit les personnages, physiquement et moralement : les personnages « positifs » sont mis en valeur, les « mauvais » sont encore plus inquiétants. Elle exalte la force, l'autorité, la noblesse des sentiments aussi bien que l'orgueil, la prétention ou l'arrogance.

Citizen Kane

La séquence de *Citizen Kane* où Charles Foster Kane rédige sa profession de foi qui fera la une du premier numéro de l'*Inquirer* est, entre autres, composée d'un long plan séquence de près de 2 minutes en contre-plongée. Contre-plongée qui, à l'évidence, a été utilisée pour magnifier ce personnage de futur magnat de la presse. À tel point d'ailleurs qu'à ce plan succède en complète opposition un plan serré d'un de ses collaborateurs,

1. À une quarantaine de minutes du début du film, on peut d'ailleurs voir un plan assez court sur des fourmis (voir l'exemple page 84).

Jedediah Leland (Joseph Cotten) qui, lui, est filmé en plongée (donc symboliquement écrasé par l'aura de son « patron »), la séquence se concluant superbement par un gros plan en contre-plongée de Kane. Un peu plus loin dans le film, après un échec aux élections, on retrouve Kane à son journal dans une longue séquence de près de 5 minutes (et de 3 plans seulement), filmée intégralement en contre-plongée. Le symbole est fort, et même s'il vient de perdre les élections pour le poste de gouverneur, le spectateur comprend que l'homme s'en sort grandi et que, désormais, il est prêt à négocier positivement un tournant important de sa vie.

Diamants sur canapé

Au tout début de la séquence d'ouverture de *Diamants sur canapé*, Holly (Audrey Hepburn) est filmée en forte contre-plongée, regardant la façade de chez Tiffany (illus. **16**). Ici, et contrairement au plan écrasant (en totale plongée) de la dernière partie du film, Holly est à ce moment-là sublime. L'avenir semble lui appartenir et elle est au plus haut de son ambition. Lorsqu'on observe les deux plans (plongée et contre-plongée) successivement, on peut mesurer à quel point la position de la caméra

16 Contre-plongée : *Diamants sur canapé* (Blake Edwards, 1961).

est importante pour faire passer des émotions et des sensations. Mais les choses ne sont pas si simples. Et lorsqu'on y regarde de plus près, prenant seulement en considération le plan en contre-plongée, sorti de son contexte (à savoir, la totalité des plans de la séquence d'ouverture situés en aval et en amont de cette contre-plongée), on peut admettre sans erreur que dans cette image forte ce n'est pas Holly, mais bien le symbole de Tiffany qui est sublimé, écrasant du même coup la jeune femme. Un plan important qui semble résonner ici comme un avertissement.

Agora

De la même manière que les plongées d'*Agora* sont, pour un certain nombre, particulièrement remarquables, quelques contre-plongées sont également à noter. Beaucoup sont d'ailleurs construites comme une réponse aux plongées, elles en seraient en quelque sorte les contrechamps. Par exemple, le travelling circulaire sur Olympius (Richard Durden) faisant un discours : la contre-plongée est tellement prononcée qu'on voit au-dessus de lui le plafond peint de la bibliothèque, sur lequel sont représentés les dieux grecs. Ou encore, le travelling avant sur Hypathie qui, tête levée vers le ciel constellé d'étoiles, s'interroge sur la place de la terre au sein de l'univers. Ou un peu plus tard, un plan du soleil encadré par des drapeaux (en contre-plongée forcément) suivi immédiatement par un plan en plongée sur des fourmis se chauffant au soleil.

Et puis, pour finir, ce sera le dernier regard, terrible, d'Hypatie pour la voûte céleste qu'elle aperçoit à travers le plafond de ce qui a été la bibliothèque d'Alexandrie : un simple plan serré en contre-plongée sur un rond bleu, délimité par un trou circulaire dans le plafond. Comme une dernière métaphore de tous ses questionnements.

3.8 Plan débullé (ou plan cassé)

Le plan débullé est un plan « de travers », dont l'horizon est volontairement penché. Le terme débullé fait référence au niveau à bulle qui équipe les pieds de caméra et permet de cadrer de façon parfaitement horizontale.

Il s'agit d'une façon formelle d'introduire du décalage ou de l'étrangeté dans l'atmosphère d'une scène. Certains réalisateurs, comme Danny Boyle, en ont fait également une de leurs marques de fabrique.

Le Troisième Homme

Le Troisième Homme (1949 – illus. **17**) de Carol Reed est un des grands classiques où le plan débullé est omniprésent. Ici, il en existe deux niveaux de compréhension.

17 Plan cassé : *Le Troisième Homme* (Carol Reed, 1949).

Au premier niveau, le spectateur ne connaît pas grand-chose à l'histoire. À ce moment-là, les plans cassés, qui arrivent très tôt dans le film, semblent instiller une atmosphère étrange de suspicion et de danger. Souvent appliqués à des personnages mystérieux, les plans débullés permettent d'alerter le spectateur et de soupçonner que quelque chose de louche se cache derrière les propos de tous. Contrairement au personnage principal, Holly Martins (Joseph Cotten), qui lui, enquêtant sur la mort de son ami Harry Lime (Orson Welles), ne semble pas comprendre toute la subtilité de la situation. Ainsi, au tout début, lorsque Martins sonne à la porte de son ami, le concierge de l'immeuble, perché sur un escabeau un étage au-dessus pour changer une lampe, lui répond en allemand dans un plan large débullé. Puis ce seront cinq autres plans, moyens cette fois-ci, toujours débullés. Nous, spectateurs, comprenons que ce personnage n'est pas très clair alors que Holly Martins ne le sait pas encore. Une variante : lorsque Martins s'apprête à entrer dans la loge d'Anna Schmidt (Alida Valli), l'ancienne compagne de Lime, c'est lui, cette fois, qui est filmé dans l'embrasure de la porte en plan cassé. Nous soupçonnons alors qu'il va mettre les pieds dans une histoire compliquée...

Au deuxième niveau de lecture, le spectateur connaît assez bien l'histoire et sait que les plans cassés symbolisent le mensonge. À ce moment-là, à chaque fois qu'un personnage est filmé de cette manière, le spectateur sait que celui-ci ment. Il possède ainsi une avance certaine sur Martins et sur la compréhension des faits. Jusqu'au(x) plan(s) emblématique(s) du porche d'un immeuble où l'on voit un chat, entre deux pieds dépassant de l'ombre. Ces plans, extrêmement débullés, vont finir par révéler le véritable instigateur de toute la machination, à savoir Harry Lime bien vivant. Il est celui par lequel est arrivé le mensonge, il est le mensonge incarné. Presque la faute suprême. Une faute si terrible qu'elle finira par se retourner contre lui et le poursuivre jusque dans cette scène célèbre de la fin : alors que Harry Lime est pourchassé par la police dans les égouts de Vienne, des plans débullés vont s'immiscer inexorablement dans sa fuite, pour finalement avoir raison de lui.

À noter

Le Troisième Homme emprunte beaucoup à l'expressionnisme allemand (ce n'est d'ailleurs pas un hasard si le film se déroule à Vienne) et spécialement à deux de ses docteurs : *Le Cabinet du docteur Caligari* de Robert Wiene (1920), dont les décors aux perspectives fausses et penchées annonçaient les plans débullés de tout le cinéma moderne, et le *Docteur Mabuse* de Fritz Lang (1922) avec ses lumières particulièrement marquées.

Ipcress, danger immédiat

Ipcress, danger immédiat, dont le langage formel est extrêmement poussé, recèle de nombreux plans débullés. Le réalisateur, Sidney J. Furie, les utilise principalement lors des scènes où Harry Palmer (Michael Caine) et Jean (Sue Lloyd), jeune agent qu'il essaie de séduire, se trouvent réunis. Les plans les plus cassés sont certainement ceux de la rencontre, lorsque Palmer fait la connaissance de la jeune femme lors d'une réunion, puis lorsqu'il se retrouve seul avec elle dans l'intimité de son appartement ; ces cadrages spéciaux soulignant ainsi une intrusion passablement inhabituelle dans la vie de Harry Palmer. À tel point d'ailleurs qu'une fois la rencontre « consommée », les plans entre ces deux personnages retrouvent un cadrage tout à fait normal.

Slumdog Millionaire

Slumdog Millionaire de Danny Boyle est un véritable nid à plans cassés (comme beaucoup de ses films d'ailleurs) ! Même s'il existe une certaine cohérence quant à leur utilisation, tous les prétextes sont bons pour apposer cette marque de fabrique dans un grand nombre de séquences.

Les thématiques principales pour lesquelles Danny Boyle a recours à ce principe formel sont pratiquement toutes à l'origine d'un questionnement et d'une incertitude face à l'avenir. C'est parce que les personnages sont en danger (qu'ils se soient eux-mêmes mis en danger ou que le danger soit venu malencontreusement à leur rencontre) que leur avenir est compromis. Les plans débullés prennent place au sein de séquences violentes, douloureuses ou angoissantes, des séquences annonciatrices de remise en question où les personnages voient leur quotidien bouleversé, à l'image explicite des plans cassés.

Les scènes utilisant ce procédé du plan débullé sont donc très nombreuses, ce sont ainsi une bonne quinzaine de séquences de cet ordre qui viennent rythmer le film dans sa globalité : de la séance de torture policière du début à l'arrivée en gare de Jamal à la fin.

Certes, la ficelle peut paraître à chaque fois un peu grosse, mais comme tous ces plans sont a priori élégants et esthétiques, l'artifice passe finalement assez bien. A fortiori dans un mélodrame chamarré, aux forts accents bollywoodiens !

3.9 Caméra subjective (plan subjectif)

On dit de plans qu'ils sont tournés en caméra subjective, lorsque celle-ci « prend la place » des yeux du personnage et devient ainsi son point de vue. Ces plans, qu'ils soient fixes ou mobiles, tournés à l'épaule (avec tressautements et vibrations), au Steadicam (impression de fluidité) ou via tout autre système servant à faire évoluer la caméra dans l'espace comme le Skycam[1], sont appelés plans subjectifs.

Cette caméra dite subjective permettrait de faire ressentir exactement ce que ressent le personnage. En fait, le subjectif est une figure de style qui va souvent bien au-delà de l'identification du spectateur au personnage, car il permet la mise en place d'une tension narrative et dramatique, parfois de dimension analogue à celle du suspense.

À noter

Lorsque la caméra reproduit le déplacement du protagoniste, le mouvement est appelé travelling subjectif (voir chapitre 4, section 4.4).

Les Enfants terribles

Dans *Les Enfants terribles*[2] (1950), Jean-Pierre Melville a recours à cet effet de style plusieurs fois, tout au long du film. Au tout début, alors que Paul (Édouard Dermit), blessé, a été transporté dans la loge du concierge du lycée, le censeur (Émile Mathis) commence à questionner Dargelos (Renée Cosima) sur l'accident. Le garçon lui répond en plan

1. Voir le glossaire en fin de volume.
2. Adaptation du roman éponyme de Jean Cocteau.

poitrine, face caméra, mais sans que le regard caméra ne soit vraiment évident. En revanche, le contrechamp sur le censeur est indiscutablement un subjectif de Dargelos, le réalisateur se payant même le luxe de faire un panoramique vers la droite lorsque Gérard (Jacques Bernard) donne sa version des faits, puis de revenir sur le censeur demandant : « Est-ce exact ? » Puis, gros plan de Dargelos face caméra qui ne répond rien et enfin, nouveau plan subjectif du regard de Dargelos sur le censeur exaspéré : « Vous ne répondez pas ? » On est ici tellement près de la caméra que les subjectifs, sublimés par la très belle lumière de Henri Decae, intensifient considérablement les regards des comédiens.

Une autre séquence particulièrement remarquable pour ses plans subjectifs est celle du petit-déjeuner réunissant Paul, Élisabeth (Nicole Stéphane) et Gérard ; la jeune fille annonçant que tout, dans cette vie, lui fait horreur. Le premier à ouvrir les hostilités est un très gros plan de Paul, subjectif d'Élisabeth, qui lui assène : « Pourquoi, quelle horreur ? » Et elle de répliquer, de plus belle, en face caméra (subjectif de Paul cette fois-ci) qu'elle va partir et « prendre du travail », qu'elle en a assez « d'une existence de bonne » et qu'elle ne continuera « pas un jour de plus ». Alors que son frère la questionne : « Du travail ! Quel travail ? », elle lui tourne le dos et répond face caméra à Gérard, jusqu'à s'approcher en gros plan, regardant franchement le spectateur dans les yeux comme pour le convaincre que sa position n'est vraiment pas enviable[1]. Ce qui est très étonnant avec ces derniers plans, censés être des subjectifs de Gérard, c'est que dans le contrechamp, ce dernier justement ne regarde que très peu Élisabeth, voire pas du tout. On est donc bien, ici, dans une pure figure de style que l'on retrouvera dix ans plus tard dans les regards caméra de Belmondo, dans *À bout de souffle* puis dans d'autres films de la Nouvelle Vague[2].

1. Élisabeth : ... *Paul est un incapable, il est nul, c'est un demeuré* [...] *Que deviendrait-il si je ne travaillais pas ?* [...] *Pauv' gosse, il est encore très malade tu sais. Pense qu'une boule de neige a suffi pour le renverser* [...] *Je ne lui reproche rien, mais c'est un infirme que j'ai sur les bras.*
2. *Les 400 coups* de François Truffaut, *Pierrot le fou* ou *Une femme est une femme* de Jean-Luc Godard...

Melville, à l'orée des années 1950[1], a encore besoin d'une justification (le plan subjectif ; la caméra, œil d'un personnage) pour faire passer les regards caméra[2]. Alors que Godard, Truffaut et les autres s'affranchissent de cette justification et vont jusqu'au bout du procédé, finalement très théâtral[3].

Du subjectif au regard caméra, il n'y a finalement qu'un protagoniste, identique pour les deux : le spectateur.

Le Dossier 51

Le Dossier 51 de Michel Deville est un film entièrement en vision subjective dans lequel les plans tournés en caméra subjective, justement, représentent 90 % des images montées[4].

L'histoire, adaptée d'un roman de Gilles Perrault, est tout ce qu'il y a de plus classique pour un film d'espionnage : une organisation secrète espionne un diplomate (François Marthouret) afin de le récupérer pour ses propres intérêts. Mais là où Michel Deville a été malin[5], c'est qu'il est parti du principe que tous les hommes de ce service étant des espions, ceux-ci sont forcément, de par leur fonction, inconnus pour le commun des mortels et donc non identifiables. Le mieux était alors de ne pas les montrer à l'écran et donc de tourner en caméra subjective : le spectateur verrait par leurs yeux. Ainsi, on n'aperçoit que très rarement les espions – si ce n'est au hasard d'un miroir ou d'une vitrine reflétant leur image – et ceux-ci parlent en voix off.

---

1. Jean-Pierre Melville a toujours été un modèle célébré par les jeunes réalisateurs de la Nouvelle Vague et François Truffaut avait d'ailleurs encensé *Les Enfants terribles* à l'époque de sa sortie.
2. Voir le glossaire en fin de volume.
3. Même si *Les Enfants terribles* n'est pas à l'origine une pièce de théâtre mais bien un roman de Jean Cocteau, il est quand même incontestable que le film s'enferme dans une certaine théâtralité.
4. Les 10 % restant étant faits de petits films, en caméra cachée pour la plupart, tournés en noir et blanc ou de photos prises au téléobjectif.
5. À l'époque le roman, dont la forme est extrêmement littéraire (comptes rendus d'écoutes, de filatures, notes et mémos divers), était réputé comme inadaptable au cinéma.

Strange Days

La séquence d'ouverture de *Strange Days* (1995) de Kathryn Bigelow est un (faux[1]) plan séquence de plus de 4 minutes, tourné entièrement en caméra subjective et dont la sensation « jeu vidéo » est retranscrite à travers une narration très particulière : cette scène de braquage, qui échoue lamentablement, est en effet censée être enregistrée à travers les yeux d'un des gangsters. La violence qui jaillit de cette séquence est due en grande partie à cette manière de filmer, excessivement nerveuse et proche du sujet, un peu à la manière d'un reporter de guerre plongé au beau milieu du feu croisé des combattants. Une violence d'autant plus prégnante que l'impression de vivre les événements en temps réel est accentuée par un gros travail sur le son.

Tout au long du film, la réalisatrice nous montrera une dizaine de ces clips « auto-vécus » en vision subjective. Le plus long, de près de 5 minutes, est celui de l'agression puis du viol d'Iris (Brigitte Bako) à la limite de l'insoutenable. Un « clip » très dur, parfois entrecoupé des réactions de Lenny Nero (Ralph Fiennes) face à cette violence imposée et permettant ainsi de désamorcer l'angoisse éventuelle que pourrait ressentir le spectateur face à sa propre impuissance.

Des films subjectifs

L'utilisation trop systématique, ou trop dans la durée, du subjectif a tendance à tuer l'effet. Au bout d'un certain temps, lorsqu'il couvre une très grande partie du film, voire la totalité, le subjectif ne fonctionne plus vraiment et tend à casser la ligne dramatique. Tout particulièrement lorsque les autres protagonistes, s'adressant à ce personnage, sont obligés d'avoir des regards caméra pour lui parler.

Le subjectif nécessite donc énormément de talent de la part du réalisateur pour fonctionner de manière optimale. Il ne supporte ni l'artifice, ni le gratuit, mais l'histoire du cinéma est pourtant jalonnée de ces films

1. Il y a une bonne dizaine de coupes tout au long de ce plan à l'allure de plan séquence, toutes faites à la faveur de mouvements violents et de filés divers.

reposant essentiellement, voire entièrement, sur le système du subjectif – tous l'ayant utilisé avec plus ou moins de succès et d'efficacité. À commencer par deux films américains sortis la même année, en 1947 : *La Dame du lac* et *Les Passagers de la nuit*.

La Dame du lac

Dans *La Dame du lac* de Robert Montgomery, le spectateur voit tout le film se dérouler à travers les yeux de Philip Marlowe (Robert Montgomery lui-même). Seules exceptions à la règle, quelques « face caméra » et les séquences où le personnage se retrouve face à un miroir.

Le problème, c'est que tout est un peu poussif alors que le slogan de l'époque, en haut de l'affiche, présentait cet effet comme une révolution : « MGM présente un film révolutionnaire, le plus étonnant depuis les débuts du parlant. Vous et Robert Montgomery allez résoudre ensemble un meurtre mystérieux ! » Rien que cela !

Les Passagers de la nuit

Les Passagers de la nuit de Delmer Daves joue sur ce ressort puisque pendant la première heure du film, le spectateur voit par les yeux de l'évadé Vincent Parry (Humphrey Bogart). Un procédé utilisé ici de façon plus habile dans la mesure où il renvoie naturellement à la question de l'identité que pose le film.

Enter the Void

Mais celui qui est certainement le plus intéressant et le plus inventif, à la fois d'un point de vue narratif mais aussi de façon formelle, est sans conteste *Enter the Void* de Gaspar Noé[1] (2009 – illus. **18**).

On peut diviser grossièrement le film en deux parties : avant qu'Oscar (Nathaniel Brown) soit abattu par la police, et après.

---

1. *Enter the Void* emprunte très largement à *Strange Days* de Kathryn Bigelow, sorti quinze ans plus tôt.

18 Subjectif : *Enter the Void* (Gaspar Noé, 2009).

La première est un long plan subjectif d'une quarantaine de minutes d'Oscar bien vivant, avant son rendez-vous pour un deal au bar le Void. La caméra représente ainsi exactement le regard du personnage et même si ce n'est pas un véritable plan séquence[1], on est ici dans une temporalité ressentie comme totalement naturelle.

Dans la deuxième partie[2], l'esprit d'Oscar agonisant s'extrait de son corps et part à la dérive au-dessus de Tokyo à la rencontre de sa sœur (qu'il s'est promis de ne jamais abandonner même après sa mort), mais aussi à la rencontre de ses connaissances, de la ville, des fameux *love hotels* et autres lieux de perdition. Le plan n'est peut-être pas à proprement parler un subjectif – car après tout, qui peut savoir ce qu'est le subjectif d'une âme ou de l'esprit ? – mais il en a l'apparence cinématographique. Et c'est là où le talent de Gaspar Noé permet au film de véritablement décoller. Décrire, d'ailleurs, ce qui se passe à l'image

1. Plusieurs astuces permettent de lier différentes prises ou différents plans entre eux de manière invisible : il suffit de quelques images de noirs avec de très légers fondus en ouverture et en fermeture, par exemple, pour lier deux prises différentes d'un même plan, tout en simulant pour le spectateur les clignements des yeux.
2. À noter qu'une sous-séquence d'une quarantaine de minutes est intégrée à la deuxième partie. Évoquant les souvenirs d'Oscar, elle est un long flash-back dans lequel tous les plans sont tournés avec Oscar de dos en premier plan.

serait une tentative un peu vaine d'expliquer cette expérience hallucinatoire. Mais une chose est sûre : le procédé, tel qu'il est utilisé ici, fait à tel point corps avec la mise en scène qu'on a véritablement l'impression d'être, en tant que spectateur, un esprit voyageant au-dessus des villes. Onirisme, psychédélisme, hallucinations, réalité, ce long plan subjectif[1] nous entraîne, grâce justement au système du subjectif, dans une expérience sensorielle totalement hypnotique et qui, pour le coup, fonctionne parfaitement.

1. Là aussi on est dans un faux plan séquence dont les plans sont liés grâce à des fondus au noir, des images abstraites psychédéliques, des entrées dans des trous, etc.

Chapitre 4

Les mouvements de caméra

Aujourd'hui les mouvements de caméra, grâce à un matériel de plus en plus sophistiqué (Steadicam, Louma, grues diverses, Skycam, drones...) ne connaissent pratiquement aucune limite, si ce n'est l'imagination des réalisateurs et, évidemment, les contraintes économiques.

On peut dire qu'en général, au niveau de l'image, les mouvements de caméra annulent les déplacements lorsqu'ils les accompagnent, et les accentuent lorsqu'ils vont dans le sens contraire.

La Nuit américaine

Il est très intéressant de visionner *La Nuit américaine* (1973) de François Truffaut pour, outre découvrir les dessous plutôt fidèles d'un tournage, observer d'une part la façon dont les mouvements de caméra se font et d'autre part la virtuosité et l'intelligence avec lesquelles le réalisateur utilise et enchaîne ces mouvements. Car aucun n'est gratuit. La préoccupation de Truffaut n'est pas de faire juste joli, mais de créer du sens et d'accompagner les acteurs dans leur jeu. Une grande leçon de cinéma à l'heure où certaines grosses productions n'ont qu'une seule idée en tête : en mettre plein la vue avec une débauche de moyens techniques. Pas très intéressant en termes de dramaturgie, mais pratique pour cacher un vide scénaristique ou un manque d'imagination.

4.1 Plan fixe

En théorie pour un plan fixe, la caméra ne bouge absolument pas, elle est totalement fixe. En réalité, même dans un plan dit « fixe » le cadreur est souvent obligé de recadrer très légèrement, de façon presque imperceptible, ne serait-ce que parce qu'un comédien qui parle bouge toujours un peu.

Un des chantres du plan fixe est certainement Yasujiro Ozu, un réalisateur japonais dont il est indispensable de voir nombre de films de sa dernière période, comme *Fleurs d'équinoxe* (1958 – illus. **19**), où l'on peut mesurer à quel point ce grand artiste a su élever le plan fixe au rang de somptueuse figure cinématographique. Ou comment faire de la sobriété et de l'épure le centre incontournable de sa création.

19 Plan fixe : *Fleurs d'équinoxe* (Yasujiro Ozu, 1958).

Précision

Jusque dans les années 2000 le concept de plan fixe (au sens absolu du terme) n'était qu'une vue de l'esprit, une sorte de convention non aboutie, non seulement pour la raison évoquée plus haut des imperceptibles recadrages – mais aussi et surtout parce que le transport de la pellicule dans la caméra étant mécanique, ce système posait des problèmes de stabilité de l'image[1]. Or, depuis l'avènement et la généralisation des caméras numériques, ces contraintes mécaniques n'existent plus et les cadres sont dorénavant totalement et absolument fixes.

Dickson Greeting

Le premier plan fixe jamais réalisé se confond forcément avec le premier film de l'histoire du cinéma. *Dickson Greeting* (1891) de William Kennedy Laurie Dickson est un plan fixe d'une dizaine de secondes dans lequel un homme, face caméra, salue en passant son chapeau d'une main à l'autre. L'image n'est pas rectangulaire, mais circulaire, et les gros problèmes de stabilité de l'image rencontrés par Dickson à l'époque l'obligèrent à revoir son système d'entraînement et de visionnement.

Polémique

À l'époque, le visionnage du film était individuel et se faisait grâce au Kinétoscope, une sorte de grosse boîte en bois au-dessus de laquelle on se penchait pour regarder à travers un petit trou de quelques centimètres. Il y a d'ailleurs ici une de ces petites polémiques quant à la paternité du cinéma : si l'on définit le cinéma par rapport à une salle de cinéma où plusieurs personnes peuvent regarder en même temps un film projeté sur un écran, alors ce sont les frères Lumière qui sont les premiers à l'avoir fait, en 1895. En revanche, si on définit le cinéma par rapport au premier plan enregistré puis reproduit, on peut penser qu'il s'agit de Dickson, en 1891.

1. Observez attentivement le bord des images d'un film ancien et vous verrez qu'il semble bouger et même parfois tressauter. Il n'est pas absolument stable.

Persona

Chez Ingmar Bergman les plans fixes semblent souvent étonnamment et parfaitement immobiles, par exemple lors de la séquence des champignons dans *Persona* (1966). Ici, après un long travelling latéral – suivant Elisabet (Liv Ullmann) et Alma (Bibi Anderson) en pleine cueillette le long d'un mur en pierre sèche, les deux jeunes femmes sont filmées en plan fixe pendant près d'une minute et en quatre plans (un large de situation et trois serrés) : attablées face à la mer, elles semblent pleinement sereines.

Se succéderont ainsi quatre séquences faites uniquement de plans fixes[1] et dans lesquelles Elisabet écoute avec beaucoup d'attention les propos d'Alma : autour des champignons, à la plage, au petit déjeuner devant la fenêtre, au dîner. Une succession de 24 plans absolument fixes, hormis le dernier qui se finira par un petit zoom avant en deux étapes, d'abord sur le visage d'Alma, puis sur celui d'Elisabet. Une sorte de plan de rupture où les propos d'Alma basculent, la jeune femme se confiant à partir de ce moment-là de manière presque impudique à celle qui l'écoute. Comme si la grande retenue tout angélique, symbolisée par l'absolue rigidité du plan fixe, ne pouvait plus suffire à Alma.

Printemps, été, automne, hiver… et printemps

Si la séquence d'ouverture de *Printemps, été, automne, hiver… et printemps* (2003) de Kim Ki-duk, qui se déroule dans la maison au milieu du lac, peut étonner par son incroyable immobilité visuelle (plus de la moitié des plans sont totalement fixes), la séquence qui suit immédiatement va encore plus loin. Entièrement filmés dans la forêt, les quinze plans qui la composent sont là aussi totalement et absolument fixes[2]. Ainsi, les

1. Excepté un panoramique de recadrage lorsqu'Elisabet se relève sur la plage.
2. Seules exceptions, les deux plans serrés de face sur le serpent que doit attraper l'enfant moine (Seo Jae-kyeong) : le cadrage d'un animal a priori difficilement contrôlable exige évidemment que le cadreur suive le mouvement du sujet qui pourrait être tenté de s'échapper. Mais là encore, le panoramique de recadrage est à peine visible.

cinq premières minutes du film donnent immédiatement le ton de ce que va être cette incroyable parabole sur la vie : un regard tout à la fois somptueux et impartial sur l'âme humaine. D'un point de vue formel, Kim Ki-duk fait partie de ces réalisateurs qui préfèrent faire évoluer leur mise en scène à l'intérieur (et à l'extérieur : en off) d'un cadre fixe, plutôt que de suivre à la caméra chaque déplacement ou mouvement des personnages. C'est à peine s'il autorise son caméraman à recadrer légèrement lorsque son sujet semble sortir du cadre[1].

Dans la première séquence, au tout début donc, le plan large du maître (Oh Yeong-su) priant devant l'autel est caractéristique du style de Kim Ki-duk. Le spectateur, peu habitué, va attendre forcément que la caméra suive les mouvements du vieil homme. Et pourtant, lorsque celui-ci se relève légèrement pour réveiller l'enfant qui dort au second plan, le cadre ne bouge pas d'un millimètre ; de même lorsqu'il finit par se mettre debout et sortir du champ. En près de 30 secondes et en un seul plan fixe, le réalisateur a ainsi réussi à nous présenter tous les protagonistes du film ainsi que le décor principal : un vieux moine pieux, un enfant vivant avec ce moine, une seule pièce à vivre pour deux. Mais ce n'est pas tout, car grâce à sa mise en scène, il guide l'œil du spectateur comme aurait pu le faire le montage de plusieurs plans, un peu comme s'il avait fait son découpage technique dans la profondeur de ce seul plan : plan serré sur le moine priant, puis panoramique sur celui-ci ouvrant la porte, contrechamp sur l'enfant qui dort, gros plan du moine demandant à l'enfant de se lever, contrechamp sur l'enfant qui se réveille, plan large sur le moine qui sort du champ, plan serré sur l'enfant qui s'habille… sauf que ce découpage n'existe pas concrètement.

Ainsi, la caméra n'anticipe jamais l'action, elle se contente de l'enregistrer selon un axe minutieusement choisi à l'avance par le réalisateur et son équipe.

1. Voir les plans du serpent.

4.2 Panoramique

Le panoramique est un mouvement de caméra se faisant uniquement à partir d'un point fixe (illus. **20**). La caméra étant solidaire d'une rotule, elle peut pivoter dans tous les sens et ainsi explorer un lieu ou suivre quelqu'un, ou quelque chose, qui se déplace à partir d'un endroit donné.

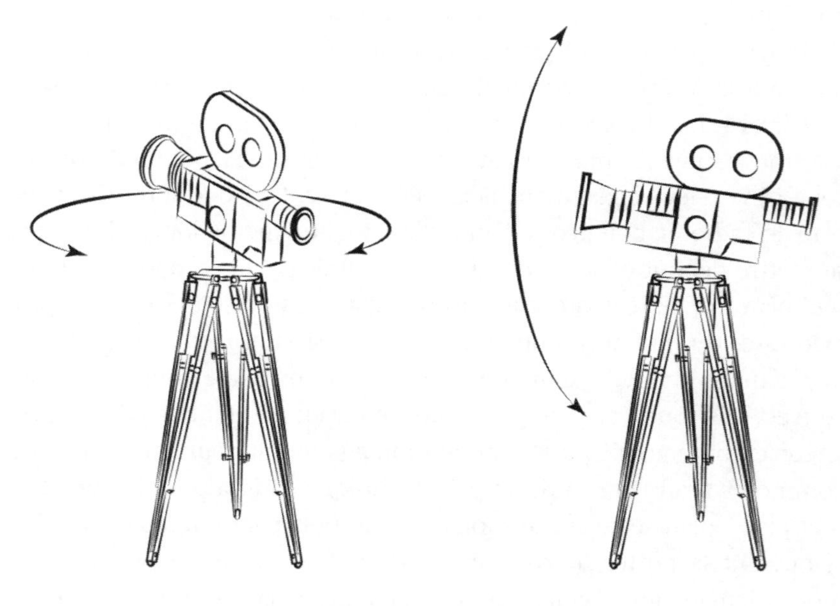

20 Panoramique.

Le panoramique correspond à un regard objectif et/ou investigateur (il se substitue à la vision d'un observateur). Il est certainement le mouvement de caméra le moins signifiant de tous car le plus souvent réduit à une simple fonction pratique et technique de suivi de mouvement (de personnage ou d'objet) ou de recadrage. Mais utilisé avec talent, il peut être extrêmement riche d'informations.

La Porte de l'enfer

Le moins que l'on puisse dire de Teinosuke Kinugasa[1], c'est qu'il n'est pas franchement adepte des mouvements de caméra. Pour preuve, son mélodrame sur fond de guerre de clans, intitulé *La Porte de l'enfer* (1953), est fait essentiellement de plans fixes. Quelques travellings assez courts viennent cependant émailler, ici ou là, la narration, mais toujours de façon très discrète[2]. Quant aux panoramiques, leur utilisation est réduite à l'essentiel et ils peuvent être classés en quatre grandes catégories :

- Les **panoramiques purement techniques de recadrage**, essentiellement utilisés sur les gros plans lorsque le personnage bouge ou se déplace légèrement (le moine dansant avec un masque, Kesa (Machiko Kyō) se relevant après avoir prié, Môritô (Kazuo Hasegawa) s'asseyant en tailleur face au mari de Kesa...).
- Les **panoramiques de suivi**, employés le plus souvent lorsqu'un véhicule ou un personnage se déplace d'un décor à un autre (char de Jôsaimon-in sortant de la cité, Kogenta (Jun Tazaki) se déplaçant jusqu'au seigneur Kiyomori (Koreya Senda), le plan de fin montrant un homme (Môritô) franchissant la porte de l'enfer...).
- Les **panoramiques descriptifs**, aidant le spectateur à identifier correctement un lieu ou un objet (panoramique descendant du ciel vers la plage lorsque Môritô rejoint le monastère à cheval, panoramique de l'extérieur d'une maison à une des pièces intérieures où Kesa joue du koto[3] devant son seigneur...).

1. Quasiment inconnu chez nous, Teinosuke Kinugasa a obtenu le Grand Prix du Festival de Cannes en 1954 ainsi que l'Oscar du meilleur film étranger en 1955 pour *La Porte de l'enfer* : apprécié pour ses couleurs étonnantes (la photographie est de Kôhei Sugiyama, également chef opérateur de Kenji Mizoguchi), c'est le premier film japonais à avoir utilisé le procédé couleur de Kodak, l'Eastmancolor, concurrent du Technicolor.
2. Surtout localisés dans le premier tiers du film et pendant la joute équestre, les travellings ne durent que quelques secondes.
3. Le koto est un instrument de musique traditionnel japonais, une sorte de longue cithare à cordes pincées que l'on joue à plat.

- Les **panoramiques dramatiques**, permettant de poser dans l'espace les enjeux d'une scène (panoramique de l'assemblée des héros chuchotant face à Kiyomori jusqu'au pauvre Môritô, dépité d'aimer une femme mariée).

L'utilisation des panoramiques par Teinosuke Kinugasa dans ce film est non seulement académique, mais aussi et surtout très mécanique.

Bullitt

La célèbre poursuite en voiture de *Bullitt* (1968) de Peter Yates dans les rues de San Francisco a été tournée – pour les plans extérieurs aux voitures – à l'aide de panoramiques. La raison en est simple : ils permettent de situer exactement les véhicules dans l'espace et de les suivre de façon relativement aisée (pour un cadreur aguerri tout de même) lorsqu'ils changent de direction, même à grande vitesse.

La Cérémonie

Claude Chabrol, comme tous les réalisateurs dits « classiques » de sa génération, étudie toujours le meilleur endroit pour mettre sa caméra afin de dire les choses simplement, de manière fluide et en peu de plans. Dans *La Cérémonie* (1995), il ne déroge pas à ces règles et les panoramiques (comme les travellings d'ailleurs) sont toujours utilisés à bon escient dans une économie de moyens et pour un maximum de compréhension. Ainsi, le film s'ouvre sur un panoramique d'une trentaine de secondes. Nous sommes en ville, face à un passage piéton qu'emprunte Sophie (Sandrine Bonnaire) venant à notre rencontre. Alors qu'elle traverse la rue, la caméra panote légèrement pour la garder dans le cadre. À ce moment-là, le reflet d'une tasse et d'une théière dans l'angle inférieur gauche de l'image nous indique que le point de vue se situe à l'intérieur d'un café, chose qu'il était impossible de deviner en début de plan[1]. Puis Sophie emprunte le trottoir

---

1. Pour un œil aguerri, le début de plan quelque peu surexposé (puisque le diaphragme a été choisi pour une exposition optimale en intérieur), nous indique qu'il y a quelque chose d'inhabituel, mais il est difficile de dire de quoi il s'agit.

et c'est tout naturellement que la caméra effectue un panoramique vers la gauche afin de la suivre lorsqu'elle entre dans le bar. Le spectateur peut alors aisément identifier le décor (un café français traditionnel) et entrer, en même temps que Sophie, dans le film. La caméra continue son tour (le panoramique est semi-circulaire) en intérieur, puis s'arrête lorsqu'en off un personnage féminin s'écrit : « Mademoiselle ! » Sophie, qui semblait chercher quelqu'un, tourne la tête puis s'avance et sourit timidement tandis que la voix féminine prononce son nom. Lorsqu'elle s'avance, la caméra la suit légèrement en la recadrant, puis cut.

En un seul plan de 30 secondes, Claude Chabrol a donc posé le décor et une ambiance (l'histoire se déroulera en province, dans un milieu a priori lambda), il a caractérisé en partie le personnage principal, mais il a également instillé une part de suspense en ne dévoilant pas immédiatement le deuxième personnage féminin (Catherine, jouée par Jacqueline Bisset). De cette façon, il a réussi à attraper le spectateur et ne le lâchera plus, jusqu'à l'image finale.

À bien y réfléchir, ce long mouvement circulaire de caméra peut également être interprété comme étant le regard subjectif de Catherine. Ainsi, le panoramique à la fois descriptif, de suivi et proche des personnages a rempli toutes ses fonctions.

4.3 Travelling

Lors d'un travelling, la caméra se déplace (souvent sur un rail) en suivant par exemple un personnage qui évolue dans le décor. Quand ce déplacement prend la place d'un des personnages, on parle d'un travelling subjectif. Le travelling peut servir également à décrire un lieu et ce qui s'y trouve. Il correspond à un regard subjectif et/ou à une exploration de l'espace.

Tous les types de travellings peuvent être combinés entre eux dans une infinité de mouvements continus, entre autres en montant la caméra sur un Steadicam, un drone, une grue, une Louma, sur rails ou même à l'épaule.

Le Voleur de bicyclette

La séquence du marché aux puces du *Voleur de bicyclette* (1948) de Vittorio De Sica débute par une succession d'une douzaine de plans tous en travelling. Antonio (Lamberto Maggiorani), accompagné de son fils et de deux amis, scrute les étalages des vendeurs de vélos. Ils sont filmés en plan poitrine, plan américain ou gros plan, les contrechamps (également en travelling) sont des plans serrés sur la succession de guidons, de roues et d'accessoires, le but étant ici de faire participer activement le spectateur à la recherche du vélo volé.

Bullitt

Pendant la poursuite en voiture de *Bullitt* de Peter Yates, on peut voir de nombreux plans tournés de l'intérieur des voitures en mouvement. Certains, plus remarquables que d'autres, peuvent être assimilés à des travellings dits « subjectifs » car ils sont dirigés vers l'avant des voitures, recréant en quelque sorte la vision des conducteurs, « décollant » dans les rues en forte pente de San Francisco. Ils donnent au spectateur la sensation d'être à l'intérieur des véhicules, de vivre également l'histoire de l'intérieur, un peu comme dans le Roller Coaster d'un parc d'attractions.

Sonatine

Takeshi Kitano, même s'il est forcément très « asiatique » dans sa façon de filmer avec une profusion de plans extrêmement fixes, ne rechigne pas à utiliser les mouvements de caméra – mais toujours avec parcimonie. Comme dans son très beau mais très violent *Sonatine* (1993), où les travellings prennent une place toute particulière et ont tendance à rythmer l'action de manière très spécifique. Les dix premières minutes du film concentrent en effet, à elles seules, près de la moitié des mouvements de caméra. Des travellings arrière, avant ou latéraux de durée variable mais qui sont pour la plupart dans l'accompagnement des personnages : on est dans la partie exposition du film, avec présentation des parties en présence et révélation des enjeux.

Puis, lorsque le film bascule de la ville à la mer, Kitano met en scène d'autres travellings qui, du coup, se raréfient. Pour culminer avec la scène centrale du film, d'une drôlerie incroyable, où l'on voit les yakuzas jouer sur la plage comme des gosses, deux de leurs collègues ayant été « transformés » en sumotoris mécaniques ! Le plan, tout d'abord fixe et très frontal, s'élève en un lent travelling vertical au moment où les sumotoris, justement, se mettent à se déplacer frénétiquement[1]. Le spectateur devient alors observateur de la scène en plongée, un peu comme dans une arène ou comme un enfant observant ses jouets.

Travelling avant

On parle d'un travelling avant lorsque la caméra avance.

Le travelling avant permet de se focaliser sur un détail de la scène et de venir l'analyser. Il peut également servir à accompagner un personnage (ou un véhicule) qui se déplace en le suivant.

Charulata

Satyajit Ray était passé maître dans l'art du mouvement de caméra. Dans la séquence d'ouverture de *Charulata* (1964), son héroïne (Madhabi Mukherjee) est continuellement filmée en travelling durant tous ses déplacements à l'intérieur de la maison. Les travellings avant la suivent la plupart du temps lorsqu'elle marche dans les couloirs, mais vont aussi parfois à sa rencontre, comme dans la bibliothèque. À ce mouvement succède à nouveau, quelques secondes plus tard, un travelling avant la suivant de dos, en gros plan, jusqu'à la fenêtre. Une manière pour le cinéaste de signifier pudiquement toute son attention à la jeune femme, à l'encontre du mari qui, lui, la délaisse.

1. À noter qu'au tournage, le technicien a dû imprimer à la grue portant la caméra un mouvement d'une lenteur extrême car ce plan, à ce moment-là, est accéléré alors que le mouvement nous semble déjà assez lent.

Bullitt

Toujours dans *Bullitt*, quand le lieutenant Frank Bullitt (Steve McQueen) poursuit les malfrats jusqu'en dehors de la ville, les plans sur sa Ford Mustang sont des travellings avant (lorsque la caméra le suit) et des travellings arrière (lorsqu'elle le précède). Travellings qui parfois commencent latéralement pour glisser, à la faveur d'un déplacement un peu plus lent du véhicule-travelling, le long de l'aile arrière de la Ford, jusqu'à obtenir un travelling avant, la suivant légèrement de trois-quarts. Montés habilement au sein de l'action, les quelques plans des conducteurs tournés de l'intérieur des véhicules permettent en second lieu de dynamiser la scène.

Fish Tank

Les travellings avant dans *Fish Tank* (2009) d'Andrea Arnold sont particulièrement nombreux et tous tournés au Steadicam, comme une très grande partie du film d'ailleurs. Mais ceux qui restent emblématiques de cette histoire sont ceux qui suivent Mia, l'adolescente rebelle (Katie Jarvis), sortant de chez elle ou y arrivant (et donc filmée de dos). Ces mouvements de caméra profitent de l'espace restreint emprunté par la jeune fille (une coursive sur la façade de l'immeuble desservant tous les appartements) et sont comme autant de traits d'union entre l'univers familial et le monde extérieur.

L'avant-dernier, beaucoup plus long que les autres, va même descendre avec elle les escaliers et l'accompagner jusqu'à l'extérieur alors qu'elle tente de rattraper Connor (Michael Fassbender), l'amant de sa mère qui s'enfuit et qui, la veille, a profité d'elle. Le trait d'union semble ainsi s'étirer, mais en vain.

Quant au cinquième travelling avant sur la coursive, il se contente de suivre Mia sur quelques mètres alors qu'elle sort téléphoner, avant de stopper net et de la laisser s'éloigner. Cette fois-ci, la jeune fille a décidé de prendre vraiment les choses en main et d'appeler Connor.

Le fait que le travelling s'arrête brutalement est évidemment l'expression d'une rupture pour le personnage, d'autant plus signifiante qu'à la fin du film, lorsque l'adolescente emprunte à nouveau cette coursive, c'est pour être filmée de face et en travelling arrière : sa décision est prise et la métamorphose est achevée, puisqu'elle quitte volontairement le nid familial.

Travelling arrière

On parle d'un travelling arrière lorsque la caméra recule (illus. **21**).

En élargissant le champ, le travelling arrière permet une vision synthétique de la scène et de ses protagonistes, à l'intérieur du décor. Le travelling arrière peut également servir à accompagner un personnage (ou un véhicule) qui se déplace, mais en le précédant.

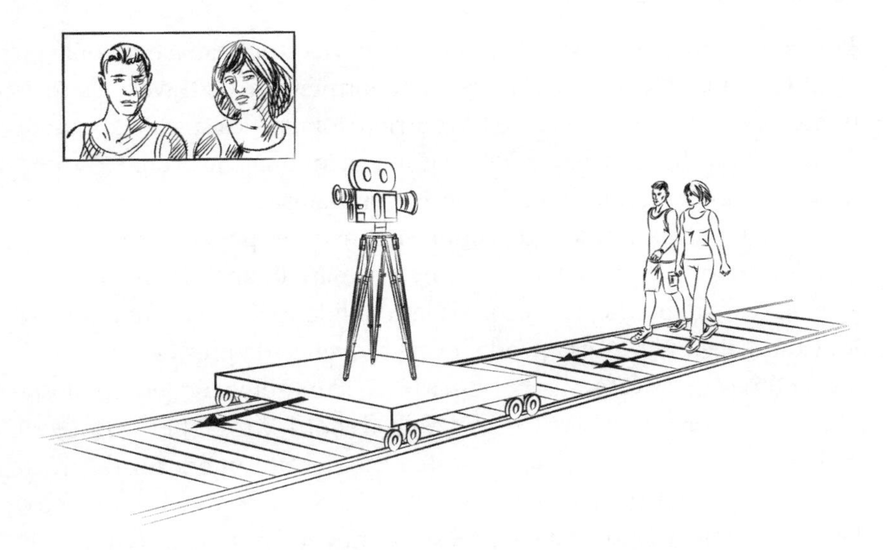

21 Travelling arrière. La caméra recule en précédant les personnages.

Charulata

Même si les travellings arrière sont plus rares dans *Charulata* que les travellings avant, deux de ces mouvements, au début de l'histoire, sont lourds de signification. Le premier, précédant l'héroïne dans son déplacement, la montre regardant avec tendresse le mouchoir qu'elle vient de broder aux initiales de son mari. Le deuxième, cette fois-ci sur son mari (Soumitra Chatterjee), le montre extrêmement concentré sur un texte qu'il est en train de lire, ne faisant même pas attention à sa femme près de laquelle il vient de passer. Le mouvement est le même, le lieu est pratiquement identique (un couloir de leur maison) mais le contenu révèle deux personnalités totalement différentes, préoccupées par des problématiques à l'opposé l'une de l'autre. Ce moment est le point de rupture du film, celui où Charulata réalise que son mari est plus intéressé par le journal qu'il vient de fonder que par elle-même.

Le Commando de la mort

Le Commando de la mort (1945) de Lewis Milestone, qui se déroule en 1943 dans une Italie en guerre, recèle énormément de travellings mais utilise essentiellement les travellings arrière lorsque les soldats discutent en marchant. Ils sont filmés de face (en plan américain, taille ou poitrine), la caméra qui les précède accroissant ainsi au maximum, auprès du spectateur, le sentiment de connivence avec les personnages.

Alors que la compagnie se remet en marche après s'être rassemblée, le réalisateur choisit d'écouter les confidences que les hommes se font mutuellement. Ainsi, pendant une séquence de près de 2 minutes, les binômes de tête se mettent à partager leurs souvenirs et à philosopher sur le sens de la vie. Ce sont tout d'abord Ward (Lloyd Bridges) et Rankin (Chris Drake) qui sont filmés en plan américain de trois-quarts face et en travelling arrière ; des plans serrés de chacun d'eux, toujours filmés en travelling arrière, viennent également rythmer le dialogue. De la même manière, le Sergent Tyne (Dana Andrews) bavardera avec Rivera (Richard Conte) jusqu'à ce que des avions ennemis attaquent. L'avantage de cette manière de filmer, c'est que le réalisateur a pu mettre en image au loin et en arrière-plan des explosions[1] utiles à la

1. Explosions qui sont censées retentir sur la plage où ils ont débarqué et qu'ils ont quittée quelques heures plus tôt.

mise en scène, mais nullement dérangeantes pour la compréhension du dialogue : l'ambiance « théâtre de guerre » est préservée tandis que les hommes se confient.

USS Alabama

Les travellings dans les coursives d'*USS Alabama* de Tony Scott sont majoritairement des travellings arrière au Steadicam, précédant l'action. La plupart du temps, le capitaine Ramsey (Gene Hackman) marchant rapidement à l'étroit entre les parois métalliques, le mouvement de travelling accentue considérablement l'impression d'urgence qui pèse sur les personnages.

Travelling latéral

On parle d'un travelling latéral lorsque la caméra se déplace à l'horizontale, perpendiculairement à son objectif (illus. **22**).

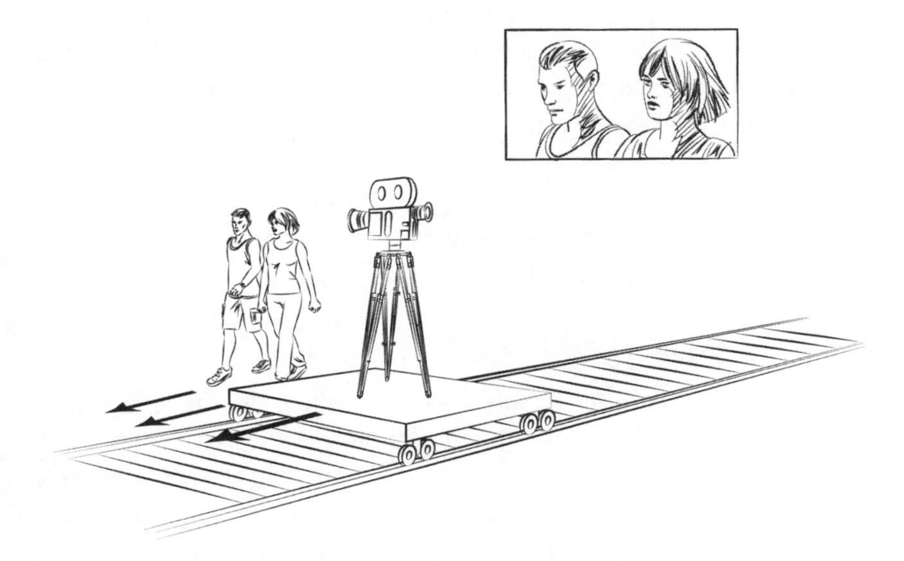

22 Travelling latéral. La caméra se déplace perpendiculairement à son objectif.

Le travelling latéral est généralement utilisé pour suivre un acteur (un véhicule, un animal...) qui se déplace, tout en le gardant « de profil ». Le travelling latéral donne l'impression d'accompagner le protagoniste au plus près, d'être avec lui.

Persona

Dans *Persona* d'Ingmar Bergman, le plan qui introduit la séquence à la mer, là où est venue se reposer l'actrice Elisabeth Vogler (Liv Ullmann) en compagnie d'Alma, son infirmière (Bibi Anderson), est un travelling latéral de 30 secondes, suivant les deux jeunes femmes qui marchent le long d'un muret de pierre, à la recherche de champignons. Ici, le long mouvement fluide sert d'une part à établir une liaison entre deux univers (l'hôpital puis le lieu de convalescence), et d'autre part à poser une voix off expliquant la situation des deux personnages à ce moment-là ainsi que les bienfaits que le lieu apportera à la malade. Un mouvement qui annonce par la même occasion une période de complicité entre les deux femmes. A contrario, dans la dernière partie du film, un nouveau travelling latéral (d'une cinquantaine de secondes celui-là, qui se finit d'ailleurs en travelling avant puis reprend après quelques plans de rupture) établit cette fois-ci, et de façon extrêmement nette, une fracture franche dans la relation complexe qui unissait les deux jeunes femmes.

Deux mouvements similaires, à plusieurs jours d'intervalle (minutes dans le film) qui fonctionneraient comme l'expression concrète des limites d'une confiance tacite.

Le Commando de la mort

Dans *Le Commando de la mort* de Lewis Milestone, outre les travellings arrière cités plus haut, on peut dénombrer plus d'une dizaine de travellings latéraux tous assez étonnants. Au début, lorsque les soldats pénètrent dans les bois, la caméra se déplace perpendiculairement à leur avancée, ceux-ci s'éloignant de dos par rapport à l'objectif. Un peu plus loin, lorsqu'ils sont attaqués par un avion allemand, la caméra accompagne leur course folle au plus près, filant à travers les arbres. Quelques minutes plus tard, alors qu'ils sont épuisés et se reposent sous les futaies, un travelling latéral observe, dans un long mouvement contemplatif, leurs réactions diverses à la suite de l'attaque meurtrière qu'ils viennent de subir.

Mais le travelling latéral le plus étonnant est certainement celui qui est en aller-retour au moment où arrive un véhicule. Tous les hommes de la compagnie, entendant le bruit du moteur, se mettent à sauter dans un fossé afin de se dissimuler. La caméra entame alors un rapide travelling de droite à gauche, parallèlement à cette tranchée, alors que tous arrivent face caméra et sautent dans le fossé. Puis, retournement de situation, alors que la caméra arrive à l'extrémité gauche, les soldats réalisent que le véhicule est une Jeep américaine, conduite donc par un des leurs. La caméra repart alors de plus belle vers la droite, filmant les soldats de dos qui, sortant de la tranchée, se mettent à courir en direction du véhicule ami.

Dans le film de Milestone, les autres travellings latéraux servent à peu près à la même chose, à savoir être dans l'action et au plus près des combattants, là où se révèlent les hommes, leurs peurs, leurs doutes, là où les vies se défont et où la mort peut être la plus présente.

Old Boy

Dans *Old Boy* (2003), Park Chan-wook utilise largement les travellings de toutes sortes, mais celui qui reste le plus célèbre est sans conteste le très long travelling latéral, de près de 3 minutes, qui a lieu dans un couloir et où Oh Dae-soo (Choi Min-sik) se bat contre une horde de mafieux coréens – une bagarre qui fait écho à une autre, un peu plus tôt dans le film, et dont la chorégraphie assez courte semble préparer la suivante, largement plus importante : filmée en deux plans, la plus courte s'achève sur une amorce de travelling latéral se finissant lui-même le long d'un mur, dans le noir.

Si l'on regarde bien le long plan séquence de la bagarre principale (en plan large), on se rend compte que le mouvement de caméra n'est pas constant et évolue en fonction de l'action qui se déroule sous nos yeux : il avance tout d'abord vers la droite lorsque Oh Dae-soo s'attaque aux premiers combattants, puis se stabilise avant de repartir vers la droite et de reculer vers la gauche à la faveur d'une poussée surhumaine de Oh Dae-soo. Il s'arrête ensuite lorsqu'un coup de couteau particulièrement violent lui est asséné par un des combattants... et repart à nouveau vers la droite alors que Oh Dae-soo se relève comme par miracle, en pleine forme, le couteau encore planté dans le dos ! Un plan qui se poursuivra ainsi pendant encore près de 2 minutes, mettant en avant l'apparente invincibilité du héros. Il en résulte une scène mythique à la chorégraphie hallucinante et aux accents âprement baroques.

Travelling vertical

On parle d'un travelling vertical lorsque la caméra monte ou descend.

Les Enfants terribles

Le dernier plan du film de Jean-Pierre Melville, *Les Enfants terribles*, est un très beau mouvement de grue ascendant, débutant au ras du sol. Alors que dans le plan précédent, on pressent qu'Elisabeth (Nicole Stéphane) va se suicider pour rejoindre son frère dans la mort, le réalisateur passe, pour ce dernier plan donc, de l'autre côté du paravent devant lequel la jeune fille se trouve. À travers les fines lattes de bois, on devine qu'Elisabeth remonte le pistolet au niveau de sa tempe puis, alors que la caméra commence à s'élever, un coup de feu retentit. Le paravent s'écroule sous le poids mort de la jeune fille tandis que la caméra, s'élevant toujours plus haut, nous donne l'illusion d'une vision divine observant ce monde tragique qui vient de s'effondrer.

Le Solitaire

Michael Mann débute *Le Solitaire* (1981), son premier film de cinéma, par un long et lent travelling descendant (accompagné d'un léger panoramique) sur l'enfilade d'une ruelle de Chicago, bordée de très hauts immeubles en brique. L'atmosphère moite et urbaine qui se dégage de ce plan, tourné de nuit et sous la pluie, signifie immédiatement au spectateur que le récit qui va suivre est un polar, en référence aux films noirs des années 1940-1950, et que pour Franck (James Caan), ex-gangster qui n'aspirait qu'à se ranger, la lente descente aux enfers va commencer.

Blueberry, l'expérience secrète

Jan Kounen, cinéaste grand amateur de plans en mouvement, utilise majoritairement pour ses tournages des grues et le Steadicam. Pour son second long métrage *Blueberry, l'expérience secrète* (2004), il réalisera une grande partie du film avec ces systèmes, ne posant véritablement sa caméra que lors de rares champs-contrechamps traditionnels.

Vers la moitié du film, alors que Wallace Blount (Michael Madsen) a mis littéralement la ville à feu et à sang, le marshal Mike Blueberry (Vincent Cassel) gravement blessé, est emmené par son ami Jimmy (Colm Meaney) pour rejoindre les Indiens dans les montagnes. La mini-séquence, d'à peine une trentaine de secondes, et de seulement cinq plans, violemment lumineuse (contrairement à ce qui précède et ce qui va suivre), débute par un travelling vertical descendant, un mouvement complexifié par un mouvement tournant de la caméra dans le sens inverse des aiguilles d'une montre et par un travelling avant. La caméra est visiblement montée sur une grue type Louma avançant sur rails. Ce plan d'ouverture de séquence, ainsi que les quatre autres qui vont suivre, n'a d'autre utilité[1] que de faire rapidement le point sur l'avancement du récit. Cinq plans, cinq informations : la plus essentielle

1. Le fait que cette séquence se déroule en pleine lumière est également d'une importance cruciale : le spectateur ne peut pas faire autrement que de faire le point, avec l'auteur, sur les enjeux qui entourent le personnage principal, à cet instant précis de l'histoire. Moment finalement assez rare chez Kounen qui aurait tendance à concentrer plutôt son art sur l'action que sur la compréhension.

de toutes est que Blueberry s'éloigne de la ville en voyageant allongé dans un chariot (travelling descendant sur le chariot) ; il est blessé (gros plan du personnage en sang) ; il va rejoindre les Indiens (gros plan d'un médaillon indien à l'effigie d'un serpent) ; il est épaulé par son ami (plan moyen de Jimmy conduisant le chariot) ; ils traversent une région désertique et aride (plan en plongée sur le paysage). On le voit, le mouvement descendant est ici particulièrement didactique et n'a d'autre fonction que d'accompagner le récit pour aller du plus général au plus précis.

Travelling circulaire

On parle d'un travelling circulaire lorsque la caméra se déplace en arc de cercle, autour du sujet filmé.

Un homme et une femme

Dans de nombreux films de Claude Lelouch, la caméra (à l'épaule le plus souvent) tourne autour des protagonistes, le travelling circulaire le plus célèbre[1] étant celui sur la plage de Deauville autour de Jean-Louis Trintignant et Anouk Aimée, dans *Un homme et une femme* (1966 – illus. **23**). Il s'agit en fait de deux plans poitrine montés à la suite, un premier très court tournant dans le sens inverse au couple (et servant visiblement à raccorder avec le plan large qui précède), le deuxième, un peu plus long, tournant dans le même sens que les comédiens. Un mouvement tourbillonnant conçu comme une allégorie de la vie amoureuse.

1. Étonnant d'ailleurs qu'il soit à ce point connu car il est assez court (moins de 10 secondes pour être exact !) et alors même que Lelouch a refait exactement le même plan (sur 15 secondes) à la fin du film sur le quai de la gare. La musique de Francis Lai et son fameux « Chabadabada » y sont certainement pour quelque chose. Sans parler de la Palme d'or au Festival de Cannes en 1966 ainsi que les deux Oscars...

23 Travelling circulaire : *Un homme et une femme* (Claude Lelouch, 1966).

Lucky Luciano

Lors de la conférence de presse donnée par Lucky Luciano (Gian Maria Volontè) dans le film éponyme de Francesco Rosi, le réalisateur a choisi de tourner autour de la table où se trouvent tous les protagonistes dans un long et relativement lent travelling circulaire. On découvre ainsi une sorte de grappe informe de journalistes agglutinés autour de la table, tout en étant focalisé sur le chef de la mafia qui, lui, reste seul et unique. Cette figure du chef tout-puissant est d'ailleurs accentuée à la toute fin du travelling par un zoom avant sur Lucky Luciano, alors que le mouvement circulaire de la caméra vient de s'arrêter face à lui. La séquence se terminant ainsi, et sans coupe, par un plan poitrine du criminel annonçant que, quoi qu'il arrive, il retournera aux États-Unis puisqu'il s'est fait construire un caveau de famille à Brooklyn.

Blueberry, l'expérience secrète

Le saloon, lieu où se retrouve une faune interlope représentative de l'idée que l'on se fait de l'Ouest américain, est l'écrin idéal pour les mouvements de caméra. Jan Kounen l'a bien compris et, de ce fait, en profite au maximum dans *Blueberry* en tournant autour de ses personnages avec maestria. Après avoir présenté tous les protagonistes et posé tous les enjeux de l'histoire (y compris ceux, spirituels, qui relient Mike Blueberry aux Indiens), le réalisateur entre dans le vif du sujet avec une séquence qui se déroule justement au cœur du saloon. L'entrée dans les lieux se fait par un long plan séquence au Steadicam, de près d'une minute. Le mouvement, fluide, intègre un grand arc de cercle au moment précis où le marshal s'apprête à franchir le rideau qui le sépare d'un monde plus léger, celui des jeux, de la musique et de l'amour (personnifié par Juliette Lewis dans le rôle de Maria). Le travelling circulaire qui enveloppe Blueberry à ce moment-là colle parfaitement à l'état d'esprit du personnage, passablement éméché.

On retrouve d'autres travellings circulaires dans le film, dont celui, très lelouchien, qui tourne autour de Madeleine (Vahina Giocante) et du jeune Blueberry (Hugh O'Conor) lorsqu'ils se découvrent dans une chambre au-dessus du saloon. Il s'agit en fait de deux portions d'arc de cercle et d'un 360° complet montés à la suite. Il est fort à parier que le plan a été tourné plusieurs fois et que la monteuse a vraisemblablement pioché dans trois prises, afin de raccorder correctement dans le dialogue et dans l'espace.

4.4 Travelling subjectif

Pour ce genre de travelling, la caméra dite « subjective » est portée à la main (tressautements), sur un système hydraulique (mouvement fluide), fixée à l'opérateur (Steadicam) ou même sur un système mécanique traditionnel (chariot, voiture travelling, grue...), et prend la place d'un des protagonistes. Le travelling subjectif est donc censé imiter les mouvements de déplacement d'un personnage, d'un animal[1] ou même d'une chose. Et peut donc évoluer dans n'importe quelle direction (en avant, en arrière, verticalement, latéralement...).

Rebecca

La séquence d'ouverture de *Rebecca* (1940) d'Alfred Hitchcock est, pour l'essentiel, un travelling subjectif[2]. Un subjectif un peu particulier avec cette voix off féminine (Joan Fontaine dans le rôle de la nouvelle Mme de Winter) qui raconte, parallèlement aux images, le rêve qu'elle a fait.

À la suite d'un plan de ciel nuageux où perce la pleine lune, est enchaîné en fondu un plan serré sur la grille de Manderley, la propriété où va se jouer la plus grande partie du film. Puis, la caméra se mettant en mouvement, nous avançons avec elle en direction de la grille jusqu'à passer au travers. Découvrant une allée dans laquelle la nature a partiellement repris ses droits, nous arrivons finalement face à la demeure. La caméra s'arrête une quinzaine de secondes et grâce à un subtil jeu de lumières et d'ombres mouvantes, intimement lié au récit, nous commençons à comprendre qu'une histoire dramatique s'est déroulée ici. Puis la caméra repart, nous montrant au passage un Manderley en ruine, pour finir sur une fenêtre sombre. En fin de mouvement, une fermeture au noir à peine terminée s'enchaîne immédiatement en fondu sur un plan de vagues battant le pied d'une falaise. Le récit peut commencer, comme vient de nous le faire comprendre la voix off : « *But sometimes in my dreams I do go back to the strange days of my life which began for me in the south of France.* »[3]

Dès le début, Hitchcock sait instiller une ambiance quelque peu étrange. Les images que l'on sait être un rêve y sont évidemment pour quelque chose mais c'est certainement la façon de filmer qui nous permet d'entrer sans conditions dans cette histoire hors du commun. Tous les

---

1. Une caméra montée sur un drone peut donner la vision subjective d'un oiseau, par exemple.
2. Un travelling subjectif aux allures de plan séquence, réalisé en fait en trois parties assemblées en fondu enchaîné.
3. « *Parfois dans mes rêves, j'y retourne et je revois ces jours étranges qui commencèrent dans le sud de la France.* »

ingrédients sont présentés ici et le parti pris du travelling subjectif d'une femme qui rêve va permettre toutes les fantaisies cinématographiques que le réalisateur désire : traverser une grille en fer forgé, faire apparaître un brouillard impromptu, changer rapidement la lumière sur un bâtiment, faire évoluer les ombres comme si elles étaient maléfiques, etc.

Shining

Contrairement à ce que l'on pourrait s'imaginer longtemps après avoir vu *Shining* (1980), Stanley Kubrick n'a pas abusé des travellings subjectifs. Et même si les travellings avant ou arrière au Steadicam sont extrêmement nombreux tout au long du film, seules trois sortes de travellings subjectifs ont été réalisées. Une première fois lorsque le jeune Danny (Danny Lloyd) cherche sa mère dans un des couloirs de l'hôtel, la deuxième fois avec un plan de près d'une minute dont on comprendra ensuite qu'il s'agit de la vision de Jack Torrance (Jack Nicholson) traversant la chambre 237 et enfin, lors de la scène finale dans le labyrinthe végétal, alors que Jack est en train de poursuivre son fils avec une hache. Pour cette dernière séquence les travellings subjectifs, assez courts d'ailleurs (entre 3 et 12 secondes), sont au nombre de quatre : trois sont ceux de la vision de Jack et un seul donne la vision de l'enfant.

Ces rares travellings subjectifs ont évidemment été utilisés dans le but de faire monter à chaque fois d'un cran une peur et une angoisse déjà très présentes tout au long du film.

Black Coal

Parfois, on se rend compte après coup que le plan que l'on vient de voir n'était finalement pas le subjectif de ce que l'on croyait. Au début de *Black Coal* (2014), l'étonnant et magnifique polar du Chinois Yi'nan Diao, deux flics, Zhang (Liao Fan) et Wang (Ailei Yu), roulent de nuit : un travelling arrière précédant leur voiture les montre tout d'abord prenant un tunnel routier totalement désert. Puis, contrechamp sur ce qu'ils voient, avec un travelling avant (donc subjectif) en direction du bout du tunnel où la neige tombe abondamment. Le travelling avance relativement lentement puis, sortant du tunnel, on découvre que la masse sombre que l'on apercevait au loin est en fait un homme avachi sur le bas-côté, près de sa moto (est-il mort ? Est-il vivant ?). Le travelling subjectif le dépasse, le « regarde », continue quelques mètres puis amorce un arc de cercle pour revenir sur ses pas. Sur l'image, apparaît alors une indication temporelle : 2004[1]. Le travelling continue son chemin en direction de la moto, puis stoppe à quelques mètres de celle-ci. À ce moment précis, le travelling subjectif devient plan fixe : un homme sur une mobylette entre alors dans le champ par la droite pour aller, semble-t-il, porter secours à celui qui est allongé dans la neige. Un homme ivre dont on découvrira rapidement qu'il est en fait le flic prénommé Zhang, vu précédemment dans la voiture alors que nous étions encore en 1999.

Grâce à ce travelling subjectif, le réalisateur crée un lien immédiat entre deux époques, pourtant espacées de cinq longues années. En un seul plan séquence de 1 minute joliment cinématographique, il réussit non seulement à nous donner le ton du film qui va suivre (à la fois mystérieux et contemplatif) mais également à nous faire comprendre ce que sera le film en termes d'histoire, en focalisant ce moment précis sur le personnage fil rouge du récit : le « flic-héros » du début, maintenant suspendu de ses fonctions. Ou comment ancrer le présent par le biais d'une histoire passée.

4.5 Transtrav (ou travelling compensé ou travelling contrarié)

Également appelé « effet Vertigo » (voir l'exemple de *Sueurs froides* ci-après), le transtrav est l'utilisation simultanée d'un travelling et d'un zoom, de façon contrariée, permettant de garder le même cadrage sur le sujet principal mais en distendant l'arrière-plan.

1. Une indication temporelle en écho direct à la première indication – *1999* – apparue à l'écran au début du film : alors que le carton indique *1999* sur le plan fixe d'un objet en mouvement (le contenu de la benne d'un camion roulant), quinze minutes plus tard, le *2004*, à l'inverse, apparaît sur un plan en mouvement d'un personnage immobile.

Le travelling compensé donne une sensation étrange et bizarre, comme si le fait de distendre l'espace entourant le personnage principal agissait aussi sur le temps et la narration. Le personnage semble ainsi perdre pied.

Dans les années 1960, un Français, le chef opérateur Jean-Serge Husum, fait breveter un système semi-automatisé, qu'il nomme Trans-Trav, permettant d'asservir le zoom de la caméra au chariot du travelling.

- **Travelling avant + zoom arrière** : ce travelling compensé permet de garder la même valeur de cadrage sur le personnage tout en ayant l'impression que l'arrière-plan s'éloigne ou rapetisse. Le champ couvert devient plus large en arrière-plan (à cause du zoom arrière).
- **Travelling arrière + zoom avant** : celui-ci permet de garder la même valeur de cadrage sur le personnage tout en ayant l'impression que l'arrière-plan se rapproche ou gonfle. Le champ couvert s'amenuise en arrière-plan (à cause du zoom avant).

Sueurs froides

Ce fameux travelling compensé a donc été formalisé par Alfred Hitchcock en 1958 sur son film *Sueurs froides*[1] (*Vertigo*). Le vertige, qui immanquablement assaille Scottie (James Stewart) dès qu'il se trouve en hauteur, est exprimé dans le film lors de trois séquences. La première, au tout début, permet de poser les bases du film : John « Scottie » Ferguson manque de se tuer en glissant d'un toit alors qu'il poursuit un malfaiteur. Tétanisé par le vertige, un plan d'à peine 2 secondes nous montre sa propre vision lorsqu'il regarde la rue en contrebas de l'immeuble : un travelling arrière couplé à un zoom avant produisent un effet de distorsion sur le décor.

Cependant, la séquence la plus mémorable est, sans l'ombre d'un doute, celle où l'ex-policier tente de rattraper Madeleine (Kim Novak)

1. Le réalisateur britannique raconte à François Truffaut, lors de leurs premiers entretiens en 1962, qu'il avait voulu, quinze ans avant *Vertigo*, réaliser cet effet mais qu'il n'y était pas arrivé : « *Déjà, en tournant* Rebecca, *quand Joan Fontaine doit s'évanouir, je voulais montrer qu'elle éprouve une sensation spéciale, que tout s'éloigne d'elle avant sa chute.* » In *Hitchcock Truffaut* (Gallimard).

dans l'escalier du clocher de l'église de San Juan Bautista. À deux reprises, il se penche par-dessus la balustrade en bois et regarde en bas : les plans, très courts, nous montrent une cage d'escalier se déformant comme si elle s'éloignait rapidement.

Hitchcock réutilisera le même effet à la fin du film, exactement au même endroit, mais cette fois-ci avec Judy dont on a découvert le secret.

Les Duellistes

Ridley Scott, dans l'avant-dernier plan des *Duellistes* (1977 – illus. **24**) qui est un long et lent travelling avant, puis arrière, sur Gabriel Féraud (Harvey Keitel), a intégré, à l'intérieur du premier mouvement (vers l'avant donc) un léger transtrav donnant l'impression que le paysage grandiose qu'il contemple s'élargit. Le réalisateur souligne ainsi la condition de simple être humain du Maréchal Féraud, petit face à l'immensité du monde, et son retour éventuel à une certaine sérénité (par opposition au début du film où on le voit, au milieu d'une nature façonnée par l'homme [un champ], combattant dans un duel sans merci et filmé caméra à l'épaule et sous divers plans et points de vue).

24 Transtrav : *Les Duellistes* (Ridley Scott, 1977).

Steven Spielberg

Steven Spielberg est très friand de ce genre d'effet. L'un de ses plus célèbres est sans doute celui, très court (à peine 3 secondes), que l'on voit au début des *Dents de la mer* (1975). Cela fait plus de trois longues minutes qu'en compagnie du chef de la police Martin Brody (Roy Scheider) nous regardons presque tranquillement les estivants profiter des joies de l'île d'Amity, les enfants se baigner, les vieux faire la planche et les chiens frétiller dans l'eau, quand soudain un requin attaque. Après deux plans sanglants, dont un sous-marin, nous basculons sur Brody assis dans son pliant, subjugué par la violence de l'attaque, filmé dans un transtrav avec travelling avant et zoom arrière. Et l'effet est saisissant, à tous points de vue. Le monde autour de lui donne l'impression de se dérober, le spectateur, comme Brody, n'en revient pas : le requin a bien attaqué un enfant. À partir de ce moment précis, Spielberg ne nous laisse plus le choix : nous serons aux côtés du policier aussi longtemps qu'il le faudra, pour capturer le requin et l'anéantir.

Mais le plus brillant techniquement est certainement celui que l'on voit dans *E.T., l'extraterrestre* (1982) lorsque les hommes du gouvernement ratissent la colline surplombant la ville où se cache l'extraterrestre. Car ici, l'effet est double et inversé ! Tout d'abord, le plan (d'à peine une trentaine de secondes) ouvre par un premier transtrav avec travelling avant et zoom arrière sur la ville en contrebas. Seule une amorce du bord de la colline en bas du cadre permet d'avoir un repère (aucun personnage n'est dans le champ, même si l'on sent une vague présence sonore et un échange verbal). Puis le mouvement se fige lorsque entre par la gauche du cadre le téléobjectif d'un appareil photo. La caméra a juste le temps de panoter vers la droite pour faire entrer les jambes d'un homme avec un trousseau de clés et un casque accrochés à sa ceinture, que le transtrav repart dans le sens inverse avec travelling arrière et zoom avant – faisant passer par la même occasion dans le cadre pas moins de cinq hommes avec du matériel de détection ! Ce plan n'a l'air de rien lorsqu'on le voit dans la continuité du film, mais ce sont vraisemblablement quelques secondes qui, à elles seules, ont dû demander pas loin d'une journée de travail. Un plan compliqué à mettre en place et à réaliser, pour faire basculer le film dans une nouvelle dimension et relancer les enjeux.

4.6 Zoom (travelling optique)

Le zoom n'est pas à proprement parler un mouvement de caméra (ce n'est pas la caméra mais les lentilles de l'objectif qui se déplacent), mais il peut être assimilé au travelling. Il permet de changer la valeur de ce que l'on filme tout en restant au même endroit (du gros plan au plan large, par exemple).

Combiné à un panoramique, il peut permettre de suivre un véhicule qui s'éloigne tout en gardant la même valeur sur celui-ci (c'est la valeur du décor alentour qui change).

Bien utilisé, le zoom peut prendre de nombreuses formes créatives mais il est à utiliser avec circonspection.

Le zoom a été énormément exploité dans le cinéma populaire dès les années 1960. Tout d'abord pour des raisons économiques, en remplacement du travelling, mais aussi par certains réalisateurs comme effet de style permettant d'accentuer une dramaturgie du regard ou bien la tension psychologique violente d'une scène ou d'un personnage. Dans ce dernier cas, il devient ultrarapide, brutal, presque agressif et est souvent signe d'une violence graphique affirmée. Dans cette perspective, on le retrouve également comme la marque typique du cinéma de genre des années 1960 à 1980 dans la plupart des cinématographies mondiales d'un bout à l'autre de la planète, de la *blaxploitation* américaine aux films de fantômes chinois...

Mais si en Italie, certains, comme Mario Bava, ont fait du zoom une de leurs marques de fabrique et ont tenté de l'utiliser de manière originale, d'autres, a contrario, l'ont utilisé par paresse ou/et par manque de moyens. Un exemple parmi des dizaines, les nombreux zooms que l'on peut voir dans le polar de Sergio Martino *Rue de la violence* sont majoritairement des zooms assez mous, utilisés à cause d'un manque évident de moyens et sans grande conviction. Chose assez étonnante d'ailleurs lorsqu'on voit le reste de la mise en scène et surtout le montage, particulièrement violent et musclé.

Un peu partout en Europe fleurissent donc des films de genre gorgés de zooms où l'on trouve de tout, du pire au meilleur, des Dracula de la Hammer Films aux vampires français de Jean Rollin et jusqu'en Espagne avec les templiers morts-vivants d'Amando de Ossorio.

Mais les autres continents ne sont pas en reste, et c'est certainement en Asie[1] qu'on trouvera dans ces années-là le plus grand nombre de films utilisant le zoom sous toutes ses formes et de manière créative.

La Planète des vampires

Un des plus grands adeptes du zoom sous toutes ses formes[2] est sans aucun doute l'Italien Mario Bava, ancien chef opérateur devenu réalisateur[3]. Par exemple, *La Planète des vampires* (1965) compte une bonne douzaine de zooms particulièrement énergiques qui accompagnent l'histoire tout au long de son évolution, comme une mise en garde permanente d'un danger imminent : zooms sur les membres de l'équipage du Galliot découverts morts devant ou à l'intérieur de leur vaisseau spatial (et accompagnés d'effets sonores), puis zooms sur les visages défigurés de Bert (Franco Andrei) et de Toby (Alberto Cevenini) devenus des sortes de zombies habités par les extraterrestres ; plusieurs zooms en aller-retour d'avant en arrière lorsqu'une des membres de l'équipage de l'Argos manque de tomber dans la lave en fusion et enfin, zoom avant puis arrière lorsqu'un homme tire et tue une des femmes de l'équipage. De purs effets cinématographiques à la limite du surréalisme !

---

1. La Shaw Brothers, société de production hongkongaise, possède dans son catalogue un nombre considérable de films d'arts martiaux bourrés de zooms.
2. Il y a en Italie toute une flopée de réalisateurs fous de zooms. Les plus célèbres, outre Bava, se nomment Sergio Sollima, Umberto Lenzi, Lucio Fulci, Ricardo Freda, Antonio Margheriti, Damiano Damiani…
3. Son talent ne s'arrête évidemment pas à l'utilisation des zooms !

La Nuit des morts-vivants

Côté américain, le cultissime *La Nuit des morts-vivants* (1968) compte très peu de zooms. George Romero a su visiblement éviter le piège et, à part quelques zooms très lents ou légers d'accompagnement de mouvement, il n'y a que deux zooms violents mais fort bien utilisés. L'un est fait sur Judy (Judith Ridley), juste avant l'attaque pour sortir de la maison, et sert à dynamiser l'action. L'autre, vers le début du film, est particulièrement brutal et dérangeant. Il est une sorte de subjectif de Barbara (Judith O'Dea) découvrant, en haut de l'escalier de la maison où elle s'est réfugiée, la tête d'un cadavre à moitié dévoré (illus. **25**). Monté en parallèle du hurlement de la jeune fille et accompagné d'un bruitage particulièrement agressif, le plan de quelques secondes a évidemment été pensé et réalisé pour terroriser le spectateur.

25 Zoom violent : *La Nuit des morts-vivants* (George A. Romero, 1968).

Elle s'appelait Scorpion

Un exemple parmi des centaines, au Japon, avec la série des Sasori et plus particulièrement *Elle s'appelait Scorpion* (1972) de Shunya Ito où une bonne quarantaine de zooms accompagnent l'histoire de différentes manières. Certains, relativement lents et classiques, permettent d'aller chercher un comédien ou un objet situé trop loin de la caméra, tandis que d'autres servent à accompagner un mouvement et à recadrer pour ne pas perdre l'action. On voit aussi des zooms rapides qui apportent une brutalité graphique à une histoire déjà passablement violente. Et puis également ces zooms étonnants, répétés cinq fois lors du face-à-face entre Sasori (Meiko Kaji) et Oba (Kayoko Shiraishi) dans la cabane, et qui semblent être dirigés à chaque fois vers le visage d'une des protagonistes mais qui, glissant légèrement sur la droite ou sur la gauche, finissent immanquablement dans le noir. Comme si les deux femmes, pourtant toutes les deux en cavale et dans la même galère, n'avaient jamais l'occasion de se comprendre...

4.7 Mouvements et raccords

Dans le chapitre 5, nous verrons les différents raccords possibles entre deux plans. Or, si réaliser un film c'est d'abord tourner des plans dans l'optique de pouvoir ensuite les enchaîner afin de donner l'illusion de la continuité, encore faut-il savoir ce qu'il est possible de faire.

Monter à la suite deux plans en mouvement est certainement ce qui demande à la fois le plus d'expérience, mais également une certaine dose d'intuition... et surtout de talent !

De nombreux réalisateurs ou réalisatrices sont des virtuoses du cinéma en mouvement et leurs films ressemblent souvent à de grandes chorégraphies filmiques. Si les Anglo-Saxons, tous dans des styles très différents, semblent être des spécialistes (Steven Spielberg, James Cameron, Martin Scorsese, Kathryn Bigelow...), les autres cinématographies ne sont pas en reste et nombre de réalisateurs à travers le monde se sont essayés à ce petit jeu.

Le cinéma populaire européen a rarement eu l'occasion de s'adonner à ces grandes chorégraphies pour une raison bien simple : les travellings ont toujours été des éléments de langage chers, parce qu'ils sont longs à installer et demandent de nombreuses répétitions. Du coup, en Europe, où les cinématographies nationales fonctionnent sur des budgets bien plus restreints qu'aux États-Unis, la tradition est plutôt à l'économie de moyens et donc de mouvements. C'est pourquoi, jusqu'à la fin des années 1980 en France, le cinéma se cantonne à un classicisme très élémentaire. Et même les poids lourds de l'époque (Gérard Oury, Claude Zidi, Claude Berri, Alain Corneau, Jacques Deray, Jean-Jacques Annaud...) semblent bien étrangers à ce cinéma en mouvement. Quelques travellings, souvent très lents, émaillent ici ou là les films de l'époque, mais sans plus. La relève (avec Luc Besson et Jean-Jacques Beineix en tête) admiratrice du Nouvel Hollywood va, elle, changer la donne et ouvrir une brèche qui nous mènera jusqu'au cinéma d'aujourd'hui.

Le Garde du corps

Akira Kurosawa, même s'il n'est pas vraiment de ceux-là, est tout de même un virtuose dans la gestion des mouvements de caméra. Pour preuve, *Le Garde du corps* réalisé en 1961[1] est l'exemple parfait de film classique dans lequel chaque mouvement (et donc chaque départ et chaque arrêt de ce mouvement) a une utilité évidente et dont la vitesse, l'ampleur et la direction ont été maintes fois étudiées et répétées avant qu'ils ne soient tournés. Le découpage technique est ici un véritable chef-d'œuvre à lui tout seul et le montage, un incroyable travail de précision où l'alternance des plans fixes et des divers mouvements (une grande majorité de panoramiques pour seulement quelques travellings) est faite avec une grande cohérence. Quand on sait qu'à l'époque le montage se faisait avec des ciseaux et du scotch, voire de la colle, on se dit que le travail du monteur (Akira Kurosawa lui-même !) a dû être d'une très

1. Dont Sergio Leone a fait le remake officieux, six ans plus tard, avec *Pour une poignée de dollars*. Kurosawa lui intenta d'ailleurs un procès pour plagiat.

grande complexité. *Le Garde du corps* est un film à voir et à revoir, télécommande en main, pour analyser chaque mouvement, chaque raccord, chaque séquence.

La Balance

Il est intéressant de revoir un film comme *La Balance*, succès du box-office en 1982 et César du meilleur film, pour certaines de ses tentatives formelles[1]. Alors qu'on aurait pu s'attendre, lors de dialogues statiques, à des champs-contrechamps banals, le réalisateur décide au contraire de filmer les acteurs avec une succession de travellings avant, arrière ou latéraux. Ainsi, dans la séquence où Nicole (Nathalie Baye) retrouve Dédé Lafont (Philippe Léotard) au bar Chez Paulette, Bob Swaim, en une dizaine de plans, dont six travellings, s'essaye à une forme de langage relativement nouvelle pour le cinéma français : l'utilisation et l'enchaînement de mouvements de caméra même quand il n'y a pas de déplacement dans l'image. Sauf que les raccords se font rarement dans ces fameux mouvements de caméra, Bob Swaim attendant presque à chaque fois que le plan se stabilise pour enchaîner le suivant. Ce qui valut à certains critiques de l'époque de comparer *La Balance* à la série télévisée *Starsky et Hutch*, alors que les envies du réalisateur semblaient plutôt prendre leurs racines dans le nouveau cinéma américain.

Les Affranchis

La filmographie de Martin Scorsese, représentant émérite du Nouvel Hollywood, doit être revue dans son ensemble afin d'apprécier justement sa très grande maîtrise des mouvements et son génie pour les agencer.

Un seul exemple avec *Les Affranchis* (1990) qui regorge de plans en mouvement, tous d'une pertinence incroyable. Combinés entre eux à

1. Le fait que le réalisateur, Bob Swaim, soit d'origine américaine (mais il a étudié le cinéma à l'école Louis-Lumière) y est sans doute pour quelque chose.

l'infini, qu'ils soient réalisés sur pied, au Steadicam, à la grue ou à l'épaule, ils servent à chaque fois avec une maestria évidente la narration et la dramaturgie. Martin Scorsese est certainement un de ces réalisateurs qui a pris le plus au pied de la lettre le principe d'Alfred Hitchcock : un plan/une idée. Deux grands artistes (mais il y en a d'autres) qui ont compris très vite que la caméra était le moyen essentiel pour créer son propre style.

Chapitre 5

Les raccords

Le raccord permet la continuité visuelle et narrative d'un plan à un autre. Lors du montage, et après avoir confectionné un bout-à-bout grossier des rushes – appelé « ours » – la monteuse (ou le monteur) doit reprendre chaque coupe effectuée entre deux plans afin d'en parfaire le raccord. Tous ces raccords, sans exception, ne pourront être bons que s'ils ont été pensés et mûrement réfléchis en amont : tout d'abord pendant la rédaction du découpage technique, puis sur le tournage. Un raccord bien conçu et parfaitement anticipé sera non seulement plus aisé à réaliser pour le monteur, mais surtout redoutablement efficace.

Henri-Georges Clouzot

Il suffit de regarder les films d'un réalisateur ultra-exigeant comme Henri-Georges Clouzot pour en être convaincu. Avec *Les Diaboliques* (1955) ou *Le Salaire de la peur*[1] (1953) par exemple, il peut être particulièrement instructif de reprendre chaque séquence et refaire le chemin à l'envers : analyser chaque raccord, chaque plan, retrouver la façon dont la scène a été tournée et déterminer à rebours ce qui a motivé tel ou tel axe, telle ou telle valeur. Car Clouzot, comme bon nombre de grands

1. Tous deux montés par Madeleine Gug.

réalisateurs, savait exactement ce qu'il voulait[1] et n'avait qu'un seul but, que tout soit au diapason de ses intentions créatives. Et le résultat est là : la grande majorité des raccords fonctionnent parfaitement, sont souvent esthétiquement impeccables voire, parfois, jouissivement cinématographiques.

5.1 Le champ-contrechamp

Le champ-contrechamp (et sa règle qui lui est propre) est LA figure emblématique du langage cinématographique. Il est la base de la narration, juste après le plan fixe.

Deux personnages se font face et ont un échange (un dialogue ou un regard, par exemple). Pour les filmer en champ-contrechamp, il convient de respecter la règle dite « des 180° » (peut-être une des plus difficiles à transgresser), les 180° faisant référence à la ligne droite qui joint les deux personnages (illus. **26**).

Plan 1 : on filme tout d'abord le personnage blanc, la femme (avec éventuellement une amorce du personnage noir). Comme ce plan est le premier, on le nomme arbitrairement « champ ».

Plan 2 : on filme ensuite le personnage noir, l'homme, (avec une amorce du personnage blanc) qu'on nommera donc « contrechamp ».

Afin de garder une cohérence visuelle à la scène, il est important de placer la caméra pour le plan 2 du même côté de la ligne des 180° (celle qui relie le personnage blanc au personnage noir) que pour le plan 1.

En effet, si on place la caméra en 3 (donc de l'autre côté de cette fameuse ligne des 180°, par rapport à la position de 1) pour filmer le personnage noir, la succession au montage des deux plans (1 et 3) donnera l'impression, non seulement que les deux personnages ont échangé leur place, mais en plus qu'ils regardent dans la même direction et donc, qu'ils ne sont pas en face l'un de l'autre.

1. Et même s'il est plus enclin à l'expérimentation, comme on peut le voir dans l'excellent documentaire de Serge Bromberg *L'Enfer d'Henri-Georges Clouzot* (2009).

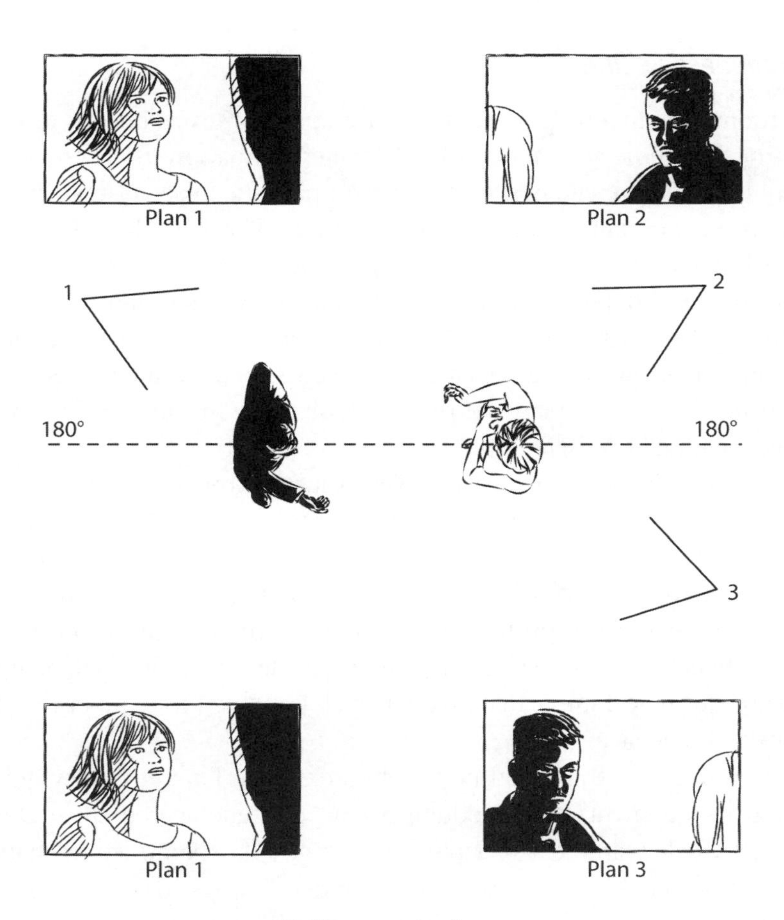

26 Champ-contrechamp.

La règle est respectée lorsque, dans le champ et dans le contrechamp, les protagonistes se font face toujours de la même manière, chacun restant du même côté du cadre. Et effectivement, on le voit sur l'illustration **26**, dans les plans 1 et 2 le personnage blanc est toujours à gauche et le personnage noir toujours à droite.

L'Homme de l'Ouest

Anthony Mann est le réalisateur classique par excellence. Lorsqu'il tourne *L'Homme de l'Ouest* en 1958, il en est déjà à son trente-troisième film[1] et le langage cinématographique n'a plus aucun secret pour lui. La discussion qui suit l'attaque du train, entre Billie Ellis (Julie London), Sam Beasley (Arthur O'Connell), assis au beau milieu des rails, et Link Jones (Gary Cooper) resté debout, est filmée en respectant à la lettre cette règle des 180°. Se déroule ainsi sous nos yeux un champ-contrechamp à trois protagonistes et quatre valeurs de plan différentes : plan poitrine de Beasley, plan poitrine de Link, plan moyen de Beasley et Billie, plan taille de Billie.

Un peu plus loin, lorsqu'ils arrivent tous les trois devant la baraque des Tobin, le dialogue entre Link et la jeune femme se fait là aussi en champ-contrechamp. Mais cette fois-ci, ce ne sont pas des plans de face (la caméra est placée derrière les personnages), mais deux plans de valeur égale et de profil, voire de trois-quarts dos, qui se succèdent alternativement lorsque chacun prend la parole. Là encore, la ligne imaginaire qui relie Link à Billie n'est jamais franchie et la caméra ne les filmera pas de face.

La séquence centrale du film (la bagarre entre Link et Coaley qui se finira tragiquement) est introduite par un dialogue acerbe entre Dock, Link et Coaley filmé dans les plus pures règles du champ-contrechamp. Ainsi, Anthony Mann a divisé la scène en deux camps : d'une part le côté qu'on peut appeler « le champ » avec Coaley, Billie et Link et d'autre part « le contrechamp » avec Dock (Lee J. Cobb) et deux autres des bandits. Le système prenant fin au moment exact où Coaley frappe Link. À ce découpage technique ultraclassique, symbolisant le feu qui couve, succède un montage beaucoup plus dynamique débouchant sur un double meurtre.

Il est important de noter qu'à chaque fois, le champ-contrechamp est précédé d'un plan large permettant au spectateur de comprendre

1. Sans compter les trois ou quatre films aux génériques desquels il n'apparaît pas, mais auxquels il participa tels *Quo Vadis*, *Spartacus* ou *L'Assassin sans visage*.

la scène en un clin d'œil, en situant exactement tous les protagonistes les uns par rapport aux autres. Ce plan large, que l'on peut éventuellement retrouver au sein du champ-contrechamp, est appelé plan master et englobe généralement la totalité de l'action et des dialogues de la scène. Il est pour le monteur non seulement un repère mais également une source (presque) inépuisable de raccords avec les plans plus serrés[1].

Aucun des champs-contrechamps tournés par Mann dans *L'Homme de l'Ouest* n'échappe à ce systématisme du plan master.

Osterman week-end

Il est intéressant de constater que même un cinéaste comme Sam Peckinpah, pourtant réputé pour son non-conformisme, utilise la règle des 180° de façon tout à fait conventionnelle. Pour preuve, dans son *Osterman week-end* (1983), tous les champs-contrechamps appliquent là aussi cette règle à la lettre. Par exemple, lorsque John Tanner (Rutger Hauer) se rend dans sa salle de billard au fond du jardin, les deux dialogues qui s'y succèdent, l'un avec Lawrence Fassett (John Hurt), l'autre avec Bernie Osterman (Craig T. Nelson), sont filmés sous trois axes principaux : un champ, un contrechamp et un plan master[2]. Pour le premier, Peckinpah a filmé chacun des personnages de façon très stricte, en plan épaules avec large amorce de l'autre. Quant à la mise en scène du deuxième, elle est tout entière au service de cette règle puisque Tanner, glissant vers le fond de la salle, vient prendre la place de Fassett (qui s'est

1. Lorsque les acteurs et actrices sont de très grands professionnels (et que le réalisateur ou la réalisatrice l'a demandé) les mouvements et les déplacements sont à ce point identiques que le travail du monteur en est grandement facilité. En revanche, si les acteurs ne savent plus trop ce qu'ils ont fait dans les plans précédents ou que le réalisateur leur demande des choses différentes à chaque plan, le monteur aura du mal à utiliser le plan master (risque de faux raccords), et son travail peut devenir rapidement un véritable cauchemar…
2. Seul, dans le deuxième dialogue, un plan de Fassett caché dans un placard vient entre-couper parfois le champ-contrechamp.

éclipsé) et Osterman, qui entre, vient prendre la place de Tanner laissée vacante. Les plans qui suivent sont également et strictement en plan épaules et sans amorce. Puis, petite fantaisie, à la faveur du déplacement d'Osterman, la confrontation entre les deux amis devenant plus intense, les plans, toujours de même valeur, intègrent cette fois-ci une amorce de l'autre.

Une histoire vraie

La très longue discussion autour du feu entre Alvin Straight (Richard Farnsworth) et la fugueuse (Anastasia Webb) dans *Une histoire vraie* (1999) de David Lynch est également un parfait champ-contrechamp de près de 10 minutes. Dans ce cas précis, seul le récit et l'échange entre les deux protagonistes sont importants ; inutile donc d'utiliser des figures de style compliquées, la simplicité académique du champ-contrechamp convient parfaitement à la scène.

Sur les 80 plans que compte la séquence[1], seuls quatre sont des plans de coupe (sur le feu, sur le tracteur). En outre, un seul est en mouvement, c'est un panoramique remontant le long des jambes de la jeune fille et destiné à ellipser le moment où celle-ci mange sa saucisse grillée (on suppose ainsi qu'il ne s'est rien dit pendant ce laps de temps précis). Et enfin, un plan large fixe sert à montrer les deux moments où la fugueuse se rapproche d'Alvin. Sinon, tous les plans respectent parfaitement la règle des 180° dans leur montage successif, en seulement deux grosseurs (plan taille et plan poitrine).

Alors que David Lynch est plutôt reconnu pour son travail notablement hors norme et bien loin des conventions cinématographiques classiques, il a su utiliser ici, avec une justesse infinie, la délicatesse tout en retenue d'un champ-contrechamp idéal. Il a su mettre de côté son imagerie habituelle et s'effacer au profit du jeu particulièrement pudique des acteurs et du propos simple véhiculé par le dialogue (sur la famille, la maternité et le devoir d'être parent).

1. Sans compter ceux du flash-back.

Déroger à la règle des 180°

Si l'on a besoin, pour des impératifs de mise en scène, de passer de l'autre côté de cette ligne, il faudra contourner le problème, en s'aidant par exemple d'un travelling amenant la caméra de la position 2 à la position 3 ou en filmant deux fois le même personnage d'un côté et de l'autre de la ligne (en 2, puis en 3) et en raccordant immédiatement ces deux plans (se référer à l'illustration **26** p. 133).

Le Mouton enragé

Michel Deville est un réalisateur qui aime expérimenter et travailler la forme. Dans son quinzième film, *Le Mouton enragé* (1974), Nicolas Mallet (Jean-Louis Trintignant) et Claude Fabre (Jean-Pierre Cassel) se retrouvent régulièrement À la Renaissance, une brasserie du 18e arrondissement de Paris, Fabre donnant à chaque fois ses instructions à son ami afin de l'aider à réussir sa vie[1]. Le problème qui se pose ici au réalisateur est alors simple : « Comment filmer une quinzaine d'entrevues à deux personnages sans lasser et sans utiliser systématiquement le classique champ-contrechamp ? » Seule solution : innover, tenter, expérimenter.

Ainsi, lors du cinquième rendez-vous entre les deux hommes, le cinéaste va se lâcher sur le champ-contrechamp[2]. En moins d'une minute, une vingtaine de gros plans vont s'enchaîner dans une succession de champs-contrechamps virtuoses. Ayant bien compris que c'était avant tout la direction de regard des comédiens qui faisait le champ-contrechamp, Michel Deville a demandé à Jean-Pierre Cassel de tourner la tête vers l'extérieur du café (justifié par le passage bruyant d'une voiture de police en off) afin de préparer ce qui allait suivre et de passer sur l'autre profil. Puis, dans la continuité et à la faveur d'un court échange de paroles, les deux comédiens sont filmés de face, permettant à la caméra

1. C'est du moins ce que l'on comprend au début du film…
2. Petit clin d'œil espiègle du cinéaste dès le début de la séquence, Deville fait dire à Trintignant : « *Si tu n'avais pas ton préjugé idiot contre le cinéma…* »

de passer définitivement de l'autre côté de la ligne des 180° – tout cela avec une fluidité et une rapidité exemplaires. Seule limite (voulue ?) ici, à cet exercice : le dialogue devient presque secondaire et l'on n'en retiendra pas grand-chose si ce n'est que la prochaine mission de Mallet est de trouver « cent briques » !

Demonlover

Dans *Demonlover* (2002), Olivier Assayas utilise un nombre incalculable de fois le champ-contrechamp. Parfois dans des séquences complexes, où les déplacements obligent à rester vigilant en permanence sur la place de la caméra et les regards des comédiens, et souvent aussi dans des scènes plus classiques où l'échange verbal prime sur le reste. Ainsi, lorsque Hervé (Charles Berling) et Diane (Connie Nielsen) dînent ensemble au restaurant japonais, le champ-contrechamp de plus de 3 minutes se divise en trois parties, chaque partie étant séparée par un changement de point de vue, justifié par le contenu de la conversation.

La première partie, qui est une sorte de règlement de compte critique entre les deux personnages, s'achève sur la phrase de Diane : « *Tu ne me connais pas.* » Ou plutôt juste après la réponse d'Hervé : « *C'est exactement ce que je te dis.* » À ce moment précis, la caméra filmant Hervé glisse de la droite vers la gauche en passant derrière la jeune femme. Alors que Diane a été le sujet principal de la conversation, cette fois ce sera Hervé, dont on découvre le deuxième profil.

Après un temps, la conversation peut reprendre sur un autre ton, celui de la séduction musclée. Et s'achèvera sur le baiser que les deux protagonistes se donnent. La caméra, face à Diane, passant de la droite vers la gauche, on revient sur son profil droit comme au début de l'échange. Sauf que maintenant tout a changé. Ou presque.

La dernière partie reste en suspens quelques secondes avant de repartir à la suite d'une césure franche (un plan très serré des mains de la serveuse s'approchant de la table avec la machine à cartes bancaires).

Il est évident qu'ici le réalisateur désirait avant tout rester focalisé sur les personnages. Afin de faire basculer les enjeux de la conversation de l'un à l'autre, il a eu l'idée de changer les axes du champ-contrechamp. Une astuce qui permet également d'imprimer à la séquence un symbolique mouvement de va-et-vient.

À noter

Même si les personnages sont côte à côte et ne se font donc pas véritablement face, une ligne droite (imaginaire) les joint quand même. Il risque donc d'être très perturbant pour le spectateur de la franchir. Si l'on extrapole, on se rend compte que cette règle du champ-contrechamp peut être appliquée dans n'importe quel cas, du moment où deux protagonistes (personnages, animaux, véhicules, objets...) doivent être filmés alternativement, qu'ils soient immobiles ou non.

5.2 Entrée et sortie de champ

Très utilisées au cinéma, les entrées et sorties de champ font intervenir, comme leur nom l'indique, une notion essentielle : celle du champ. Et donc du cadre[1].

Entrée de champ : un personnage entre dans le cadre de l'image par un de ses côtés.

Sortie de champ : le personnage sort du champ par un des côtés du cadre. Il passe donc en hors-champ.

Ces sorties et entrées de champ, lorsqu'elles se succèdent immédiatement, doivent obéir à certaines règles sous peine de perdre le spectateur ou de l'induire en erreur. Lorsque dans un premier plan, un acteur (ou une chose) traverse le cadre latéralement et en sort par un des côtés, dans le plan suivant il doit obligatoirement réapparaître du côté opposé à celui par lequel il est sorti, sinon on a l'impression qu'il revient sur ses pas (au lieu d'avancer dans le même sens).

Donc lorsqu'un personnage sort du cadre par la droite, dans le plan suivant il doit rentrer par la gauche, et inversement. De même, lorsqu'il sort par le bas du cadre, dans le plan suivant il doit rentrer par le haut, et inversement.

1. Voir dans le chapitre 3, la section 3.1 « Le cadre, le champ et le hors-champ ».

Jesse James, le brigand bien-aimé

Dans le *Jesse James* (1939) de Henry King, il y a une cascade assez incroyable lorsque Jesse James (Tyrone Power) et son frère Franck (Henry Fonda) sont poursuivis après avoir voulu attaquer la banque de Northfield. Arrivés face à un précipice, il ne leur reste plus que la solution de la dernière chance : sauter dans le vide avec leurs chevaux pour plonger dans la rivière et tenter de rejoindre l'autre rive. Dans un premier plan large, le cheval de Jesse James, monté par son cavalier blessé, s'élance et sort du champ par la gauche ; dans le plan suivant, plus serré, le cheval entre rapidement par la droite pour ressortir immédiatement par la gauche. Et enfin, dans le troisième plan, très impressionnant – un plan d'ensemble de la falaise avec, au pied, la rivière – on voit le cheval et Jesse arriver par la droite (en haut du cadre) et tomber de plusieurs dizaines de mètres dans l'eau et sans trucage.

Puis c'est au tour de Franck, avec tout d'abord le même plan serré traversé de droite à gauche par le cheval au galop, puis un plan moyen sur le haut de la falaise où l'on voit le cavalier et sa monture entrer dans le champ par la droite (et en haut du cadre), un panoramique suivant sa chute jusque dans l'eau. Dans ce cas, c'est grâce à cette règle de sortie et entrée de champ que l'on peut déterminer exactement l'emplacement de la caméra et régler parfaitement la cascade.

Un linceul n'a pas de poches

Jean-Pierre Mocky, réalisateur peu conventionnel dans le traitement de ses sujets, est finalement dans sa façon de filmer un cinéaste plutôt classique. Ainsi, dans *Un linceul n'a pas de poches* (1974 – illus. **27**), outre l'utilisation quasi systématique du sacro-saint champ-contrechamp, le réalisateur respecte à la lettre la règle des sortie/entrée de champ.

Pour preuve, la scène de bagarre entre le journaliste Michel Dolannes (Mocky lui-même) et le footballeur véreux, devant le restaurant chic. Alors que le sportif se jette sur Dolannes qui l'évite astucieusement, celui-là sort du cadre par la droite. Dans le plan suivant, on le voit entrer par la gauche en enchaînant une roulade avant de s'effondrer sur le sol.

27 Sortie de champ gauche/entrée de champ droite : *Un linceul n'a pas de poches* (Jean-Pierre Mocky, 1974).

On est ici dans une astuce habituelle de montage permettant, au moment du tournage, de découper chaque scène d'action en plusieurs sous-séquences autonomes.

On retrouve d'ailleurs plusieurs fois ce type de sortie/entrée de champ dans le film. Au début dans l'imprimerie, lorsque Mira (Myriam Mézières), s'auto-engageant comme secrétaire de Dolannes, prend congé de celui-ci. La jeune femme se lève, sort du cadre par la gauche puis dans le plan suivant, se dirigeant vers la sortie, entre tout naturellement par la droite.

Autre scène de bagarre, autre lieu. Dans un parking désert, le journaliste se fait agresser par les gros bras de Blesh. Poursuivi entre les voitures, celui-là sort d'un plan moyen par la droite puis, logiquement, entre dans le plan suivant par la gauche afin d'aller se planquer entre deux véhicules. Mais, petite entorse à la règle et contournée astucieusement par la monteuse[1] : juste avant ces deux plans, on voit Dolannes sortir d'un plan par la droite et entrer dans le suivant également par la droite. Il semble qu'au tournage, on n'ait pas fait attention à ce raccord. La monteuse a donc pris le parti de couper plus tard dans le deuxième plan, de manière à avoir le personnage déjà entré dans le champ. L'erreur est alors gommée et, dans l'action, le raccord passe parfaitement.

The Postman Blues

The Postman Blues (1997) du Japonais Hiroyuki Tanaka ne fait que très peu appel aux entrées ou sorties de champ, excepté pour une séquence à une vingtaine de minutes du début du film. Une séquence déterminante pour la suite de l'histoire et pour le personnage principal, en l'occurrence le facteur Sawaki (Shinichi Tsutsumi), qui décide de retrouver l'auteure d'une lettre qu'il a décachetée volontairement et lue. L'auteure étant en fait une femme qui, d'après ses propres mots, semble avoir été hospitalisée.

Après une nuit passablement arrosée, nous le voyons apparaître au sommet d'une rue (mais au centre de l'image) comme s'il sortait de terre. Ce sera sa première entrée de champ. Celle-ci ne passant pas par le bord du cadre mais par une autre ligne, intérieure à la narration même et définie par le sommet de la rue, comme une nouvelle entrée dans une nouvelle

1. Marie-Louise Barberot, également monteuse de deux autres films de Jean-Pierre Mocky, *L'Albatros* et *L'Ombre d'une chance*.

histoire. Puis ce seront pas moins de huit entrées de champ qui se succèderont, lors des cinq minutes suivantes. Des entrées de champ diverses : de derrière un immeuble, dans un escalier en bas de cadre, avec son reflet gauche cadre dans l'eau du port, de derrière une cloison d'hôpital à gauche, gauche cadre en roulant sur son vélo, de derrière le pilier d'un autre hôpital et venant de la droite, de derrière une haie à droite, et enfin du couloir d'un nouvel hôpital à gauche.

À chaque fois, ces entrées de champ signifient la même chose : recommencer le même processus, à savoir entrer dans un lieu et demander si la femme qu'il cherche est bien ici. Sauf en ce qui concerne le port, puisqu'il s'agit là d'un moment de réflexion, marqué d'ailleurs par une des deux seules sorties de champ de Sawaki (ici en gros plan et par la gauche). Sa deuxième sortie de champ se faisant à la fin de cette séquence, lorsque (on le comprendra plus tard) il va entrer dans le bon hôpital. Cette ultime sortie de champ du facteur closant ainsi naturellement sa quête à travers la ville.

À noter qu'après la sortie de champ sur le port qui se fait par la gauche, le réalisateur n'a pas monté immédiatement le plan suivant de son personnage entrant dans le champ. Et pour cause, celui-ci va le faire également par la gauche. Il a préféré très astucieusement insérer un plan de coupe large de l'entrée de l'hôpital où l'on voit une femme entrer dans le champ... par la droite. Hiroyuki Tanaka a ainsi respecté la règle : sortie de champ par la gauche suivie immédiatement d'une entrée de champ par la droite (et alors même qu'il ne s'agit pas du même personnage). Vu le ton du film, on peut penser ici à une facétie de la part du réalisateur. Une sorte de clin d'œil à la bienséance cinématographique !

Déroger à la règle des sortie/entrée de champ

Parfois, certains réalisateurs, y compris (surtout) les plus grands, n'ont que faire de ces règles.

Fleurs d'équinoxe

Ainsi, le maître japonais du plan fixe, Yasujiro Ozu, y va franchement dans ses *Fleurs d'équinoxe*. Lors d'une séquence en extérieur, M.

et Mme Hirayama (Shin Saburi et Kinuyo Tanaka) conversent face au lac Ashi, assis sur un banc. Soudain, celle-ci se lève et se dirige vers la rambarde qui surplombe le lac, afin de faire signe à sa fille et son gendre qui se promènent en barque. Dans le plan où la femme se lève (de trois-quarts dos), celle-ci sort du champ par la droite puis dans le plan suivant – celui où elle s'approche de la rambarde – elle entre également par la droite (et toujours de dos), au mépris de toute règle ! Ozu réitérera le même montage, mais dans le sens inverse, quelques secondes plus tard lorsqu'elle reviendra s'asseoir à côté de son mari. Dans la même scène, ce seront en tout quatre sorties/entrées de champ qui ne respecteront absolument pas la sacro-sainte règle énoncée précédemment. Sans compter que la règle du champ-contrechamp est du coup, là aussi, bien mise à mal, la caméra étant passée de l'autre côté de la ligne imaginaire des 180° reliant le banc à la rambarde (ou la femme debout au mari assis). Et pourtant, le montage passe comme une lettre à la poste et n'altère en rien la compréhension.

En revanche, on peut légitimement se demander pourquoi Ozu a procédé de cette façon. Une des réponses les plus probables me semble être d'ordre plutôt esthétique. En effet, le « décor » du plan où Mme Hirayama s'approche de la rambarde est absolument somptueux : en arrière-plan, on découvre le majestueux volcan Hacone dont les pentes verdoyantes se prolongent jusque dans les eaux du lac Ashi. Le cinéaste japonais a vraisemblablement voulu préserver ce plan au maximum et l'utiliser dans un moment symbolique, celui d'une harmonie familiale retrouvée (il est le seul plan où les parents font véritablement un pas vers les enfants).

5.3 Raccord dans le mouvement

Lors d'un raccord dans le mouvement, le cut entre les deux plans intervient, comme son nom l'indique, en plein dans le mouvement d'un comédien ou d'une comédienne. Le premier plan d'un personnage se coupe avant la fin de son mouvement et ce dernier continue dans le plan suivant, sous un autre axe.

Il donne une sensation de progression sans heurt, d'effet coulé, doux. Si le cut entre les deux plans est bien choisi et si l'axe du deuxième plan par rapport au premier est adéquat, alors la coupe ne se remarquera pas et l'effet de continuité n'en sera que meilleur. Idéalement, les deux plans qui raccordent doivent être de valeurs suffisamment différentes pour que le passage de l'un à l'autre soit harmonieux (plan américain + gros plan, plan large + plan taille, très gros plan + plan poitrine, etc.) et l'angle qui sépare les deux plans doit être au minimum de 30°. Cette règle est d'ailleurs valable pour tous les raccords sur un même personnage (en mouvement ou non) sauf dans le cas d'un raccord dans l'axe (voir section 5.4 page 151) qui lui, au contraire, nécessite un angle très inférieur.

Avec le champ-contrechamp, le raccord dans le mouvement est un des éléments essentiels du langage cinématographique.

La Rue de la honte

Les transitions entre deux lieux contigus dans *La Rue de la honte* (1956) de Kenji Mizoguchi passent tous par des raccords dans le mouvement.

Le premier, au tout début du film, est à peine visible. Yasumi (Ayako Wakao) sort d'une pièce de la maison de geishas pour rejoindre M. Shiomi (Hisao Toake) dans l'entrée. Passant derrière une cloison, on la devine ensuite lever la main afin de repousser un rideau séparant les deux lieux. Le raccord se faisant dans ce mouvement fugace, à peine perceptible, du rideau qui se soulève, il permet de relier de manière fluide deux espaces qui finalement ne font qu'un.

Un peu plus loin, ce sera le monde extérieur – symbolisé par Mickey (Machiko Kyô) – qui s'immiscera subrepticement à l'intérieur même de la maison close. La jeune femme, arrivant de la rue (plan moyen sur la porte extérieure), amorce son entrée puis est récupérée dans son mouvement par un plan serré tourné de l'intérieur. Elle marque alors un temps d'arrêt sur le pas de la porte avant d'entrer définitivement. Ici, le raccord se fait vraiment dans le mouvement de Mickey et dans une énergie de l'image, alors même que, si on y regarde de plus près, les deux plans ne sont justement pas raccord (la coupe n'a pas été faite sur le même pied et l'attitude de la jeune femme n'est guère identique).

Quelques minutes plus tard, même genre de raccord. Yumeko (Aiko Mimasu) qui est en train de racoler des clients à l'extérieur (plan large de la rue), entre subitement car elle a reconnu – on le comprendra plus tard – son fils, posté juste devant la maison close. Le raccord dans le mouvement se fait au moment précis où Yumeko franchit la porte, puis on la récupère à l'intérieur en plan américain.

Encore plus loin, nouveau symbole. Hanaé (Michiyo Kogure) ramène Yorie (Hiroko Machida) après son expérience malheureuse de mariage raté. Un plan en enfilade de la rue nous montre Yorie s'avançant, visiblement désemparée. Hanaé entre dans le champ et vient chercher la jeune femme. Puis panoramique qui les suit toutes les deux entrant dans la maison de geishas. De l'extérieur, on voit Hanaé soulever le rideau de l'entrée, puis cut, et on les récupère toutes les deux à l'intérieur (plan moyen sur la porte d'entrée). Le raccord se fait exactement sur le mouvement de la main de Hanaé amorcé dans le premier plan, en extérieur.

Dans *La Rue de la honte*, la plupart des raccords dans le mouvement sont lourds de signification. En reliant deux mondes dont on pourrait penser qu'ils sont a priori totalement opposés (l'intérieur des maisons closes et le monde extérieur), Mizoguchi nous indique au contraire que non seulement ils sont reliés intimement et en permanence l'un à l'autre, mais qu'en plus ils sont complémentaires.

Il s'agit là de l'essence même du film : la prostitution, avec la violence intrinsèque qu'elle génère, est indissociable de la société japonaise des années 1950. Le constat est amer, malgré la dureté de cette vie, les revenus générés par la prostitution semblent indispensables à la survie de bon nombre de familles.

Suspiria

Dario Argento, qui aurait plutôt tendance dans *Suspiria* (1977) à utiliser l'alternance des plans pour faire monter le suspense et l'horreur, n'a pratiquement pas utilisé le raccord dans le mouvement.

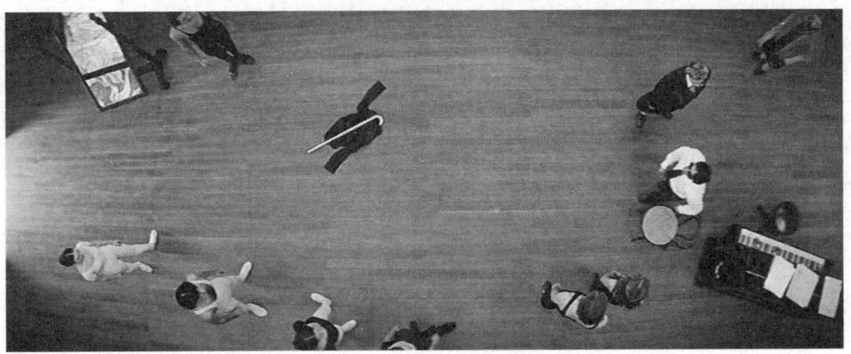

28 Raccord dans le mouvement : *Suspiria* (Dario Argento, 1977).

Deux séquences font pourtant exception à la règle. La première se situe au milieu du film (illus. **28**), juste après que le chien de Daniel, le pianiste aveugle (Flavio Bucci), a mordu Albert. Le musicien se fait du coup renvoyer de son académie de danse par une Miss Tanner (Alida Valli) hors d'elle. En quatre plans et trois raccords dans le mouvement, on accompagne Daniel dans les dernières minutes qu'il passe sur son lieu de travail :

- Raccord 1 : la coupe se situe exactement dans le mouvement qu'il effectue pour se lever de son siège.
- Raccord 2 : la coupe est effectuée au moment où, avançant sa jambe gauche, il prend appui sur le sol avec son pied droit. Il s'agit en fait ici d'un faux raccord (dans le mouvement) mais le deuxième plan étant

très large et en plongée totale, il est impossible de s'en rendre compte sauf si l'on fait un arrêt sur image[1].

- Raccord 3 : la coupe se situe exactement dans le mouvement qu'il effectue pour entrer le bras dans la manche de sa veste.

Quelques minutes plus tard, dans la continuité de cette séquence, on retrouvera le pianiste aveugle dans une taverne fribourgeoise. Et là aussi ce seront trois raccords similaires (avec les danseurs et lorsque Daniel se lève).

Quant à l'autre séquence avec des raccords dans le mouvement, il faudra attendre les deux tiers du film pour la découvrir. Il s'agit du moment où Sara (Stefania Casini), venant rendre visite à Suzy (Jessica Harper) dans sa chambre pour lui faire des révélations, se rend compte que celle-ci, visiblement droguée, n'arrive pas à se réveiller. Avec une dizaine de raccords, dont la moitié dans le mouvement (lorsque Sara relève la tête de Suzy ou la repose sur l'oreiller, lorsqu'elle montre à son amie un papier important, lorsqu'elle tourne ou relève sa tête), Dario Argento nous permet, comme dans la scène avec le pianiste aveugle, de nous sentir plus proches des personnages.

Par l'utilisation des raccords dans le mouvement, le réalisateur installe une temporalité proche de la réalité. Chacune des scènes semble être ainsi vécue dans sa continuité et chacun des personnages, qui vit ici ses derniers instants – mais on ne le saura que plus tard – nous semble plus réel, plus incarné. Du coup, le contraste avec ce qui va suivre sera d'autant plus atroce et difficile à supporter. L'empathie fonctionne au maximum et le cinéaste a gagné son pari : que le spectateur ait peur pour les personnages.

Fish Tank

Fish Tank d'Andrea Arnold est ce que l'on pourrait appeler un film vivant. Tellement vivant que chaque plan, chaque mouvement de caméra,

---

1. Dans le premier plan, le pianiste prend appui sur son pied droit alors que dans le deuxième plan c'est le pied gauche qui est posé sur le sol.

chaque raccord semble coller au plus près du parcours chaotique de Mia (Katie Jarvis), cette jeune adolescente anglaise de banlieue, un peu larguée. Majoritairement tourné au Steadicam, le film est monté dans un (presque) perpétuel mouvement mais sans jamais aucune confusion, ni agitation futile. Une séquence comme celle où Mia se fait bousculer par les trois frères gitans est montée dans le mouvement même de la scène. Ici, les plans ne sont pas forcément raccord, mais c'est le mouvement interne de chaque plan qui permet de les raccorder entre eux. La sensation ressentie est celle d'un bouillonnement continuel imbibé d'une violence sourde, toujours à la limite de l'extériorisation.

Mais le plus beau raccord dans le mouvement est certainement celui qui se situe au tout début du film après que Mia s'est embrouillée avec un groupe de filles. La coupe, permettant de lier deux travellings arrière filmant l'adolescente de face, a été effectuée au moment précis où, Mia marchant, elle pose son pied droit sur le sol. La fluidité dans le mouvement est parfaite alors que l'arrière-plan n'est absolument pas raccord (il s'agit de deux lieux différents, un parking désert et une rue bordée de maisons individuelles). Il est fort à parier qu'un spectateur lambda ne s'en rendra pas vraiment compte mais la sensation ressentie, étrange et délicieusement cinématographique, sera bien réelle.

À noter que pour ce raccord-ci l'axe du deuxième plan est légèrement décalé par rapport à l'axe du premier plan (de trois-quarts face alors que le premier est de face par rapport à Mia).

Des raccords hétérogènes

Un raccord dans le mouvement est la plupart du temps effectué sur un même personnage dans la continuité d'un geste, mais il peut l'être aussi sur deux personnages différents effectuant le même genre de mouvement – voire entre deux objets différents ayant, par exemple, la même trajectoire. Dans ce cas-là, c'est bien le mouvement qui compte et seulement le mouvement, le raccord pouvant, entre autres, servir à faire passer le spectateur d'un lieu à un autre.

M le maudit

Déjà, dans les années 1930, Fritz Lang s'était essayé à de tels raccords. Dans *M le maudit*, le long montage alterné entre les quatre membres de la pègre inquiets pour leurs affaires d'un côté, et l'importante réunion des forces de police de l'autre, utilise trois fois ce genre de raccord. Le premier, particulièrement précis et efficace, est effectué dans le mouvement de bras de Schraenker (Gustaf Gründgens), chef de la pègre, raccordant avec le même mouvement de bras effectué par le ministre (Franz Stein). Suivront deux raccords identiques mais effectués dans un mouvement contrarié : dans un premier plan, un policier s'assied tandis que dans le plan suivant, et dans l'énergie de ce mouvement, un des gangsters se lève. Évidemment, Fritz Lang n'a pas conçu ces raccords juste pour faire joli ou pour s'amuser, ils font partie intégrante d'un dispositif bien plus complet visant à associer intimement les forces du mal avec les forces du bien, la pègre avec la police. Le cinéaste allemand nous signifie ainsi que les deux groupes d'hommes, que tout pourrait pourtant séparer, sont en fait les mêmes. Le montage étant construit de manière à ce que les champs-contrechamps s'entremêlent allègrement d'un groupe à l'autre, d'un lieu à l'autre ; l'ambiance, de plus en plus enfumée des deux côtés, rajoutant à la confusion.

La Balance

Dans *La Balance*, Bob Swaim s'est amusé à faire un raccord dans le mouvement entre deux objets n'ayant a priori aucun rapport. Dans un premier plan, on voit l'inspecteur Palouzi (Richard Berry) qui, après une dure journée, repasse une de ses chemises, clope au bec. Soudain, la longue cendre tombe et disparaît par le bas du cadre. Dans le plan suivant, un glaçon, avec une trajectoire verticale similaire, tombe dans un verre en gros plan, en entrant par le haut du cadre. Puis du whisky est servi dans le verre que Palouzi porte à ses lèvres. Au-delà de l'effet de style très cinématographique, le raccord dans le mouvement (respectant à la lettre la règle de sortie/entrée de champ) lie ici deux lieux différents dont le point commun est le policier. Un raccord qui permet en quelques secondes d'appréhender les soirées passablement mornes de ce personnage célibataire. S'ensuivra d'ailleurs une séquence assez courte (en un seul plan d'une vingtaine de secondes) où on le découvre marchant sur un trottoir parisien, à la recherche d'une prostituée.

5.4 Raccord dans l'axe

Le raccord dans l'axe est une sorte de sublimation du raccord dans le mouvement : deux plans se succèdent dans deux grosseurs de plan différentes et dans l'axe (presque) exact de la caméra.

- **Raccord dans l'axe arrière** : le plan 1 est un plan serré, le plan 2 est un plan plus large.
- **Raccord dans l'axe avant** : le plan 1 est un plan large, le plan 2 est un plan plus serré.

Dans le meilleur des cas (si les axes des plans 1 et 2 sont bien choisis l'un par rapport à l'autre) le spectateur non averti ne sentira même pas le raccord. Il en retirera plutôt une sensation étrange, comme s'il s'était passé quelque chose à son insu, quelque chose qui a fait avancer la narration.

À noter

Pour éviter que l'image « ne saute au visage » du spectateur on doit, lorsqu'on avance ou recule la caméra pour réaliser le second plan, déplacer celle-ci de quelques degrés par rapport à l'axe qui se trouve à l'origine entre le personnage et la caméra. Ceci afin d'obtenir un raccord harmonieux et « invisible ».

Le véritable raccord dans l'axe, pensé comme tel et pratiquement invisible, est finalement extrêmement rare. Il est la marque des grands cinéastes formalistes.

L'Homme de l'Ouest

La scène en extérieur des « retrouvailles » entre Claude Tobin et Link Jones dans *L'Homme de l'Ouest* comprend plusieurs raccords dans l'axe.

Tout d'abord au début, lorsque Dock parle à Claude qui est en train de manger, on passe d'un plan moyen à un plan serré. Puis juste après, lorsque Dock et Claude vont à la rencontre de Link et Billie : à la suite du panoramique les accompagnant en plan large est monté un travelling avant commençant dans l'axe du panoramique et en plan taille.

Mais dans ce genre de film, rares sont les vrais raccords dans l'axe, pensés comme tels. Ils sont en effet plutôt le fruit d'un tournage classique avec plan master et plans serrés, le monteur finalisant ainsi le travail dégrossi par le réalisateur[1].

Le Kid de Cincinnati

Le Kid de Cincinnati (1965) de Norman Jewison s'ouvre sur un travelling arrière précédant Eric Stoner, dit Le Kid (Steve McQueen), filmé en plan taille et qui marche d'un pas alerte devant un mur. Après quelques secondes, nous découvrons le lieu, grâce à un raccord dans l'axe arrière (une ville de Louisiane). Ici, l'intention est simple mais efficace : désigner le personnage principal puis situer l'environnement dans lequel il évolue.

Jewison utilise de nombreuses fois le raccord dans l'axe tout au long du film, soit pour ancrer un de ses personnages dans un lieu déterminé (raccord arrière équivalent à un travelling arrière), soit pour venir mettre l'accent sur un point précis de l'action ou du décor (raccord avant équivalent à un travelling avant). Ainsi lorsque Stoner, qui erre dans la ville, finit par s'arrêter à l'entrée d'un bar de jazz, on découvre d'abord un sextet emmené par une chanteuse noire au piano puis le réalisateur passe, par un raccord dans l'axe en avant, d'un plan moyen des musiciens à un gros plan de la pianiste, mettant ainsi l'accent sur cette femme à moitié édentée mais faisant oublier un instant, par sa voix incroyable, les préoccupations du Kid.

1. Il est important de bien comprendre que tous les réalisateurs, sans exception, ont des « recettes » qui leur facilitent la vie sur un tournage. Un peu à la manière d'un artisan qui sait, grâce à son expérience, quelle est la technique qu'il doit utiliser et ce qui fonctionne ou ne fonctionne pas.

Phénomènes

Fuyant une contamination de l'air par une toxine végétale, Alma (Zooey Deschanel), Elliot (Mark Wahlberg) et la petite Jess (Ashlyn Sanchez) du *Phénomènes* (2008 – illus. **29**) de M. Night Shyamalan se retrouvent par hasard dans une maison isolée à la campagne. La propriétaire,

29 Raccord dans l'axe : *Phénomènes* (M. Night Shyamalan, 2008).

Mrs Jones (Betty Buckley), une vieille femme acariâtre les ayant autorisés à rester pour la nuit, leur explique au cours du dîner qu'elle ne veut aucune nouvelle de l'extérieur et qu'elle se fiche du monde. Puis, c'est dans un mouvement péremptoire de la vieille femme les enjoignant à aller se coucher que le réalisateur place là son tout premier raccord dans l'axe. Alors que Mrs Jones, en plan épaules, pose sèchement sa serviette de table devant elle, le raccord nous ramène, dans son brusque mouvement d'exaspération, à un plan large de la table. La singularité du raccord sur un personnage aussi atypique dans le film et la violence du geste de ce personnage sont bien les signes d'une situation qui ne peut que dégénérer. À tel point d'ailleurs qu'Alma et Elliot semblent gênés.

Quelques minutes plus tard (le lendemain matin dans le film), Mrs Jones, qui vient d'être contaminée par la toxine, tente d'entrer dans la maison qu'Elliot a barricadée. Un plan moyen de l'intérieur du salon nous montre la vieille femme à l'extérieur s'approchant d'une fenêtre, tel un zombie. Puis raccord dans l'axe en avant, et gros plan de Mrs Jones derrière la vitre qui, d'un violent coup de tête défonce le carreau. Réaction de recul de la part d'Elliott, puis retour au gros plan de Mrs Jones. Celle-ci, le visage ensanglanté, titube puis s'éloigne. Raccord dans l'axe en arrière, et plan large du salon où l'on voit, à l'extérieur, la vieille femme s'en aller.

Finalement, ce seront les trois seuls raccords dans l'axe du film. À l'évidence, M. Night Shyamalan a tenu à réserver à ce personnage un traitement très spécifique. Il faut dire que de tous les personnages, celui de Mrs Jones est le seul à être en dehors de la société et à le dire haut et fort. Ceci explique certainement cela.

5.5 Raccord plan sur plan (ou jump cut)

Avec un jump cut, deux plans d'un même personnage (ou d'un même lieu) se succèdent alors que la valeur de plan est exactement la même.

Premier cas : on laisse tourner la caméra afin d'avoir une sorte de plan séquence dans lequel on pourra choisir ce qui est intéressant.

Puis, au montage, on enlève, au milieu du plan tourné, une partie plus ou moins importante (de quelques images à plusieurs secondes, voire plusieurs minutes) et on raccorde ces deux « nouveaux » plans (celui précédant le morceau enlevé et celui suivant le morceau enlevé) comme si on montait des plans différents. Résultat : la grosseur du personnage, par exemple, ne change pas dans le cadre mais ce qui est autour de lui (le décor) change brutalement à la coupe.

Deuxième cas : on a fabriqué chaque plan, dont on sait qu'il sera monté en jump cut, de façon tout à fait intentionnelle. Ce qui est à l'intérieur de chaque plan est donc soigneusement mis en scène et agencé mais la caméra reste fixe et le cadre reste donc le même. Résultat : ce sont les objets ou les personnages à l'intérieur du cadre qui vont changer de place.

Cette dernière figure de style du jump cut est plus spécifiquement utilisée pour faire passer le temps, chaque coupe étant une mini-ellipse.

À noter

Le raccord plan sur plan est au départ une faute cinématographique qui, maintenant, est devenue un effet de style utilisé tel quel.

À bout de souffle

Ainsi dans *À bout de souffle* (1960 – illus. **30**) de Jean-Luc Godard, la scène entre Jean-Paul Belmondo et Jean Seberg dans la voiture, lorsqu'ils passent Place de la Concorde : alors que Belmondo est off, Jean Seberg, elle, est toujours cadrée de la même manière ; seul le décor change en arrière-plan, au « hasard » des coupes de montage.

Au départ, cette scène a été tournée dans la continuité d'un magasin complet. Mais elle s'est avérée être trop longue au final, et Godard fut obligé de la raccourcir en coupant à l'intérieur. Comme il n'avait pas tourné de contrechamp sur Belmondo, c'est toujours Jean Seberg qu'on a à l'image.

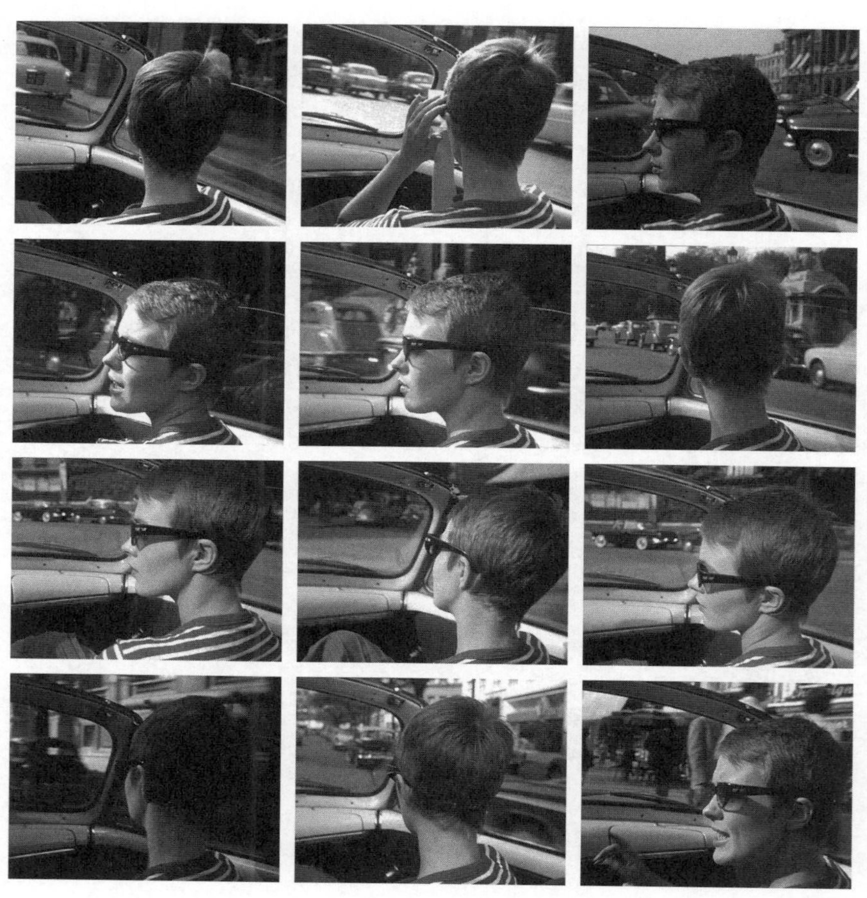

30 Jump cut : les 12 plans d'*À bout de souffle* (Jean-Luc Godard, 1960).

Le Mouton enragé

En ouverture de la fameuse scène en champ-contrechamp (voir l'exemple section 5.1 page 137) du film de Michel Deville *Le Mouton enragé*, ce sont quatre plans qui s'enchaînent en jump cut. La table du bistrot, où Nicolas Mallet et Claude Fabre se retrouvent, est filmée très serrée et en légère plongée. Le cadre ne changera pas d'un millimètre durant la succession des quatre plans, seul le contenu évoluera :

- Plan 1 : les mains de Fabre gribouillent quelque chose, elles sont à moitié cachées par un verre de lait. Face à elles, une main de Mallet posée sur la table.
- Plan 2 : idem pour les mains de Fabre et le verre de lait. La main de Mallet a fait place à un verre de bière plein.
- Plan 3 : idem pour les mains de Fabre et le verre de lait. Le verre de bière a changé de place et est à moitié vide.
- Plan 4 : idem pour les mains de Fabre et le verre de lait. Le verre de bière est vide, les mains de Mallet sont juste derrière.

Première utilité de ces plans qui se succèdent en jump cut, et alors que l'on devine les personnages plus qu'on ne les voit : faire passer le temps, celui de la consommation d'un verre de bière.

Deuxième utilité : suggérer la différence d'état d'esprit qui habite chacun des protagonistes sans les montrer vraiment. L'un (Claude Fabre) est obsessionnellement absorbé par son gribouillage et ne semble guère prêter attention à son ami. L'autre (Nicolas Mallet), patient, attend, presque absent. Ce sera ce dernier qui entamera la conversation.

À noter que les quatre plans sont exactement montés sur le tempo de la musique[1] qui les accompagne.

Casse-tête chinois

Point de vue radicalement différent avec Cédric Klapisch et son *Casse-tête chinois* (2013). Xavier (Romain Duris), qui vient de déménager à Chinatown dans un logement prêté par Ju (Sandrine Holt), se retrouve seul au milieu d'un appartement totalement vide. En six plans montés en jump cut, le réalisateur nous décrit un petit moment du quotidien qui raconte beaucoup de l'état d'esprit dans lequel se trouve le personnage à ce moment précis. Le plan est plutôt large, le champ de la caméra couvre un coin de l'appartement avec une partie du sol, un mur en assez mauvais état au fond, une fenêtre sur le mur de droite (et

1. *Introduction et Rondo capriccioso en la mineur op. 28* de Camille Saint-Saëns.

l'amorce d'une autre) et c'est tout. De la fenêtre provient le changement des lumières qui indiqueront le passage du temps. Petite chronologie des plans qui commencent en fin d'après-midi pour s'achever le lendemain matin :

- Plan 1 : Xavier pose à même le sol un grand matelas juste dans le coin, sous la fenêtre.
- Plan 2 : Xavier branche une paire de mini-enceintes sur son ordinateur portable.
- Plan 3 : assis sur le rebord du lit, Xavier boit au goulot d'une bouteille de bière.
- Plan 4 : c'est le soir, la lumière rouge des néons extérieurs[1] éclaire la chambre. Assis sur le matelas à présent recouvert d'un drap, Xavier mange des nouilles chinoises dans une lunch-box. À l'extérieur, le métro qui passe fait vibrer les fenêtres.
- Plan 5 : c'est le matin, la pièce est plongée dans une relative pénombre. Le réveil de Xavier semble difficile, il jette un œil à la fenêtre.
- Plan 6 : Xavier est assis sur son lit, à moitié réveillé dans une sorte d'attente, puis il se penche pour attraper son ordinateur.

Fin des jump cut (avec un parfait raccord dans le mouvement) : le moment qui semblait hors du temps n'a duré que quelques heures (à peine 40 secondes à l'écran).

Contrairement à l'utilisation habituelle des jump cut (passer très rapidement sur des choses banales, mais qui ont une certaine importance au sein de la narration), Cédric Klapisch nous fait ressentir en quelques plans une sorte d'ennui existentiel, de temps suspendu. Un temps qui s'étire inévitablement jusqu'au réveil. De vrais moments de vie.

Il y aura, un peu plus loin dans le film, une utilisation plus classique du jump cut, lorsque Martine (Audrey Tautou) prend le temps de lire la totalité du manuscrit de Xavier.

---

1. On a pu découvrir, un peu avant, l'environnement extérieur lorsque Xavier est venu visiter l'appartement en compagnie de Ju : des restaurants chinois à touche-touche !

Chapitre 6

Fondus, transitions visuelles, effets

Ces effets sont généralement utilisés entre deux séquences, plus rarement entre deux plans d'une même séquence[1].

Les fondus et autres transitions visuelles, typiques du langage cinématographique, servent à faire passer une idée, à « faire comprendre ». Ils permettent de relier les choses entre elles, dans le temps et/ou dans l'espace, afin que le spectateur ait une conception claire et immédiate de ce qu'a voulu dire le réalisateur. Ils évitent les questionnements inutiles et focalisent l'attention sur l'essentiel du propos.

Le Fabuleux Destin d'Amélie Poulain

Le Fabuleux Destin d'Amélie Poulain (2001) de Jean-Pierre Jeunet est un véritable catalogue des effets possibles au cinéma ! Qu'ils soient traditionnels comme les ouvertures (après la mort de la mère d'Amélie), les fondus (Nino vient de découvrir le réparateur de Photomaton), les accélérés (la jeune fille traverse Paris à la recherche de Dominique Bredoteau), les ralentis (Amélie, heureuse, est en harmonie avec elle-même), les volets (les saisons passent sur le nounours resté dehors), les

1. Ce qui est moins le cas dans les formats courts (clips, publicités, courts métrages) où ce genre d'effets peut être utilisé de manière récurrente, voire obsessionnelle.

surimpressions (le visage de l'inconnu des photomatons est reconstitué) et autres filés (Amélie voit les affiches « Où et quand ? »), ou qu'ils soient résolument modernes comme cette illustration à la lettre de l'expression « se liquéfier » quand Amélie (Audrey Tautou) voit Nino Quincampoix (Mathieu Kassovitz) quitter le café où elle travaille. Un film dont chaque effet est réalisé en parfaite cohérence avec l'histoire et dans un souci évident d'excellence graphique.

6.1 Fondu au noir (ou fermeture au noir)

Avec un fondu au noir l'image passe, petit à petit, de la normale au noir complet. La vitesse de ce trucage image dépend de la narration et de l'effet recherché par le réalisateur ou la réalisatrice.

Principalement utilisé pour faire passer le temps, il permet surtout les ellipses longues, par exemple pour passer directement du matin au soir en ellipsant les actions de la journée. Le fondu au noir permet, de ce fait, de clore nettement une séquence qui vient de se dérouler.

Le fondu au noir peut permettre également de passer d'un lieu à un autre. Dans ce cas, il peut soit être suivi immédiatement en cut d'une image normale, soit être enchaîné avec une ouverture au noir (voir section 6.2).

La Bête humaine

Dans *La Bête humaine* (1938 – illus. **31**), Jean Renoir utilise par deux fois ce procédé isolément[1] à des moments charnières de l'histoire. Le premier se situe à une vingtaine de minutes du début. Alors que Flore (Blanchette Brunoy) vient de déclarer à Jacques Lantier (Jean Gabin) qu'elle accepte d'être sa femme, celui-ci lui répond : « *Mais tu es folle voyons, ne parlons plus de ça. Faut pas m'en vouloir* [...] *Je crois que les femmes pour moi...* » Le ton qu'adopte ici Lantier, associé au fondu, laisse entendre que le destin du personnage, et donc la suite du film, sera vraisemblablement lié à une histoire de femme. Le fondu au noir sur le

1. Il l'utilise également de nombreuses autres fois mais combiné à une ouverture au noir (voir ci-après).

31 Fermeture suivie d'une ouverture au noir : *La Bête humaine* (Jean Renoir, 1938).

gros plan de Gabin (immédiatement suivi d'un plan bruyant de passage de train) a donc là une double fonction : d'une part, clore le premier acte pendant lequel on nous a présenté tous les personnages et les relations qui les unissaient ; et d'autre part, préparer la suite en permettant l'ouverture vers le corps du film et l'intrigue principale.

Trente minutes plus tard, le réalisateur utilise à nouveau le procédé, exactement pour la même raison, sauf que les rôles cette fois-ci sont inversés. Alors que Lantier vient de déclarer sa flamme à Séverine (Simone Simon), celle-ci lui répond : « *Je ne peux aimer personne* [...] *Faut pas m'en vouloir, j'ai pas toujours été très heureuse...* » Séverine reprend mot pour mot la phrase que Lantier a dite précédemment à Flore, scellant ainsi leurs destins. Et le fondu au noir, là aussi sur le gros plan de Lantier (« *C'est entendu, on est de bons camarades* »), clôt à nouveau un acte important du film et prépare également la suite en permettant une nouvelle orientation de l'histoire. Le fondu étant immédiatement suivi, comme pour le premier, d'un plan bruyant de train. Sauf que cette fois-ci, le symbole est fort, Jacques Lantier est au volant de sa machine.

Répulsion

Dans *Répulsion* (1965), Roman Polanski utilise énormément les fondus au noir (suivis le plus souvent d'une ouverture au noir) pour ellipser certains moments qu'il aurait été inutile d'intégrer à l'histoire. Il fait ainsi « passer le temps » d'une nuit, d'un après-midi, et même de plusieurs jours consécutifs, rythmant le film de respirations visuelles étroitement liées à la vie délirante et dérangée de Carole (Catherine Deneuve).

Les endroits précis où Polanski a placé ces fondus/ouvertures au noir sont d'ailleurs en étroite relation avec l'évolution de la maladie mentale de son héroïne. On en trouve ainsi précisément quatre dans le premier tiers du film (début des manifestations schizophréniques) et quatre dans le dernier tiers (juste après le premier meurtre, annonçant l'irréversibilité de la maladie), plus un exactement au milieu du récit (comme une ouverture prémonitoire de ce à quoi va servir la baignoire). Le tout premier fondu au noir a ainsi lieu dans la scène où Carole se retrouve seule dans l'appartement, sa sœur Hélène étant sortie avec son amant : le fondu au noir intervient sur une photo de famille sur laquelle on aperçoit une petite fille blonde (que l'on devine être Carole) entourée de quatre adultes. Photo que l'on retrouvera à la toute fin du film, au milieu de l'incommensurable désordre de l'appartement. Une image qui clôturera radicalement l'histoire, avec un zoom avant se terminant en très gros plan sur l'œil de la fillette. Avant de s'achever dans le fondu au noir final...

Blue Velvet

Au début de *Blue Velvet* (1986), il y a un premier fondu au noir à la fin du plan où, de jour, les policiers cherchent des indices dans le pré où a été trouvée l'oreille humaine. Ici il s'agit non seulement de créer une ellipse spatio-temporelle (on se retrouve immédiatement après dans un autre lieu – la maison de Jeffrey – et dans une autre temporalité – quelques heures plus tard, de nuit), mais également de clore de façon très claire l'exposition, la séquence qui introduit l'histoire.

Un peu plus tard dans le film, un nouveau fondu au noir intervient à la fin de la balade qu'ont faite Jeffrey Beaumont (Kyle MacLachlan) et Sandy Williams (Laura Dern), clôturant ainsi une séquence de nuit pour reprendre, après cela, sur un plan de jour. Malgré l'évidente redondance entre le fondu au noir et l'idée de la nuit qui passe[1], David Lynch n'hésite pas à l'utiliser, donnant une fois de plus l'impression qu'une histoire (dans l'histoire) se termine, mais qu'en même temps tout est lié (un cut simple aurait plutôt donné le sentiment d'une césure importante entre la nuit et le jour).

David Lynch l'utilisera deux autres fois dans le film et dans des cas similaires.

6.2 Ouverture au noir (ou fondu à l'ouverture)

Avec une ouverture au noir, l'image passe petit à petit du noir complet à la normale. Mêmes remarques que pour le fondu au noir : la vitesse dépend de la narration et de l'effet recherché par le réalisateur ou la réalisatrice.

1. Il s'agit ici véritablement d'une figure de rhétorique cinématographique. Et plutôt qu'une redondance de la nuit qui passe, il conviendrait plutôt de parler de métonymie visuelle.

L'ouverture est utilisée pour les ellipses longues. Elle marque ainsi fortement le début d'une nouvelle séquence. Si elle intervient juste après un fondu au noir (comme c'est très souvent le cas), l'ouverture au noir peut servir à accentuer encore plus l'ellipse. Le noir total entre les deux fondus peut aller de quelques images à quelques secondes, en fonction du rythme du montage et de l'importance que l'on veut donner à la césure entre les deux séquences.

L'ouverture au noir, combinée à un fondu au noir, permet donc une rupture franche (de lieu, de temps, d'action).

Il est intéressant de comparer deux films sortis à la fin des années 1930, à quelques semaines d'intervalle, quant à l'utilisation abondante des fondus au noir combinés aux ouvertures. Alors que de ce côté-ci de l'Atlantique *La Bête humaine* en compte une dizaine, *Jesse James*, quant à lui, en compte une bonne quinzaine. Ce nombre élevé de transitions au noir, d'un côté comme de l'autre, peut s'expliquer en grande partie par un héritage commun issu du muet[1]. À l'époque, ces transitions étaient systématiquement utilisées pour clore une séquence, puis pour débuter la suivante. Transitions appuyées souvent de manière redondante par des intertitres écrits sur fond noir, permettant ainsi d'indiquer au spectateur qu'on abordait un nouveau chapitre. Un peu à la manière d'un livre ou d'une pièce de théâtre[2].

Et effectivement, dans les deux films précités, ces transitions sont utilisées à chaque fois pour marquer de façon évidente la fin d'une séquence, puis le début d'une autre.

Jesse James, le brigand bien aimé

Le système est utilisé de façon très rigoureuse par Henry King dans *Jesse James* : une double transition intervient systématiquement entre chacune des séquences avec un noir complet séparant la fermeture de

1. Que ce soit Jean Renoir (en 1924 avec *La Fille de l'eau*) ou Henry King (en 1915 avec *The Nemesis*) tous deux ont débuté leur carrière au temps du muet.
2. Les fondus/ouvertures au noir du cinéma sont directement hérités du noir que l'on fait dans la salle de spectacle à la fin de chaque acte.

l'ouverture toujours de durée égale (1 seconde et demie). Le réalisateur américain dicte ainsi au spectateur, de façon presque péremptoire, la manière de lire son film.

La Bête humaine

Dans *La Bête humaine,* Jean Renoir, même s'il utilise lui aussi ces transitions de manière quasi métronomique, a réussi à assouplir le procédé en ne combinant pas systématiquement fondu avec ouverture. Tout d'abord en mettant à deux reprises des fondus au noir simples, sans ouverture (voir l'exemple section 6.1 p. 160), mais également en posant en tête d'une séquence une ouverture au noir sans même l'avoir introduite par une fermeture. La place de cette dernière au sein de l'histoire n'est évidemment pas un hasard, puisqu'elle se situe à un moment crucial du film, juste au milieu, après que Cabuche (joué par Jean Renoir lui-même) a été accusé à tort du meurtre de Grandmorin. Alors que les gendarmes emmènent en prison le faux coupable qui se débat, un noir interrompt brutalement la scène en cut. Puis c'est l'ouverture au noir sur un plan serré de Lantier (Jean Gabin) assurant qu'il ne croit absolument pas à la culpabilité de Cabuche. La fonction de cette transition, faisant basculer le film vers d'autres horizons, est ici celle d'une rupture importante dans le récit, liée principalement à la personnalité complexe de Lantier. D'autant qu'à ce moment-là, celui-ci se trouve chez les vrais coupables.

Le Dalhia noir

Dans *Le Dalhia noir* de Brian De Palma, il y a une combinaison d'un fondu et d'une ouverture au noir, avec un long noir complet de 2 secondes entre les deux, à la toute fin du combat de boxe entre Dwight « Bucky » Bleichert (Josh Hartnett) et Lee Blanchard (Aaron Eckhart) : alors que la caméra se rapproche des dents qu'a perdues Dwight, le fondu de plus d'une seconde nous indique que son histoire de boxeur est terminée. Une nouvelle histoire commence ensuite avec l'ouverture au noir sur sa bouche, dans laquelle une main pose un dentier.

6.3 Fondus de couleur

Il existe théoriquement autant de variantes de fondus et d'ouvertures que de couleurs, chaque couleur pouvant faire passer un sentiment ou faire réagir le spectateur de façon différente. Mais rares sont les réalisateurs qui ont utilisé ces possibilités.

Cris et Chuchotements

Ingmar Bergman a su aller jusqu'au bout de sa logique dans le choix des couleurs effectué sur *Cris et Chuchotements*. Outre le noir et le blanc, très présents, c'est le rouge qui domine largement le film. À tel point que le réalisateur suédois a même utilisé cette teinte pour toutes ses transitions. À neuf reprises dans l'histoire, il introduira et clôturera les souvenirs, les rêves, voire les visions fantasmées des quatre héroïnes – les trois sœurs que sont Agnès mourante (Harriet Anderson), Karin (Ingrid Thulin) et Maria (Liv Ullmann) ainsi qu'Anna la servante (Kari Sylwan) – selon un schéma sensiblement identique : sur un gros plan d'une des protagonistes, plongée dans ses pensées, s'enchaîne un fondu au rouge suivi immédiatement d'une ouverture au rouge. Les souvenirs se déroulent puis à nouveau, fondu au rouge, ouverture au rouge et retour au gros plan. Ce cadrage en amont et en aval des séquences, très rigide, renvoie au monde dans lequel évoluent les quatre femmes. Un monde de rigueur, d'intransigeance et de dureté propre à leur classe et à leur famille.

Hautement symbolique, la couleur rouge ramène immanquablement à la chair, au sang et à la violence. Violence des sentiments, violence du verbe, violence du temps qui passe, violence des rapports familiaux. Et finalement, violence de la vie.

The Thing

On peut voir deux fondus/ouvertures au blanc dans *The Thing* (1982) de John Carpenter lorsque MacReady (Kurt Russell) se rend avec deux de ses acolytes sur les lieux de la découverte du vaisseau spatial. Alors que le premier se situe entre l'atterrissage de l'hélicoptère et l'arrivée des trois hommes sur le bord de l'excavation, le deuxième s'ouvre sur un plan d'ensemble permettant de situer immédiatement la cavité parallélépipédique d'où la glace a été extraite, non loin du lieu de crash du vaisseau. Ces fondus ont ici une fonction elliptique[1] évidente permettant de raccourcir au minimum une séquence qui n'a qu'un seul but : exposer rapidement les faits afin de rajouter au mystère, relancer les enjeux et tenir les spectateurs en haleine. La couleur blanche sert ici, bien entendu, à « fondre » esthétiquement ces effets cinématographiques avec l'environnement de neige et de glace.

Tigre et Dragon

Dans *Tigre et Dragon* (2000) d'Ang Lee, lors des retrouvailles de « Nuage Noir » (Chang Chen) et de Jiao Long (Zhang Ziyi), la jeune fille se remémore sa rencontre mouvementée avec le brigand dans le désert, ainsi que leurs beaux moments passés ensemble. Afin d'introduire ce très long flash-back, un fondu au jaune pâle enchaîné par une ouverture également au jaune pâle débute la séquence. Le choix de la couleur est ici évident puisqu'il permet de passer d'un plan relativement sombre des visages des deux jeunes amants à un panoramique sur le désert particulièrement lumineux. La transition a donc ici deux fonctions : marquer le passage du temps et adoucir la liaison entre les deux entités spatio-temporelles.

6.4 Fondu enchaîné

Dans un fondu enchaîné, un plan disparaît progressivement tandis que, simultanément, un autre apparaît en dessous. Le deuxième plan finit par remplacer le premier.

1. Carpenter utilisera de nombreuses fois dans *The Thing* ces fermetures/ouvertures mais de façon traditionnelle, au noir, pour faire passer le temps entre deux séquences différentes. Ces ellipses devenant un effet de style systématique tout au long du film, on peut se demander s'il en avait conçu l'idée dès le départ ou si elles ont été imposées par un producteur soucieux de ne pas perdre ses spectateurs en chemin.

Très utilisé pour signifier le temps qui passe, le fondu enchaîné est une solution pratique mais souvent un peu paresseuse pour matérialiser une ellipse spatio-temporelle lorsque la narration ou la mise en scène n'y sont pas parvenues. Heureusement, le fondu enchaîné ne se contente pas d'être le maître du temps, il est certainement la forme de transition la plus ouverte en termes de signification.

Citizen Kane

Pour la séquence d'introduction de *Citizen Kane*, Orson Welles a enchaîné pas moins d'une douzaine de plans de façon très lente, avec des fondus d'une durée de 4 à 5 secondes chacun, voire plus. Le réalisateur nous emmène ainsi des grilles de Xanadou, la propriété de Charles Foster Kane, jusqu'à la fenêtre de sa chambre, là où celui-ci vit ses derniers instants. Les fondus enchaînés ne semblent avoir ici d'autre utilité que de faire glisser notre regard dans l'espace en adoucissant la coupe entre les plans.

Blue Velvet

Dans *Blue Velvet* (illus. **32**), David Lynch utilise le fondu enchaîné une bonne vingtaine de fois, à des fins diverses, parfois liées au souvenir. Lorsque, au restaurant, Jeffrey raconte à Sandy qu'il est allé se poster devant chez Franck Booth (Dennis Hopper) avec un appareil photo, un premier fondu intervient au début du récit, entre un plan serré de Jeffrey et Sandy et un plan de l'immeuble de Franck. Puis un nouveau fondu intervient en fin de cette première partie du récit : entre un plan de Franck, accompagné de l'homme en jaune entrant dans l'immeuble, et le plan du couple attablé. Lynch indique ainsi très clairement l'existence de deux temporalités : d'une part le présent du film avec Jeffrey et Sandy, et d'autre part le flash-back avec Franck. Une fois qu'il a bien fait comprendre cette idée (et alors même que Jeffrey reprend son récit trois autres fois), le réalisateur peut se passer de ce procédé : les choses sont maintenant claires pour le spectateur et un cut simple suffit.

32 Fondu enchaîné : *Blue Velvet* (David Lynch, 1986).

De façon très classique (et même si cela paraît un peu étrange), Lynch fait plus loin un fondu enchaîné entre un plan de Jeffrey et Sandy s'embrassant et... un plan de Jeffrey et Sandy s'embrassant. Tout cela dans la même pièce ! Il souligne ainsi la longueur du baiser et le poids de leur amour naissant, et utilisera ce système du fondu, comme ellipse spatio-temporelle, encore de nombreuses fois dans son film.

Le Dalhia noir

Dans *Le Dalhia noir*, une succession de fondus enchaînés pendant le match de boxe entre Dwight et Lee permet à Brian De Palma de faire également passer le temps. Ici, ce sont des plans des boxeurs, du public et des pancartes de tous les rounds (de 2 à 7) qui s'enchaînent sans temps mort pour nous amener à la fin du dernier round, là où tout va finalement se décider. On comprime ainsi le temps pour amener le récit à la scène cruciale.

6.5 Volets

Les volets servent à faire apparaître une image en masquant la précédente. Ils permettent le passage du temps et/ou le changement de lieu, ils s'apparentent aux fondus enchaînés.

Volet artificiel

Dans un volet artificiel, une image recouvre une autre par un mouvement de translation, d'un bord à l'autre du cadre, verticalement, horizontalement ou autre. À l'origine, le masquage vertical s'appelait « rideau ». Finalement, seul le terme de volet a été gardé pour toutes les translations, quelles qu'elles soient.

Les Enfants terribles

Dans *Les Enfants terribles*, Jean-Pierre Melville utilise une bonne douzaine de fois le système du volet artificiel (translation gauche/droite ou droite/gauche avec bord flou) pour passer d'un lieu à un autre ou d'une temporalité à une autre. Mais ce qui est plus étonnant, c'est qu'il a placé ces volets uniquement en début de film (dans la première demi-heure) et à la fin (dans la dernière demi-heure), remplaçant pour les 40 minutes centrales du film les volets artificiels par des fondus enchaînés. Il semble bien que le réalisateur ait voulu marquer de façon précise trois actes, comme au théâtre – mais avec les moyens du cinéma –, chacun étant délimité par la mort d'un personnage. À la fin du premier acte, c'est la mère de Paul et Élisabeth qui décède de façon incompréhensible, lâchant ainsi les enfants dans la nature et dans le monde réel (d'où l'utilisation dans le deuxième acte des fondus enchaînés normaux) ; alors qu'au début du troisième acte, c'est le tout nouveau mari d'Élisabeth qui se tue dans un accident de voiture, replongeant ainsi le frère et la sœur dans leur monde fabriqué[1] (retour des volets artificiels).

Mort à l'arrivée

Dans *Mort à l'arrivée* (1950), Rudolf Maté a utilisé des volets artificiels (simples, de droite à gauche) afin d'enchaîner les quatre travellings rapides suivant Frank Bigelow (Edmond O'Brien) qui, affolé, sort en

1. Celui de leur chambre « *où vivent des forces incultes que la vie expulse parce qu'elles la dérangent et détraquent ses mécanismes* » (voix off – de Jean Cocteau – à propos de la chambre des deux enfants terribles).

courant du Southern Pacific Hospital. L'utilité est ici double : montrer que sa course effrénée est relativement longue, à la fois dans l'espace et dans le temps et, également, lier de façon fluide et dans un même mouvement (les volets évoluent dans le même sens que sa course) les quatre plans de valeurs similaires. À noter qu'il réutilisera, un peu plus loin, la même astuce entre deux plans, mais de marche cette fois-ci.

Star Wars

Alors que cet effet était passablement tombé dans l'oubli, en 1977 George Lucas le réutilise une trentaine de fois tout au long de l'épisode IV de *Star Wars* (*A New Hope*), pour passer d'un lieu à un autre et sous des formes très différentes (volets simples de bas en haut, de gauche à droite ou en diagonale, volets doubles s'ouvrant au centre et même en cercle se refermant au centre[1], etc. – illus. **33**). Un effet choisi vraisemblablement pour son potentiel graphique, mais également et surtout pour sa charge nostalgique évidente.

Volet naturel

Le principe du volet naturel est le même que celui du volet artificiel mais le cache est remplacé par un élément faisant partie de la scène et traversant l'image d'un bord à l'autre.

Au montage, le raccord qui suit immédiatement ce volet se fait généralement lorsque l'écran est le plus sombre ou lorsque l'élément traversant l'image occupe tout le champ.

Répulsion

Au début de *Répulsion*, Roman Polanski utilise le volet naturel d'un camion, traversant l'écran de gauche à droite, pour révéler une fois qu'il est passé Carole attendant sur le trottoir (le cut de début se faisant dans le noir complet du flanc du camion). Plus loin dans le film, c'est un autre

1. Également appelé fermeture à l'iris.

33 Volets artificiels : *Star Wars,* ép. IV, *A New Hope* (George Lucas, 1977).

camion (mais passant cette fois-ci de droite à gauche) qui révèle la présence de la voiture où se trouvent Carole et Colin (John Fraser). Polanski a aidé l'idée de cet effet par un volet artificiel précédant le camion et allant à la même vitesse et dans la même direction que celui-ci. Aujourd'hui, on utiliserait un cache fabriqué numériquement et collant parfaitement à la forme du camion pour rendre encore plus efficace ce volet. Vers la fin du film, après que Carole a tué le gérant de son appartement, elle fait basculer le canapé (sur lequel se trouve le cadavre) sur la caméra, créant ainsi un volet naturel similaire à un fondu au noir. Le cut étant fait dans le noir complet, ce volet permet de faire un raccord invisible avec le plan suivant, qui débute au noir, contre le canapé, pour ensuite s'en éloigner en un travelling ascendant découvrant la jeune femme endormie. Dans la vie de Carole, aucune coupure n'existe, sa santé mentale est irrémédiablement la même, évoluant de plus en plus négativement au fur et à mesure que le temps passe.

Le Loup-garou de Londres

John Landis a, lui aussi, utilisé dans *Le Loup-garou de Londres* (1981 – illus. **34**) l'astuce du camion, mais cette fois-ci dans un double volet naturel, fermant puis ouvrant. David (David Naughton), alias le loup-garou, qui vient de faire un scandale à Trafalgar Square afin de se faire embarquer par la police, décide finalement de s'éloigner définitivement de sa nouvelle petite amie, Alex Price (Jenny Agutter) pour la protéger. Alors qu'il s'enfuit, celle-ci se lance à sa poursuite malgré le flot incessant de voitures et manque de se faire écraser par un bus. Un bus londonien qui forme un volet naturel masquant la jeune femme et s'enchaîne immédiatement à un plan d'une ambulance démarrant. Celle-ci révèle derrière elle le Dr Hirsch (John Woodvine) conversant dans son bureau avec la police. Ce double mouvement contrarié (le bus va vers la gauche, tandis que l'ambulance s'éloigne vers la droite) permet de lier deux scènes se déroulant à plusieurs kilomètres l'une de l'autre, mais ayant le même but : retrouver David Kessler.

34 Volet naturel droite/gauche puis gauche/droite :
Le Loup-garou de Londres (John Landis, 1981).

La Môme

Le seul volet naturel de *La Môme* (2007) d'Olivier Dahan se situe vers le début du film, après que Louis (Jean-Paul Rouvre), le père d'Édith Piaf, décide de quitter le cirque pour lequel il travaillait. Alors qu'il se met à pleuvoir, la toute jeune Édith (Pauline Burlet) s'abrite sous l'auvent d'une boutique et découvre avec ravissement la poupée japonisante qui trône dans la vitrine. Mais c'est la fin de journée et on voit, petit à petit, descendre le rideau de l'échoppe devant le visage de la fillette. Ce plan est lourd de signification. Tourné de l'intérieur de la boutique (alors que le spectateur a découvert la poupée de la même manière qu'Édith, de l'extérieur), il permet de mettre symboliquement une barrière définitive entre le passé de la fillette, son enfance, son innocence (matérialisés par la poupée) et sa vie future de chanteuse qui, elle, débutera avec son père (en arrière-plan d'Édith, on aperçoit d'ailleurs Louis qui l'appelle).

6.6 Filé (ou panoramique filé)

Le filé est un effet de flou directionnel dû à un mouvement très rapide de la caméra. Il permet d'enchaîner dans la foulée le plan suivant qui peut éventuellement, lui aussi, commencer par un filé.

Le filé peut servir à passer d'un lieu à l'autre, d'une temporalité à l'autre, mais peut aussi avoir un effet purement esthétique (effet de vitesse, par exemple).

Citizen Kane

Dans *Citizen Kane*, Orson Welles a utilisé le filé de façon assez singulière puisqu'il s'agit de la séquence très statique où l'on voit Kane converser au petit-déjeuner avec Emily, sa première femme (Ruth Warrick). Les micro-sous-séquences qui se succèdent, filmées uniquement en champ-contrechamp, représentent chacune des étapes de la carrière du magnat de la presse. Le cadrage est toujours le même (les personnages sont systématiquement filmés assis, en plan taille), seuls changent les costumes et l'accessoirisation du décor ainsi que le ton de la conversation, de plus en plus dur au fur et à mesure qu'on avance dans le temps, jusqu'au silence. Afin de lier le tout dans un flash-back cohérent, chaque micro-sous-séquence est liée à la suivante par un filé, lui-même enchaîné en fondu au dernier plan de l'une (toujours sur Kane), puis au premier plan de la suivante (toujours sur Emily).

Snake Eyes

Dans le célèbre plan d'ouverture de *Snake Eyes*, et plus spécialement pour la scène centrale de la femme en rouge, Brian De Palma utilise cet effet une bonne douzaine de fois. Effet qui va lui permettre d'ailleurs de raccorder ses prises pour donner l'illusion d'un véritable plan séquence. C'est ici une impression d'affolement, ou tout au moins d'urgence, qui domine.

Whiplash

Durant le concert ultime de *Whiplash* (2014), Damien Chazelle se met soudainement à filmer le jeune batteur, Andrew (Miles Teller) et le chef d'orchestre, Fletcher (J.K. Simmons) à une vitesse folle. Le schéma est simplissime : plan d'Andrew, filé violent vers la droite, plan de Fletcher, filé violent vers la gauche, plan d'Andrew, filé violent vers la droite, plan de Fletcher, filé violent vers la gauche... Éliminant ainsi les autres protagonistes (les autres musiciens deviennent complètement flous), le réalisateur filme la scène comme un affrontement puissant et brutal entre deux êtres – les filés lui permettant non seulement « d'effacer » les autres musiciens, mais également de renchérir sur la fureur exacerbée des deux rivaux.

Troisième partie

Du trucage aux effets

Les trucages au cinéma existent depuis l'origine du 7e art, ils en sont l'essence même. Que ce soit avec Georges Méliès il y a plus d'un siècle ou Christopher Nolan aujourd'hui, le but est identique : aider le réalisateur ou la réalisatrice à mettre en image ce qu'il a imaginé. Et si, avec l'arrivée du numérique, les outils ont radicalement changé depuis la deuxième moitié du XXe siècle, les bases du langage cinématographique, elles, sont restées les mêmes.

À la lourdeur du monde argentique a succédé la souplesse des technologies numériques. Alors qu'il y a cinquante ans une simple incrustation prenait plusieurs jours et devait être intégralement refaite en cas d'erreur, aujourd'hui on la réalise en quelques heures, avec en plus la possibilité de modifier ses réglages à l'infini pour des retouches éventuelles ou des modifications ultérieures.

Jusqu'à l'orée des années 1990 les effets spéciaux, dont la vocation de base est restée la même jusqu'à aujourd'hui – à savoir fabriquer des images composites donnant l'illusion de la réalité – devaient être travaillés à l'aveugle[1]. Après leur réalisation, que ce soit en direct sur un

1. Évidemment, les professionnels ne faisaient pas n'importe quoi. Grâce à la transmission des savoirs et leur expérience ils savaient globalement comment la pellicule pouvait réagir en fonction de tel ou tel trucage. Ils pouvaient certes anticiper le résultat grâce à leurs connaissances, mais la marge d'erreur était tout de même bien plus grande qu'aujourd'hui.

plateau ou en passant par un laboratoire de trucage, le réalisateur ou la réalisatrice et ses collaborateurs devaient attendre au moins le lendemain pour pouvoir visionner et donc vérifier la qualité du travail. Aujourd'hui tout est quasi immédiat, chaque effet visuel étant souvent rapidement vérifiable sur un écran. Sans compter que l'introduction de la prévisualisation[1] dès le début de la chaîne de fabrication a, elle aussi, considérablement fait baisser les risques d'erreur.

En pellicule argentique, la transparence, la projection frontale, le matte painting ou le travelling matte étaient l'apanage des grosses productions aux budgets colossaux. Aujourd'hui le workflow[2] cinématographique, devenu numérique, a permis de démocratiser tous les trucages qui, d'effets spéciaux, sont devenus effets visuels.

Des effets qui, au-delà de l'esthétisme, ont un rôle à jouer dans le langage véhiculé par le réalisateur et forcément amènent du sens au sein du récit.

1. Voir le glossaire en fin d'ouvrage.
2. Voir le glossaire en fin d'ouvrage.

Chapitre 7

Trucages et effets spéciaux, les origines argentiques

Dès les origines du cinéma, les créateurs voulurent donner l'illusion que les univers qu'ils avaient conçus étaient bien réels. Le décor théâtral ayant ses limites, il fallut donc trouver d'autres astuces pour intégrer dans un plan des images provenant de sources différentes (photo, maquette, peinture, plans...). Adaptés des techniques qui avaient fait leurs preuves en photographie, les trucages font très vite intervenir un système de cache/contre-cache, procédé qui part d'un principe très simple : toute partie noire d'une image correspond, sur le négatif, à une partie non impressionnée par la lumière. Cette partie restée vierge peut donc être impressionnée lors d'une deuxième exposition afin de fabriquer une image composite. C'est cette technique, adoptée par les opérateurs de cinéma dès le début du XXe siècle, qui fut sans cesse améliorée. Le matte painting, tout d'abord, permet d'intégrer de manière invisible une peinture photoréaliste à l'intérieur d'un plan. Grâce à la rotoscopie[1] et au travelling matte, on fabrique des images complexes dans lesquelles des personnages (ou des objets), filmés au préalable sur un fond uni, peuvent se mouvoir dans n'importe quel environnement. Ces techniques, très lourdes en termes de fabrication, nécessitaient du matériel de laboratoire extrêmement sophistiqué. Les tireuses optiques,

1. Voir le glossaire en fin d'ouvrage.

comme la Truca[1], permettaient un nombre important de types de trucages grâce à un système combiné de projecteurs et de prise de vues.

Avec la **transparence**, très en vogue jusque dans les années 1960, on peut réaliser en studio et pour un moindre coût des séquences en mouvement censées se passer en extérieur. Cousine de la transparence, la **projection frontale** permet, elle, l'utilisation d'écrans beaucoup plus grands et de dispositifs plus complexes. Elle a été largement utilisée par Hollywood jusqu'à l'arrivée des techniques numériques.

Chaque opérateur travaillant sur ces trucages doit garder en permanence à l'esprit un principe essentiel : il faut que l'effet soit le plus invisible possible, dans un souci de crédibilité de la scène dans laquelle il s'inscrit. Un principe qui a traversé toute l'histoire du cinéma, puisqu'il est encore valable aujourd'hui avec les technologies numériques.

Autant en emporte le vent

Bénéficiant d'avancées technologiques importantes comme l'arrivée de la couleur[2], *Autant en emporte le vent* (Victor Flemming, George Cukor et Sam Wood, 1939 – illus. **35**) est un film où le travail des effets spéciaux est particulièrement important. Toutes les techniques sont mises à l'épreuve, de la simple transparence au travelling matte, en passant par le matte painting ou l'intégration multiple d'éléments divers. Ce travail d'orfèvre, plus spécifiquement identifiable dans les plans d'ensemble où le matte painting est largement utilisé, présente quelques plans tout à fait étonnants pour l'époque.

À Tara, la propriété des parents de Scarlett (Vivien Leigh), ce sont des plans d'ensemble de la maison, des esclaves dans les champs ou de la campagne dévastée par la guerre, qui montrent à quel point le travail des artistes matte painters est considérable. Idem pour les Douze Chênes – la propriété des Wilkes où a lieu le somptueux bal – ou la maison de

1. Inventée par René Debrie en 1936.
2. Le premier film tourné en Technicolor est *Becky Sharp* de Rouben Mamoulian et Lowell Sherman en 1935.

35 Matte painting : *Autant en emporte le vent* (Victor Flemming, George Cukor et Sam Wood, 1939).

Scarlett et Rhett Butler (Clark Gable) à Atlanta où, lorsqu'on y regarde de plus près, presque tout semble avoir été recréé en peinture. Mais là où le travail est le plus saisissant, c'est lors de l'incendie d'Atlanta dont certains plans ont été fabriqués à partir de plusieurs matte painting, d'images de feu projetées par transparence, de maquettes et même de braises et de fumée rajoutés. Un travail titanesque dirigé d'une main de maître par Jack Cosgrove[1], le directeur des effets spéciaux photographiques et dont l'effet le plus impressionnant est certainement l'effondrement du grand bâtiment en flammes, réalisé avec le véritable embrasement de l'ancienne carcasse du mur d'enceinte du *King Kong*[2] de Cooper et Schoedsack – les personnages et le cheval ayant été rajoutés plus tard à l'aide d'une tireuse optique.

1. Oscar des meilleurs effets spéciaux pour le film en 1940.
2. Produit par David O. Selznick comme *Autant en emporte le vent*.

7.1 Transparence et projection frontale (ou Transflex)

Pour la transparence et la projection frontale, le principe est le même. Le trucage est réalisé en direct sur le plateau : les comédiens jouent devant un écran sur lequel est projetée une séquence qui a été filmée auparavant. La différence principale réside dans la place du projecteur par rapport à l'écran[1] : dans le cas de la transparence[2], le projecteur est situé derrière l'écran, exactement dans l'axe de la caméra. Dans le cas de la projection frontale, le projecteur est situé devant l'écran, à 90° par rapport à la caméra, l'image projetée étant renvoyée, par un système de miroir semi-transparent, dans l'axe exact de la caméra (illus. **36**).

Ces systèmes, et plus particulièrement celui de la transparence, ont été très utilisés jusqu'à l'orée des années 1970 pour filmer ces fameuses séquences où les personnages sont dans l'habitacle d'une voiture. À travers les vitres est visible le paysage qui défile[3], la projection donnant ainsi l'illusion du déplacement.

À l'époque, le principal avantage de ces deux techniques résidait dans le fait qu'elles permettaient l'intégration de personnages dans un décor complexe – avec une découverte[4] mouvante ou non – sans avoir à passer par des travaux de laboratoire avec fabrication de caches et contre-caches. Elles évitaient également un tournage lourd en extérieur, tributaire de la météo ainsi que d'un équipement imposant tel qu'une voiture travelling – l'argument économique étant ici décisif.

1. Cette place déterminant des systèmes d'éclairages très différents et particulièrement complexes en fonction de l'une ou l'autre des techniques.
2. Technique inventée à la fin des années 1920 par Ralph Hammeras.
3. Paysage qui a été filmé en amont du tournage de la transparence, la plupart du temps en fixant la caméra sur un véhicule en déplacement.
4. Voir le glossaire en fin d'ouvrage.

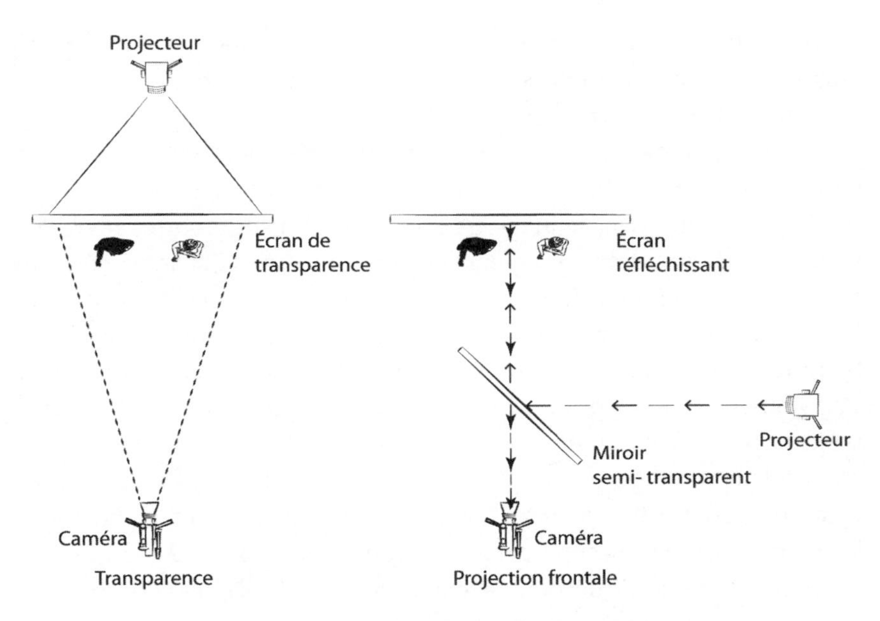

36 Transparence *vs* projection frontale.

En salle

Il est souvent difficile pour un œil non aguerri d'identifier dans un film l'une ou l'autre technique. Seule la différence de texture entre l'image projetée (souvent assez « molle » et peu contrastée) et la scène en direct peut faire soupçonner une transparence ou une projection frontale mais sans vraiment permettre une identification certaine de l'une ou de l'autre.

King Kong

Dans *King Kong* (1933), les très nombreuses transparences ont été possibles grâce aux écrans révolutionnaires développés par Sidney Saunders[1]. Plus performants que les anciens en verre sablé, ceux de

1. À l'époque, superviseur du département peinture des Studios RKO.

Saunders permettaient un rendu plus fidèle avec une gamme de gris plus étendue. L'incroyable séquence du stégosaure, qui dure plus de 2 minutes 30, en est l'exemple parfait.

Les deux premiers plans de cette séquence nous montrent les hommes de Carl Denham (Robert Armstrong) et du capitaine Englehorn (Frank Reicher) avançant dans la jungle et découvrant un stégosaure à quelques mètres devant eux. Celui-ci, sentant leur présence, se met à charger mais une grenade lancée simultanément par Denham le stoppe net dans sa course. Le stégosaure tombe, mais ne tarde pas à se relever. Ouvrant tous le feu, les hommes finissent par avoir raison de l'animal, qui s'effondre lourdement. Puis dans un dernier plan, on suit en travelling les hommes, digressant pendant près d'une minute, le long du corps du dinosaure sans vie.

Les deux premiers plans (qui sont en fait un seul et même plan entrecoupé d'un contrechamp sur les hommes) comptent trois niveaux d'image : le premier plan est occupé par les personnages ; le second plan est un mélange d'éléments de décor et de matte painting[1] de plantes et d'arbres ; et l'arrière-plan est la projection par transparence du stégosaure animé image par image. Plusieurs astuces de réalisation permettent d'augmenter le niveau de vraisemblance de la scène en créant une interaction étroite entre le tournage live (les comédiens) et la projection sur l'écran de transparence : ainsi, la synchronisation parfaite du lancer de Denham et la réaction du dinosaure ou celle du tir du fusil avec le dinosaure qui se relève brusquement ; ou encore l'avancée de la caméra dans un lent travelling accompagnant les hommes dans leur progression vers le dinosaure. Quant au dernier plan, il joue sur des astuces du même ordre puisque les hommes simulent une déambulation devant l'animal (en marchant sur un tapis roulant hors-champ) et le stégosaure a un soubresaut lorsqu'on lui tire une dernière fois dans la tête.

Le grand défi, surtout à cette époque, était de faire le plus vrai possible en essayant d'uniformiser au maximum les trois niveaux d'image par un travail colossal sur la lumière, le lien de vraisemblance étant également réalisé grâce aux astuces de mise en scène comme ce travelling

1. De Mario Larrinaga et Byron Crabbe.

avançant vers le stégosaure. Ce dernier n'a en fait aucune existence ni épaisseur réelles, puisqu'il est une simple projection en studio d'une animation en stop motion sur un écran de transparence.

2001, l'Odyssée de l'espace

La séquence d'ouverture de *2001, l'Odyssée de l'espace* (1968) avec les singes, intitulée « The Dawn of Man »[1], est composée presque exclusivement de plans larges (plus d'une cinquantaine) intégrant tous des projections frontales. L'exigence démente de Stanley Kubrick à l'époque était telle que le tournage fut celui des superlatifs : le système de projection frontale fut le plus grand jamais utilisé et, malgré le dispositif spécial de refroidissement de l'éclairage à l'arc, les lentilles optiques du projecteur se brisaient sous l'intensité de la chaleur. Pour chacun des plans on projetait sur un écran de très grandes dimensions des images réalisées précédemment en Afrique, tandis qu'au premier plan les éléments de décor recréés en studio permettaient aux comédiens de jouer costumés en singes. Ces éléments de décor, contrairement aux tournages habituels, se déplaçaient sur un système rotatif. En effet l'écran, le projecteur et la caméra 65 mm étaient tellement compliqués à bouger par rapport au décor qu'il était plus simple de déplacer le décor pour changer d'axe de prise de vues.

Là encore, le but du réalisateur était évidemment de faire vrai, mais le niveau de perfection exigé par Stanley Kubrick était tellement incroyable que tous les systèmes qui existaient précédemment étaient à perfectionner, voire à réinventer totalement pour satisfaire sa folie créatrice.

OSS 117 : Le Caire, nid d'espions

Dès le premier opus de son *OSS 117* (2006 – illus. **37**), Michel Hazanavicius a utilisé la technique de la transparence dans ce qu'elle a de plus typique, en filmant des comédiens dialoguant dans (ou sur) un véhicule en mouvement. Trois séquences sont ainsi réalisées : au

1. « L'aube de l'Humanité ».

37 Transparence : *OSS 117 : Le Caire, nid d'espions* (Michel Hazanavicius, 2006)

début, dans la décapotable de Larmina (Bérénice Bejo) avec Hubert (Jean Dujardin), lorsqu'ils traversent le désert ; dans la Mercedes de Moeller (Richard Sammel), au Caire ; et enfin de nuit, sur la moto de

Slimane (Abdallah Moundy). Si la traversée du Caire et le trajet à moto sont filmés très simplement sous un seul axe (de face), la longue conversation entre Larmina et Hubert a en revanche été tournée sous trois axes (de face et en champ-contrechamp, côté droite et côté gauche de la voiture). L'idée ici n'était évidemment pas d'obtenir un rendu réaliste – même si un soin extrême a été apporté à la lumière[1] et au traitement de l'image – mais bien plutôt de retrouver le côté factice des tournages anciens, d'une époque où la transparence était le passage obligatoire pour filmer des personnages dans un véhicule en mouvement. Il est assez drôle d'ailleurs de voir que pour la séquence avec la Mercedes, la voiture est également secouée dans tous les sens afin de rendre évidente la difficulté de sa progression sur la chaussée en mauvais état.

On regardera également avec beaucoup d'intérêt le documentaire de Jeremy Boury, *OSS 117 chronique d'un détournement*, dans lequel on découvre le procédé de la transparence utilisé pour le film.

7.2 Glass shot et matte painting

Souvent confondus et rassemblés sous le terme unique de matte painting, le glass shot[2] et le matte painting sont analogues dans leur méthode : une image peinte, occupant une partie plus ou moins grande du cadre, est positionnée entre le décor et la caméra. L'image filmée, en plan fixe, est donc une image composite (décor réel + peinture) réalisée en direct sur le plateau. La différence vient du support utilisé : une vitre dans le cas du glass shot, une plaque découpée de contreplaqué, de carton ou même d'aluminium[3] dans le cas du matte painting. Souvent, un système de **cache/contre-cache** permet de réaliser le

1. Le directeur de la photographie est Guillaume Schiffmann.
2. Technique utilisée à l'origine en photographie, puis adaptée pour le cinéma en 1905 par l'Américain Norman Dawn.
3. L'Espagnol Emilio Ruiz del Rio était le spécialiste du matte painting sur aluminium. Ses cinquante années de carrière l'ont mené du peplum italien dans les années 1950 au *Labyrinthe de Pan* de Guillermo del Toro en 2006.

trucage en deux étapes : une partie de l'image, dissimulée par un cache noir au tournage, est remplacée lors d'un second tournage en studio par une image peinte complétant le décor. Le cache noir permettant de garder une réserve non impressionnée sur la pellicule, l'image peinte, strictement identique dans sa forme et ses contours à ce cache noir, viendra ainsi se substituer sur la pellicule à cet emplacement resté vierge de toute image. Le contre-cache, quant à lui, permet lors du second tournage de ne pas réimpressionner la partie déjà exposée lors du premier tournage.

L'image peinte peut avoir plusieurs utilités :

- augmenter un **décor de studio** afin de lui donner plus d'ampleur ou de hauteur sans avoir à construire en dur ;
- masquer certains éléments d'un décor naturel, comme des anachronismes ou des installations inesthétiques et impossibles à déplacer ou à supprimer ;
- améliorer un **décor naturel** pour lui donner, par exemple, l'apparence d'une autre époque ;
- donner au ciel une couleur et une texture qui ne changeront pas malgré l'avancement de la journée de tournage[1].

Astuce

Lorsque le réalisateur désire faire un panoramique horizontal (de gauche à droite ou de droite à gauche) dans un décor où se trouve un matte painting (voir illus. **38**), il est nécessaire de placer bout-à-bout, et légèrement en V, deux peintures pour couvrir la totalité du champ que la caméra embrassera. Afin de masquer la jointure entre les deux, les décorateurs positionnent astucieusement un tronc d'arbre au premier plan, exactement dans l'axe du raccordement[2].

---

1. Albert Whitlock, qui a travaillé sur plus de 500 films et fut un des fidèles collaborateurs d'Alfred Hitchcock, s'était fait une spécialité de ces ciels peints exécutés en fonction des desiderata dramaturgiques du réalisateur.
2. Cette astuce était une des marques de fabrique de la 20th Century Fox dans les années 1930-1940.

38 *Suez* (Allan Dwann, 1938) : double glass shot de la 20th Century Fox avec le tronc d'arbre masquant le raccord entre les deux plaques peintes du désert.

Suez

C'est sous la direction de Fred Sersen que furent réalisés en 1938 les incroyables effets spéciaux de *Suez*. Si les matte painting et autres glass shots ne sont évidemment pas les seuls trucages fabriqués pour ce film, ils sont tout de même à mettre au rang des plus belles images fabriquées par Hollywood à cette époque. Tout au long du film, on peut découvrir une bonne vingtaine de plans larges dans lesquels les matte painters ont fait un magnifique travail : dans le désert, lorsque Ferdinand de Lesseps (Tyrone Power) arrive à Alexandrie ; lorsque le vice-roi vient visiter l'isthme de Suez ; quand de Lesseps et Toni (Annabella) admirent l'arc-en-ciel après l'orage ; lorsque la caravane de l'équipe du chantier traverse le désert… Que ce soit sur le chantier lui-même, à Port-Saïd ou en plein désert ; enfin, lors de l'impressionnant attentat terroriste ou pour l'incroyable séquence de la tempête de sable.

Dans tous les cas, les plans généraux nous montrent des paysages à couper le souffle où des centaines, voire des milliers d'ouvriers travaillent sans relâche. Le grand défi que sut relever Fred Sersen fut de construire des images où plusieurs techniques se mêlaient intimement : les matte painting bien sûr, mais également les miniatures, les effets mécaniques comme le vent ou les explosions, la rotoscopie et, évidemment, le jeu des comédiens. Le travail des techniciens des effets spéciaux est d'ailleurs d'une telle qualité qu'il est souvent difficile d'identifier avec certitude toutes les sources d'images qui ont été nécessaires pour fabriquer ces plans.

Ainsi, les deux plans généraux où l'on voit la tornade arriver sur le chantier : alors qu'au premier plan le tournage normal montre des comédiens qui tirent sur un câble, au second plan le chantier lui-même semble être un mélange de baraquements miniatures, d'inserts de tournage (l'eau qui arrive par vagues) et de matte painting, tandis qu'au fond, sur le ciel peint, a été rajouté un élément live de tornade tourbillonnante. C'est la combinaison de tous ces éléments dans une cohérence exemplaire qui confère à la scène une intensité peu commune, la couche de poussière virevoltant sur l'ensemble du plan finissant d'unifier l'image dans sa globalité.

New York 1997

Plusieurs matte painting sont visibles dans *New York 1997* de John Carpenter (1981 – illus. **39**), mais les plus remarquables sont certainement ceux des trois plans larges montrant New York de nuit : celui avec l'hélicoptère longeant le mur en direction de la ville ou passant sous le pont de Brooklyn et celui où le planneur arrive sur Manhattan. Ici tout est peint, excepté l'eau, l'hélicoptère ou le planneur. James Cameron, qui était un des trois matte painters[1] du film, a également réalisé le matte painting que l'on peut apercevoir lorsque les hélicoptères de patrouille survolent de jour une grande étendue en friche sur fond d'immeubles. Le film ayant été en grande partie tourné en Californie, il fallut recréer de toute pièce le centre de New York. Ce matte représentant Central Park coupe en fait le plan en deux, la partie supérieure avec les buildings et les arbres étant entièrement peinte (excepté le ciel), et le bas réservé aux figurants. Les points de contact entre le bas et le haut – entre le vrai et le faux – ont été réalisés grâce à deux lampadaires, à gauche et à droite du plan : les pieds de ces éclairages sont bien réels tandis que la

1. Les deux autres étant Jean Holman et Robert Skotak.

39 James Cameron, matte painter sur *New York 1997* (John Carpenter, 1981).

partie supérieure a été peinte. L'astuce de John Carpenter a été d'effectuer un très léger panoramique de recadrage vers le haut afin de rajouter à la vraisemblance du plan.

Une belle rencontre

L'histoire d'*Une belle rencontre* (Lone Scherfig, 2016) est celle d'une équipe de cinéma qui, en 1940 pendant le blitz de Londres, va s'atteler à la fabrication d'un film censé redonner le moral aux Anglais. L'équipe de scénaristes, dans laquelle est engagée la jeune Catrin Cole (Gemma Arterton), va donc devoir écrire une histoire se déroulant pendant l'évacuation de la poche de Dunkerque. Vers le milieu du film, alors que le tournage a commencé sur les côtes anglaises, on découvre dans un immense plan d'ensemble, ce qui se veut être les plages françaises sur lesquelles se trouvent des milliers de soldats sur le point d'embarquer. Et dans la mer, les navires prêts à les accueillir, pour leur retour en Angleterre. Quand soudain, venant des dunes, entre dans le champ Ambrose Hilliard (Bill Nighy). S'approchant de la caméra, il fait obstacle au décor et on découvre que, si les plages sont bien réelles, les soldats, les navires ainsi que les colonnes de fumée s'élevant à l'horizon sont en fait un matte painting. Les plans suivants nous montrent plus précisément la glace peinte, fixée à un cadre en bois devant la caméra.

Lors de la projection du film en salle, Catrin Cole découvrira cette séquence sur grand écran. Au premier plan à gauche, des soldats regardent du haut des dunes le théâtre des opérations, tandis qu'en contrebas, dans le reste du plan, ce sont des milliers d'hommes attendant leur tour pour embarquer sur les navires mouillant au large.

Là encore le matte painting, même s'il est une sorte de mise en abîme du cinéma, se veut forcément un travail hyperréaliste au service d'une histoire. Et même si la qualité de la peinture n'est pas franchement au rendez-vous, l'histoire dans laquelle il s'intègre suffira largement à rendre le tout crédible. Le bonheur, qui peut se lire sur le visage des spectateurs à ce moment-là, nous en dit long sur ce que peut engendrer une histoire racontée au cinéma. Ou comment l'artifice peut se mettre au service de l'émotionnel.

7.3 Travelling matte et incrustation

Directement issu de la technique du matte painting et de l'utilisation du cache/contre-cache, le travelling matte permet d'intégrer des personnages (ou des objets) se déplaçant dans un décor. Il fait intervenir le principe de l'incrustation[1].

Le personnage est tout d'abord filmé sur un fond de couleur unie, puis on réalise un cache mobile (silhouette du personnage) correspondant exactement à son déplacement[2]. Enfin, le décor (qui aura été filmé auparavant) et le personnage (grâce à son cache et son contre-cache) sont rassemblés pour créer l'image finale : c'est l'incrustation.

À l'origine, le fond uni était blanc ou noir puis, avec l'avènement de la couleur, jaune-orangé car éclairé au sodium[3] ; la technique se perfectionnant, ce sont les fonds bleus ou verts que l'on utilise. L'arrivée à la fin des années 1970 des régies de trucage et des incrustateurs vidéo[4], hérités de la télévision, permirent la prévisualisation et le réglage en direct des incrustations annonçant les prémisses du travail en numérique.

La plupart du temps, cette technique est utilisée pour deux raisons principales. Tout d'abord, elle permet d'intégrer dans un univers réaliste des personnages et des créatures irréelles, ou inversement, mais également de réaliser une image composite de plusieurs éléments qui pourraient vraisemblablement cohabiter dans la réalité mais qu'il est difficile de réunir sur un plateau – pour des problèmes de sécurité ou des questions économiques, par exemple.

1. Travail réalisé en laboratoire jusque dans les années 1990 grâce à l'utilisation des tireuses optiques comme la Truca.
2. Soit par l'intermédiaire de la rotoscopie (voir ce terme dans le glossaire en fin d'ouvrage) en le détourant image par image, soit directement au laboratoire par le tirage d'un négatif puis d'un positif haut contraste noir & blanc.
3. Tous les travelling matte de *Mary Poppins* (Robert Stevenson, 1964) ont été réalisés ainsi.
4. *Les Mercenaires de l'espace* de Jimmy T. Murakami (1980) produit par Roger Corman est le premier long métrage à avoir bénéficié de l'utilisation de l'incrustateur vidéo *Ultimatte*.

La Ruée vers l'or

En 1925, Charlie Chaplin a utilisé la technique du travelling matte pour une scène d'action de *La Ruée vers l'or.* À la suite d'une terrible tempête de neige, Charlot et Big Jim (Mack Swain) se retrouvent prisonniers à l'intérieur de leur cabane, en équilibre instable au bord d'un éperon rocheux. Malgré les efforts des deux hommes pour ramener leur maison à l'horizontale, cette dernière semble être irrémédiablement attirée par le vide. Dans un dernier espoir, Big Jim décide donc de s'extraire de la maison pour aller chercher une corde. Après maints efforts, il finit par la récupérer et la lance à Charlot. Dans un ultime plan large, Charlot, sauvé in extremis, sautera dans les bras de Big Jim juste avant que la cabane ne bascule dans le ravin.

Alors qu'en plan large le décor de la montagne enneigée est un mini-décor et la cabane une maquette, tout le jeu des acteurs, petites silhouettes au milieu de l'étendue blanche, est un travelling matte. Ici, il est évident que les raisons de sécurité ont dicté avec force l'utilisation de ce procédé. L'incrustation de si petits éléments, même si elle n'est pas parfaite, fonctionne parfaitement, le jeu des comédiens et le calage des éléments finissant de parfaire l'illusion.

L'homme qui rétrécit

Dans *L'homme qui rétrécit* (1957), Jack Arnold a eu recours de nombreuses fois au travelling matte. La célèbre séquence du combat entre Scott Carey (Grant Williams) et l'araignée en est un très bel exemple.

Affamé, Scott (devenu minuscule) décide de récupérer pour lui seul le morceau de gâteau que garde l'araignée. Échafaudant un plan avec un crochet et une paire de ciseaux, il veut attirer l'animal dans un piège. Malheureusement, à la suite de la rupture de la corde nouée au crochet, Scott va devoir combattre l'araignée à mains nues. À partir du moment où l'animal descend de sa toile, on peut dénombrer 13 plans truqués intégrant un travelling matte sur les 46 que compte la séquence. À chaque fois, il s'agit de plans d'ensemble suffisamment larges pour intégrer la totalité de l'action entre l'araignée et Scott Carey. Astucieusement alternés avec des plans plus serrés du personnage ou de l'animal, les plans truqués permettent, à l'intérieur du montage, de faire vivre le récit avec vraisemblance. Des trucages qui, malgré leur qualité très moyenne due à des caches/contre-caches parfois approximatifs, ont contribué grandement à la renommée du film. Les plans où Scott, rampant à terre, est dominé par l'araignée sont d'ailleurs un tour de force, car en plus du travelling matte le technicien Millie Winebrenner[1] a dû effectuer une rotoscopie très précise du comédien.

Faux-semblants

Avec seulement une douzaine de plans truqués, il est évident que David Cronenberg n'a pas cherché, pour *Faux-semblants* (1988 – illus. **40**), la performance visuelle. Dans ce film, où deux jumeaux gynécologues se trouvent désunis par une femme, les rôles des Drs Beverly Mantle et Elliot Mantle sont tenus par un seul et même comédien, Jeremy Irons. Afin de contourner la difficulté d'avoir deux fois la même personne dans un même plan, la très grande majorité des séquences réunissant les deux rôles a été réalisée avec une doublure (de dos, de trois-quarts, avec amorce de pied, de main, de jambe, etc.) et en champ-contrechamp. En ce qui concerne les plans truqués proprement dits où doivent apparaître en même temps les deux personnages, toutes les techniques nécessaires au travelling matte ont été utilisées. La rotoscopie et le motion control[2] – comme dans ce panoramique en gros plan et en aller/retour où Elliot réprimande Beverley pour avoir utilisé un instrument inadéquat pour un examen – sont uniquement exploités dans le sens d'une efficacité narrative maximale. La proximité extrême entre les deux frères à ce moment-là (ils se parlent face à face dans une pièce minuscule), symbole évident de leur géméllité fusionnelle, est mise en scène avec une simplicité et une unité particulièrement intéressantes. L'effet est tellement réussi qu'en quelques secondes les deux jeux différents de Jeremy

1. Déjà à l'œuvre en 1955 sur le *Tarantula* du même Jack Arnold.
2. Voir le glossaire en fin d'ouvrage.

40 Incrustation avec cache défectueux (personnage de droite) : *Faux-semblants* (David Cronenberg, 1988).

Irons (dont le travail tout en nuances et en précision est assez étonnant) apparaissent comme totalement cohérents. Comme si deux comédiens différents jouaient chacun leur propre rôle.

Si la plupart des plans truqués sont a priori irréprochables, on se demande pourquoi deux ou trois sont passés à la trappe, comme ce plan dans le bureau au début du film, où le cache de Beverley, imparfait sur quelques secondes, laisse passer l'image du dessous par transparence. Ou pire, ce plan large où Beverley est allongé au premier plan sur un canapé, tandis qu'à l'arrière Elliot et Cary (Heidi von Palleske) dansent, collés l'un contre l'autre. Ici, le fond de décor est à l'évidence une image arrêtée (d'une qualité très moyenne) sur laquelle sont incrustés le couple et le canapé. Un canapé sur lequel est également incrusté un Jeremy Irons fatigué, dont l'image semble avoir un gros souci de fixité. Mais finalement au milieu du jeu des regards, du découpage et du montage, les effets ratés passent (presque) comme une lettre à la poste.

Chapitre 8

Effets visuels, la révolution numérique

L'arrivée au début des années 1970[1] des ordinateurs dans l'industrie cinématographique, tout d'abord comme générateurs d'images puis comme outils de tournage[2], de montage ou de compositing, a profondément modifié le travail des équipes de la préproduction à la postproduction[3]. Désormais appelés effets visuels[4], les trucages sont partout, dans les énormes blockbusters hollywoodiens bien sûr, où il est de mise d'en mettre plein la vue, mais également en France dans des films beaucoup plus intimistes où, à l'inverse, l'effet ne doit surtout pas être soupçonné. Aujourd'hui tout trucage se doit d'être particulièrement réussi

1. *Mondwest* de Michael Crichton (1973) est le tout premier film à intégrer des images générées par ordinateur, la vision des androïdes du parc d'attraction étant simulée à l'aide d'images fortement pixélisées.
2. L'utilisation du motion control (voir ce terme dans le glossaire) s'est démocratisée dès 1977 grâce à John Dykstra, qui développa son propre système (le Dykstraflex) pour *Star Wars* (George Lucas, 1977).
3. La prévisualisation (voir ce terme dans le glossaire) permet de préparer bien en amont du tournage la fabrication des effets visuels en privilégiant la collaboration directe entre les équipes.
4. Le terme s'est très largement banalisé depuis les années 1990, même si celui-ci semble apparaître beaucoup plus tôt (Brent Sellstrom était déjà qualifié de *Visual Effects Coordinator* sur *Mondwest* en 1973).

– c'est-à-dire techniquement parfait – sous peine d'être raillé par bon nombre de spectateurs. Le **compositing**, étape cruciale de la fabrication d'un film à effets, permet ainsi de rassembler tous les éléments (comédiens sur fond vert, éléments de décor, maquettes, explosions réelles ou virtuelles, fumée, flammes, giclées de sang, effets météorologiques, images 3D, accessoires, personnages de synthèse[1]...) d'un même plan afin de leur donner une véritable cohérence visuelle[2]. Même si la situation semble complètement invraisemblable, le plan se doit d'être crédible, de « faire vrai », et l'intégration doit être parfaite, invisible, indétectable. Qu'une incrustation soit mal réalisée et c'est le plan entier qui s'écroule, emportant avec lui la magie de l'illusion cinématographique. Le spectateur est devenu extrêmement exigeant pour les films récents, alors que les effets qui datent de plus d'une dizaine d'années, même s'ils sont détectables à cause de leur manque de technicité, semblent bien mieux tolérés[3].

Mais ne nous y trompons pas : l'effet visuel numérique n'a rien inventé, il n'est que l'héritier direct et naturel du matte painting et de la transparence, la différence essentielle ne résidant finalement que dans les outils de travail, beaucoup plus souples aujourd'hui.

Cependant, depuis quelques années, une autre famille d'effets visuels tend à réapparaître[4] grâce aux techniques numériques : ce sont les **effets signifiants** (donc visibles), des trucages utilisés par les réalisateurs pour faire sens à l'intérieur de la narration et de leur mise en scène.

---

1. Les premiers personnages/créatures en images de synthèse sont Le Bit dans *Tron* de Steven Lisberger (1982) et le chevalier du vitrail dans *Le Secret de la pyramide* de Barry Levinson (1985).
2. Chaque plan est ainsi la somme d'un grand nombre de couches superposées, chacune contenant un élément distinct.
3. « [...] plus l'effet est ancien, plus le spectateur semble tolérant... et inversement. Il attend une perfection technique des films "récents", alors qu'il pardonne et même recherche dans les films plus anciens des défauts désuets » in *Effets spéciaux, crevez l'écran !* Réjanne Hamus-Vallée (dir.), p. 179.
4. L'inversion de sens (la fameuse marche arrière), largement utilisée par Jean Cocteau dans ses films, est un bon exemple d'effet visible ayant vu le jour bien avant l'avènement du numérique.

Jurassic Park

Tout cinéphile qui découvrit pour la première fois *Jurassic Park* en 1993 comprit que le cinéma était passé dans une autre dimension. On le soupçonnait déjà avec la saga *Star Wars* et autres *Terminator*, mais cette fois-ci une chose devenait évidente : l'ordinateur pouvait être pratiquement de tous les plans sans que ce soit un handicap pour la vraisemblance de l'histoire. Bien au contraire, les images de synthèse créées et animées par ordinateur devenaient LA solution pour introduire un réalisme totalement crédible. Voir autant de dinosaures « réellement » vivants et dans toutes les situations possibles et imaginables ouvrait de manière incroyable le champ des possibles. À partir de ce moment-là, l'idée la plus fantasmagorique devenait effectivement réalisable.

La scène la plus bluffante du film est certainement celle qui se passe à découvert sur une sorte de plateau herbeux (illus. **41**). Alan Grant (Sam Neill) et ses enfants Lex (Ariana Richards) et Tim (Joseph Mazzello), perdus au milieu d'Isla Nublar, se retrouvent soudain nez à nez avec un troupeau de Gallimimus, sortes de dinosaures-autruches, courant dans leur direction. Le nombre impressionnant d'animaux

41 Effets visuels numériques : *Jurassic Park* (Steven Spielberg, 1993).

(plusieurs dizaines), leur intégration parfaite au sein de plans larges et mobiles (dont un travelling arrière assez instable) où courent également les comédiens, le tout enrobé dans un sound design assourdissant, tout cela contribue au réalisme saisissant voulu par Steven Spielberg. En une quinzaine de plans seulement, dont la moitié comprennent des images de synthèse[1], le réalisateur a su rendre vivant et bien réel ce qui n'existe plus depuis des millions d'années. Il y aurait désormais un avant et un après *Jurassic Park*.

8.1 Effets invisibles

Un effet invisible est, aujourd'hui, un effet dont on ne peut voir comment il a été fabriqué. Fini le temps des animations image par image où l'on devinait aisément le travail dantesque de l'animateur. Fini le temps des incrustations hasardeuses où les contours des personnages laissaient parfois entrevoir le « truc ». Place aujourd'hui à l'ordinateur et sa cohorte de logiciels plus performants les uns que les autres grâce auxquels incrustation et compositing sont réglés au pixel près. Un travail d'orfèvre, formidablement secondé par un étalonnage numérique toujours plus pointu.

De la créature en images de synthèse hyperréaliste et animée en motion capture[2] au matte painting numérique, en passant par l'ultime étape du compositing, l'effet invisible est donc là avant tout pour servir le réalisateur ou la réalisatrice et lui permettre de concrétiser une mise en scène ambitieuse. Malheureusement, il arrive parfois (et pas seulement à Hollywood) que ces effets prennent le pas sur l'histoire et masquent un certain vide du scénario et des idées. Mais peu importe ; que ce soit dans ce genre de cinéma ou dans un cinéma plus réfléchi, une chose est sûre : dans tous les cas, un bon effet invisible est un effet dont l'illusion est parfaite.

---

1. Si les effets de cette séquence sont uniquement numériques, en revanche le T-Rex, le brachiosaure ou les vélociraptors, tout au long du film, sont issus d'un mélange d'images de synthèse et d'animatronique.
2. Voir le glossaire en fin d'ouvrage.

> **Direction artistique**
>
> Aux États-Unis (et parfois en France), un directeur ou une directrice artistique est embauché pour garantir la cohérence visuelle de l'ensemble du film, a fortiori lorsqu'il s'agit d'un projet où les effets visuels sont pratiquement de tous les plans. Dans ce cas, ils peuvent être considérés comme le deuxième cerveau du réalisateur ou de la réalisatrice et sa seconde paire d'yeux. Travaillant en étroite collaboration avec le superviseur des effets visuels, ils sont très au fait des techniques numériques de trucage et de création.

Terminator 2 : Le Jugement dernier

Au début des années 1990, lorsque les ordinateurs commencent à s'imposer dans la chaîne de production cinématographique, les effets visuels ne sont encore qu'un des petits maillons qui composent les plans truqués, et c'est grâce au mélange numérique/analogique que des scènes de films comme *Terminator 2* acquièrent une exceptionnelle vraisemblance. Ainsi dans la séquence où, poursuivis par le T-1000 (Robert Patrick), Terminator (Arnold Schwarzenegger) et le jeune John (Edward Furlong) viennent à l'hôpital récupérer Sarah Connor (Linda Hamilton), sur une cinquantaine de plans, seuls quatre font intervenir des ordinateurs.

Dans un couloir de l'hôpital, alors que le T-1000 fait passer sa tête puis son corps à travers une grille métallique, Terminator lui tire dessus, creusant ainsi dans son torse des perforations chromées. Réfugiés dans un ascenseur qui se referme sur eux, John, Sarah et Terminator voient soudain une lame énorme s'introduire entre les deux portes et en forcer l'ouverture. De l'autre côté, le T-1000, au moment de l'ouverture de l'ascenseur, se prend une balle dans la tête à bout portant. Son crâne s'ouvrant littéralement en deux, on aperçoit à l'intérieur une matière chromée. Alors que les portes de l'ascenseur se referment, le T-1000 reconstitue intégralement sa tête. Si cette séquence fonctionne aussi bien et que le spectateur ne remet pas en question l'avancement du récit, c'est uniquement parce que l'équilibre entre réel et virtuel fonctionne parfaitement. Les images de synthèse sont utilisées avec parcimonie et uniquement là où il était impossible de faire autrement : les deux plans où le T-1000 passe à travers les barreaux ; le gros plan de la lame qui, en se retirant, prend une forme spéciale pour ouvrir la porte ; le plan serré sur la tête du T-1000 qui se reconstitue. Tous les autres plans « truqués » font intervenir des effets spéciaux en direct (la tête du T-1000 qui explose), de l'animatronique (la tête ouverte du T-1000) ou du maquillage (les impacts chromés sur le torse du T-1000). Le découpage technique et le montage font le reste. Par exemple, lorsque le cyborg passe à travers les barreaux, le découpage technique a été conçu comme si l'action était bien réelle et tout à fait naturelle : plan épaule en légère contre-plongée de la tête passant à travers la grille métallique, puis raccord dans le mouvement avec un plan moyen en plongée du reste du corps passant à travers les barreaux. L'astuce ici est d'avoir intégré un élément bien réel dans l'action : le pistolet du T-1000, au bout de sa main, restant coincé de l'autre côté (chose tout à fait normale puisque l'arme ne possède pas la capacité de passer à travers la matière), le T-1000 jette un œil sur le problème. Conséquence : un gros plan nous montre la main se dégageant. En seulement trois plans[1], James Cameron a fait ici la démonstration de ce que pouvait être une mise en scène talentueuse tout en restant au service d'un récit, se payant même le luxe d'un trait d'humour.

Dunkerque

Grosse machine hollywoodienne réalisée par un Anglais, *Dunkerque* fait appel de façon très large aux effets visuels invisibles. Et même si Christopher Nolan se targue d'avoir loué un maximum de véhicules et de bateaux d'époque pour tourner le film[2], il est évident que certaines scènes auraient été impossibles à réaliser « en vrai ». Comme toujours, ce sont les plans les plus larges, où un très grand nombre d'éléments

1. Plus quelques plans en amont pour préparer l'action et les plans de réaction montés juste après.
2. Deux navires de guerre néerlandais ont été repeints aux couleurs de la Royal Navy et un vrai Spitfire a été utilisé lors des plans de survol de la plage par Farrier (Tom Hardy), le pilote de la Royal Air Force.

sont visibles, qui demandent le plus gros travail de compositing. Pour n'en citer que quelques-uns :

- le plan d'ensemble du début lorsque Tommy (Fionn Whithead) découvre la plage de Dunkerque envahie de soldats britanniques attendant les bateaux du retour, avec au loin des bâtiments et des colonnes de fumée[1] ;
- un peu plus tard, l'immense perspective de la jetée avec des milliers de militaires qui s'allongent au sol lorsque les avions ennemis les bombardent ;
- la même jetée explosant au passage d'un Stuka allemand ;
- puis, évidemment, toutes les scènes se déroulant au large où un bateau attaqué par des chasseurs ennemis coule au milieu d'une mer pleine de gasoil et d'hommes tentant de sauver leur peau.

Mais il ne faut pas oublier également des plans impressionnants, comme dans la séquence du début où trois avions allemands bombardent la plage. Le plan, au ras du sol et relativement large, nous montre Tommy au premier plan qui vient de se jeter à plat ventre sur le sable. La tête tournée vers le fond du plan, il assiste comme nous au largage d'une douzaine de bombes qui, se rapprochant dangereusement, pulvérisent des soldats dans les airs, jusqu'à la dernière qui explosera à quelques mètres de lui en projetant d'immenses gerbes de sable. Lorsqu'on observe attentivement l'arrière du plan on comprend que la profondeur de champ réduite (et donc le flou de mise au point) a vraisemblablement permis d'intégrer des soldats en images de synthèse (certains ont une démarche un peu étrange). À moins que ce ne soient les explosions qui aient été créées numériquement. Ou les deux ?

Et pour emballer tout cela, Christopher Nolan a choisi finalement de faire un travail très particulier sur la couleur puisque, comme bon nombre de ses films, *Dunkerque* baigne dans un étalonnage bleu canard/vert anglais plutôt froid. Une manière astucieuse de lisser un peu les différences de lumière et de texture d'images dues, entre autres, à une météo notablement changeante.

---

1. À comparer avec le même genre de plan réalisé dans le même contexte narratif mais avec un matte painting traditionnel dans *Une belle rencontre* de Lone Scherfig (voir exemple p. 192).

Bird People

Pascale Ferran, réalisatrice française pourtant bien loin des blockbusters hollywoodiens, a elle aussi profité des énormes avancées du cinéma numérique. Pour *Bird People* (2014 – illus. **42**), l'histoire d'une rencontre entre Gary (Josh Charles), ingénieur en transit à Paris qui décide de changer de vie, et Audrey (Anaïs Demoustier), jeune femme de chambre qui se transforme en moineau, la réalisatrice et les équipes des effets visuels[1] se sont servis avec maestria des techniques qui étaient à leur disposition : images de synthèse, fond vert, incrustation, compositing, morphing, etc.

42 Effets invisibles : *Bird People* (Pascale Ferran, 2014).

Le mélange entre les images réelles de moineaux dressés et les images de synthèse de l'oiseau (parfois nécessaires pour des impératifs de mise en scène) a permis d'accentuer le réalisme des séquences truquées. Par exemple, la première séquence où Audrey devient moineau. Les plans très nombreux de l'oiseau, de diverses valeurs (gros plans,

1. Une trentaine de personnes de BUF Compagnie, autour du superviseur des effets visuels, Geoffrey Niquet, et du directeur artistique, Pierre Buffin.

plans moyens, plans larges) et dans différentes situations (en vol, atterrissant, sautillant à terre, avec ou sans entrée/sortie de champ), voire au ralenti et toujours avec une caméra mouvante, sont saisissants de réalisme. Une très belle séquence de 8 minutes où la mise en image est impeccable et en parfaite adéquation avec le récit aux accents de merveilleux.

À souligner également, les découvertes que l'on voit tout au long du film, derrière les fenêtres de l'hôtel. Les séquences qui les intègrent ont toutes été tournées en studio, avec un fond vert visible au travers des ouvertures, qui a été remplacé en postproduction par des images de l'aéroport et de ses environs tournées en amont.

À l'arrivée, ce sont plus de quatre cents plans qui furent truqués pour ce film.

8.2 Effets signifiants (effets visibles)

Qu'ils héritent du principe des fondus et des transitions ou qu'ils soient fondés sur le procédé de l'incrustation ou de toute autre manipulation d'images, les effets signifiants sortent directement de l'imagination des cinéastes. Certains feront date et seront réutilisés jusqu'à devenir des codes (comme les flashes ou les images arrêtées), quand d'autres disparaîtront dans le triste lot des tentatives avortées d'inventions formelles.

Apparus avec le cinéma il y a plus d'un siècle, les effets visuels signifiants ont sans conteste retrouvé depuis quelque temps une nouvelle jeunesse liée à la très grande souplesse de fabrication des images numériques. Les équipes de graphistes, techniciens ou techniciennes, sous la houlette des superviseurs d'effets spéciaux, des directeurs ou directrices artistiques ainsi que des réalisateurs ou des réalisatrices, n'ont de cesse d'expérimenter, inventer et tester des effets de plus en plus subtils dont la seule limite est leur imagination.

Jean Cocteau

En France, Jean Cocteau est très certainement l'un de ceux qui a le plus contribué à la « démocratisation » des effets signifiants dans le cinéma parlant. Son cinéma regorge de ces trucages, le plus souvent réalisés à la prise de vues mais également en utilisant les techniques classiques du laboratoire. Ainsi dès son premier film, *Le Sang d'un poète* en 1932, la surimpression est partout : avec cette bouche qui prend vie dans un dessin au crayon puis apparaît au creux de la main du poète (Enrique Rivero) ou de la sculpture. Ou cet effet impressionnant de veines gonflées se révélant sur l'avant-bras du poète[1] alors qu'il tente de faire taire la sculpture. Cocteau adore également les apparitions/disparitions par la mise en œuvre de simples fondus enchaînés – *Le Testament d'Orphée* (1960) en est plein, tout comme *La Belle et la Bête* où il s'amuse avec l'objet qu'il préfère par dessus tout : le miroir. Et puis les inversions de décors, couchés sur le côté ou carrément renversés, lui permettent de se jouer de la pesanteur. Comme cette enfant du *Sang d'un poète* qui semble être collée au plafond, ou plus tard Orphée (Jean Marais) marchant d'une manière très étrange le long d'un mur, pour finir par être aspiré à l'angle d'une rue[2]. Mais un effet qu'il affectionne particulièrement est certainement celui de la marche arrière (ou inversion de sens) qui lui permet de faire se relever des morts, s'allumer des chandeliers, faire parler Cegeste (Édouard Dermit) bizarrement ou provoquer une sensation très étrange lorsqu'un feu allumé par une gitane se met à reconstituer une photo[3].

À l'évidence, Cocteau et ses équipes s'amusent beaucoup à trouver des astuces pour mettre en forme ce qui est écrit. Chacun des récits que l'artiste nous conte est comme plongé dans un grand rêve dont on aurait du mal à sortir. Les situations qui se succèdent, même si elles font partie d'un tout, semblent baignées d'un onirisme permanent dû en grande partie aux manipulations multiples effectuées sur la réalité.

---

1. Un effet que l'on retrouvera soixante-cinq ans plus tard dans le terrifant *The Faculty* de Robert Rodriguez, mais cette fois-ci réalisé grâce aux techniques numériques.
2. Francis Ford Coppola reprendra exactement cet effet quarante ans plus tard pour son *Dracula*. Alors qu'avec Cocteau c'est Orphée qui bascule dans le vide, avec le réalisateur américain c'est Jonathan (Keanu Reeves) lorsqu'il tente de s'échapper du château du vampire.
3. Dans *Le Testament d'Orphée*.

Pulp Fiction

Chaque nouveau film qu'il réalise est pour Quentin Tarantino l'occasion d'expérimenter de nouveaux effets. Avec *Pulp Fiction* (1994), un de ses plus gros succès et certainement son film le plus emblématique, le réalisateur américain a pu s'en donner à cœur joie et tester non seulement des effets de caméra mais également quelques effets visuels signifiants. Et cela commence dès la séquence prégénérique qui se conclue par une image arrêtée de Ringo et Yolanda (Tim Roth et Amanda Plummer) braquant le restaurant sur laquelle s'affiche le nom de la production (Miramax Films) au moment exact où débute la musique du générique[1]. Un moment très rythmé en termes de montage avec la voix de Yolanda (anticipant sur le tempo de la musique qui va suivre) qui continue en off alors que son image est figée à l'écran, l'apparition du noir qui suit étant calée sur la voix de la choriste. Une séquence qui semble vouloir nous dire : « Accrochez-vous, le spectacle commence ! » Un peu plus tard, c'est l'image tout entière qui se teinte d'un léger rouge rosé au moment où Jules (Samuel L. Jackson) et Vincent (John Travolta) vident leur chargeur sur le pauvre Brett (Franck Whaley). Une manière comme une autre de suggérer l'explosion de chair et de sang sans la montrer. Même un effet aussi simple que le ralenti est au rendez-vous, dans le chapitre intitulé « The Gold Watch ». Lors de la séquence chez Maynard (Duane Whitaker), le prêteur sur gage, ce sont trois plans spécifiques – trois plans qui marquent des moments décisifs – qui sont ralentis : tout d'abord le plan moyen où Maynard et Zed (Peter Greene) traînent Marsellus Wallace (Ving Rhames) dans une pièce à côté de celle où est détenu Butch (Bruce Willis) ; ensuite le très gros plan des mains de Butch se libérant de la corde qui le retenait ; et enfin le plan où Wallace arme son fusil dans l'optique de descendre Zed. Si le premier ralenti marque le début de la séquence (c'est d'ailleurs à ce moment exact que commence la musique[2] qui couvrira en partie les bruits du viol),

1. *Misirlou* par Dick Dale & His Del-Tones (tiré de la B.O. du film de Jay O. Lawrence, *A Swingin' Affair*, 1963).
2. *Comanche* par The Revels (1961).

le gros plan sur les mains, lui, fait basculer les enjeux du côté de Butch et enfin, le dernier ralenti marque le début de la conclusion, le climax de la scène, à savoir l'élimination pure et simple de Zed.

Quentin Tarantino, même s'il n'abuse pas des effets visuels, sait à merveille les positionner là où ils prennent toute leur importance. Il en fait d'ailleurs un complément essentiel de son découpage technique, toujours novateur et inventif – le tout créant un langage, son propre langage cinématographique, au service du récit (il est lui-même le scénariste de ses films) et de sa mise en scène.

The Eye 2

Le thème central de *The Eye 2* des frères Oxide et Danny Pang – la présence quasi permanente de fantômes dans le monde réel – est principalement matérialisé par l'utilisation d'un gimmick visuel simple : le flou de mise au point[1]. Accompagné de flashes, jump cut, accélérés, images noires et autres « bougés », il permet aux deux réalisateurs de fabriquer de petites séquences anxiogènes ultra-efficaces où le sound design achève de lier le tout dans une parfaite cohérence fantastique. Par exemple, au début, alors que Joey (Shu Qi) vomit à la suite de sa tentative de suicide médicamenteux, elle commence à distinguer autour d'elle les premiers fantômes. Après une vision large où les revenants sont tous postés autour de son lit, c'est une succession de plans serrés de fantômes, plus ou moins identifiables, très flous et sur fond blanc. Ces plans, d'une durée de moins d'une demi-seconde (certains ne sont même constitués que d'une seule image), sont montés systématiquement et de façon alternative avec quelques images de noir (d'une à quatre, soit moins de 1/6 s). Accompagnée de sons gutturaux censés « incarner » les fantômes, cette mini-séquence de quelques secondes est immédiatement suivie par une deuxième, cette fois-ci à l'hôpital, où l'on comprend qu'un fantôme cherche à retrouver la malheureuse Joey. Réalisés sur le mode subjectif, les plans en caméra à l'épaule se succèdent dans un montage saccadé et haché et dans des

1. Voir au chapitre 3 « Cadres, cadrage et caméras », la section 3.4 « Amorce ».

« textures » variées (plans nets, flous, excessivement flous, ralentis, accélérés, etc.). Lorsqu'on y regarde de plus près, on se rend compte que les frères Pang ont utilisé plusieurs fois le même plan, mais dans des prises où le cadre et la mise au point diffèrent sensiblement, puis ils ont monté ces trois ou quatre prises différentes en coupant « à la sauvage »[1] dans la continuité (certains plans ne comptent que deux ou trois images !) et en accélérant ou ralentissant certains plans. Ce qui, à l'arrivée, donne à cette séquence une atmosphère de brutalité et d'étrangeté angoissantes.

Avertissement

Un certain nombre de ces effets visuels signifiants peuvent être regroupés en familles d'effets en fonction de la manipulation visuelle utilisée et de l'impact émotionnel recherché. Voici, ci-dessous, une première tentative de classement de ces effets spécifiques, sans préjugé de leur efficacité ou de leur qualité. Sachant que l'interprétation qui en est faite ici, forcément restreinte, ne demande qu'à s'ouvrir vers d'autres valeurs sémantiques liées aux intentions propres à chaque créateur.

Surimpression

La surimpression, qui est à la base de nombreux trucages, fait intervenir un principe extrêmement simple : deux images peuvent se superposer avec des valeurs variant de zéro à 100 % et ce, pour chacune d'elles (c'est le principe utilisé, par exemple, pour les fondus). Grâce à cette technique, plusieurs images peuvent être mélangées de façon illimitée.

Généralement, la surimpression fonctionne de la manière suivante : elle débute à peu près comme un fondu enchaîné, c'est-à-dire qu'un plan apparaît (la plupart du temps en fondu, rarement en cut) sur un premier

1. Évidemment ce n'est pas aussi simple que cela et chaque plan est testé au montage en fonction de celui qui le précède et de celui qui le suit. Puis la totalité de la séquence est visionnée autant de fois que nécessaire afin de réajuster certaines images pour garder le rythme et la sensation désirés par le réalisateur. Une séquence d'une vingtaine de secondes comme celle de *The Eye 2* peut prendre une bonne journée de travail au montage, voire plus quand le réalisateur est extrêmement exigeant.

plan mais ne reste visible qu'un certain temps, par transparence, puis disparaît pour laisser à nouveau visible entièrement le plan de base. La différence avec le fondu enchaîné est donc que le plan qui se situe « en dessous » n'est jamais remplacé (en principe) par celui qui vient d'apparaître en surimpression. Ce dernier n'est visible qu'un instant, le temps de donner les informations nécessaires.

Cette surimpression est souvent utilisée pour faire comprendre quelque chose qui se passe dans la tête d'un personnage, comme la résurgence d'un souvenir. Mais elle peut avoir de nombreuses autres significations, en fonction de chaque histoire et du but recherché par le réalisateur ou la réalisatrice.

Psychose

On peut voir à la toute fin de *Psychose* (1960 – illus. **43**) d'Alfred Hitchcock une surimpression lourde de signification et de « symbolique psychanalytique ». Alors que Norman Bates vient d'être arrêté, un long travelling avance sur lui pendant que « sa mère parle » à l'intérieur de sa tête. À la fin du mouvement, sur son visage en gros plan, se superpose

43 Surimpression : *Psychose* (Alfred Hitchcock, 1960).

le visage empaillé de Mme Bates. La surimpression est tellement parfaite que le seul indice véritablement visible de surimpression est celui des dents du squelette, qui viennent rajouter au malaise engendré par l'histoire. Ici, la surimpression est essentiellement utilisée à des fins émotionnelles. Elle doit être ressentie plus qu'elle ne doit être vue, d'autant que ce trucage est immédiatement remplacé (en fondu enchaîné) par un plan de la voiture de Marion Crane que l'on extrait de la rivière.

Le Convoi

Dans *Le Convoi* (1978) de Sam Peckinpah, une séquence de plus d'une minute enchaîne les surimpressions : des plans larges de camions, des gros plans de roues et des plans de voitures de police traversant des paysages arides, désertiques et poussiéreux nous montrent, dans une sorte de ballet et sur fond de valse (aux accents ironiquement « munichois »), la course-poursuite allègrement menée par le Duck (Kris Kristofferson). Peckinpah tente ici de glorifier les camions en faisant apparaître dans les diagonales de l'image la course croisée de ces véhicules devenus plus légers que de simples voitures de police.

Blue Velvet

Dans *Blue Velvet*, David Lynch a utilisé la surimpression de la même manière que le fondu enchaîné, afin de faire passer successivement deux idées distinctes. Il fait nuit. Jeffrey, après une journée un peu spéciale, se promène dans son quartier. Tout d'abord, une image d'oreille humaine moisie apparaît en fondu sur un plan du jeune homme (c'est la surimpression). On comprend alors que le personnage se souvient de la découverte macabre qu'il a faite quelques heures plus tôt. Puis le plan de Jeffrey disparaît totalement (c'est le fondu enchaîné), laissant la place au plan de l'oreille dans laquelle la caméra pénètre, indiquant de cette façon que l'on entre (avec lui) dans l'histoire liée à cette partie de corps humain... Utilisation particulièrement habile d'une combinaison fondu/surimpression dans le but d'une compréhension parfaite de la situation.

Transparence fantomale

Dérivée directement de la surimpression, la transparence fantomale concerne plus spécifiquement des personnages (ou des objets) et leur représentation dans un monde qui n'est pas le leur, comme des fantômes ou des hologrammes.

Le but de cette transparence est à la fois de permettre l'identification immédiate de la nature du personnage mais également d'instiller une dose de merveilleux, de fantastique ou même de peur.

Kwaïdan – Hoïchi sans oreilles

Dans *Kwaïdan* (1965) les représentations des fantômes sont sensiblement identiques entre les quatre histoires qui composent le film de Masaki Kobayashi[1]. Mais dans *Hoïchi sans oreilles,* les guerriers du clan Heiké, décimés en 1185 pendant la bataille de Dan-no-ura, apparaissent selon un rituel bien précis : après avoir appelé leur victime, ils se matérialisent lentement (en fondu) de façon fantomatique, et en légère surimpression. Puis, lorsque les victimes acceptent finalement de les suivre, les fantômes deviennent bien « réels » – non transparents – comme n'importe quel être humain en vie, symbolisant ainsi l'entrée des vivants dans le monde des ténèbres.

Dans la scène où le corps du jeune aveugle joueur de luth, Hoïchi (Katsuo Nakamura), a été entièrement recouvert du soutra par les prêtres (le texte sacré étant censé empêcher le fantôme de s'emparer du jeune homme qui, lui, ne doit prononcer aucun mot), le rituel va encore plus loin. Alors que Hoïchi attend, un des guerriers-fantômes se matérialise en transparence dans l'une des allées du temple et appelle le jeune aveugle. Celui-ci ne répondant pas, le guerrier se met à le chercher. Au moment précis où il entre dans la maison, la transparence s'inverse : l'image du fantôme devient normale alors que Hoïchi, lui, devient translucide et, du même coup,

---

1. *Kwaïdan* est un film à sketches adaptant quatre histoires de fantômes japonais adaptées de Lafcadio Hearn, poète irlandais ayant vécu à la fin de sa vie au Japon, à partir de 1890.

invisible aux yeux du guerrier. Sauf que les prêtres ont oublié d'écrire sur une partie du corps de Hoïchi, partie qui va trahir sa présence...

Avec cette histoire, Kobayashi a poussé jusqu'au bout la logique de la représentation des fantômes et de leur monde. La transparence fantomale est ainsi montrée et vécue par les personnages comme une différence profonde entre les deux univers, qui ici ont visiblement du mal à cohabiter.

Star Wars, ép. IV, *A New Hope*

« *Au secours, Obi-Wan Kenobi, vous êtes mon seul espoir !* » sont les premiers mots prononcés par l'hologramme de la princesse Leia (Carrie Fisher) dans *A New Hope*, une phrase qui revient en boucle par l'intermédiaire de R2-D2 (Kenny Baker) sous les yeux de Luke (Mark Hamill) et C-3PO (Anthony Daniels)[1]. Filmée sous cinq axes différents et plusieurs valeurs, la silhouette de la princesse, incrustée dans les plans successifs avec une légère transparence, donne effectivement l'illusion d'être un hologramme en trois dimensions. En revanche le traitement de l'image – lignage vidéo, déformations de transmission, couleur bleutée, balayage d'écran vidéo, manque de définition, tremblements – inspiré directement de l'univers analogique donne un petit côté vieillot qui, même en 1977 à la sortie du film, faisait plutôt penser à la télévision noir et blanc de nos aïeuls qu'à une technologie high-tech ! Finalement, et malgré ce traitement vintage, l'effet est resté tel quel tout au long de la saga et est même devenu un code : dans toutes les cinématographies mondiales, quel que soit le niveau d'évolution des humains (ou des non-humains) utilisant ces projections, le lignage vidéo et la quasi-monochromie, par exemple, sont restés les normes pour identifier à coup sûr un hologramme. Il faut souligner également que cette projection est le point de départ de tout ce que George Lucas nous raconte depuis des décennies, comme si la technologie de l'image était à l'origine de tout univers.

1. La version complète du message de la princesse Leia sera visionnée un peu plus tard en présence d'Obi-Wan Kenobi lui-même.

Ghost in the Shell

Dans l'adaptation de *Ghost in the Shell* réalisée par Ruppert Sanders en 2017 (illus. **44**), la transparence fantomale est utilisée uniquement pour une fonction particulière des cyborgs, que l'on découvre pour la première fois après le hacking sur des membres d'Hanka Robotics. Alors qu'elle vient de combattre et neutraliser les attaquants, la Major Mira Killian (Scarlett Johansson) tourne le dos à son collègue Batou (Pilou Asbæk) et sort de la pièce. Lorsqu'elle s'éloigne, son corps prend une transparence en trois dimensions intégrant le décor qui l'entoure, un peu à la manière d'un caméléon[1]. Puis elle disparaît. On retrouve cette même fonction un peu plus tard, sur l'un des deux cyborgs éboueurs lorsqu'il s'enfuit. Mais c'est surtout lors du combat avec ce dernier que Mira l'utilisera le plus. Sortant par surprise du plan d'eau où son adversaire se trouve, on la voit en gros plan se précipiter sur lui avec, en transparence mouvante, les immeubles qui les entourent. Durant tout le combat qui suivra, bref mais efficace, on ne fera qu'apercevoir cette silhouette translucide forcément avantagée. Silhouette qui finira par se matérialiser pour un dernier coup de pied et quelques frappes au visage bien placées.

Finalement cet effet visuel, qui est né de la surimpression et du fondu, a traversé toutes les modes pendant plus d'un siècle pour arriver aujourd'hui accommodé à la sauce cyber grâce à l'utilisation d'outils numériques hyperperformants ; aujourd'hui il bénéficie d'une technologie qui n'a jamais été aussi souple à utiliser (fonds verts, images de synthèse hyperréalistes, compositing numérique) et permet, à l'évidence, toutes les fantaisies.

Fantômes

Il est intéressant de remarquer que depuis ses origines, le cinéma représente les fantômes de deux façons différentes : soit le spectre est transparent, diaphane,

1. Un effet qui n'est d'ailleurs pas sans rappeler celui utilisé sur les aliens du *Predator* de John McTiernan en… 1987.

soit il est tout à fait normal et peut se confondre avec les vivants – ou presque ![1] Dans ce dernier cas, la différence avec les vivants se matérialise le plus souvent par les costumes des fantômes (contemporains de l'époque où ils vécurent) ou le maquillage (blessures, plaies, voire amputations, en rapport direct avec les circonstances de leur mort).

44 Transparence fantomale : *Ghost in the Shell* (Ruppert Sanders, 2017).

Dédoublement d'image (ou dissociation)

Le dédoublement d'image, c'est-à-dire la même image d'un même plan se répétant une ou plusieurs fois en surimpression sur le plan d'origine, peut être effectué soit uniquement sur un personnage (ou un objet), soit sur la totalité de l'image.

Dans le premier cas, il s'agit la plupart du temps pour le réalisateur ou la réalisatrice de montrer le caractère particulier d'un personnage (fantôme,

1. *Le Château hanté* (Georges Méliès, 1897), *L'Aventure de Mme Muir* (Joseph L. Mankiewicz, 1947), *Les Contes de la lune vague après la pluie* (Kenji Mizoguchi, 1953), *Beetlejuice* (Tim Burton, 1988), *Les Autres* (Alejandro Amenábar, 2001), *Maps to the stars* (David Cronenberg, 2014), etc.

âme, esprit, etc.). Alors que dans le deuxième cas, il s'agit de montrer ce que ressent le personnage (évanouissement, vision défaillante, etc.).

Cette dissociation ne sera sensible que si les deux images diffèrent par leur mouvement et/ou par leur décalage temporel.

Häxan, la sorcellerie à travers les âges

Dans *Häxan* (1922), Benjamin Christensen utilise ce procédé dans la deuxième partie de son film : la vieille Apelone (Wilhelmine Henriksen), qui s'est assoupie profondément après avoir bu plus que de raison, soudain se dédouble. Alors qu'elle dort à même le sol, une image d'elle superposée se réveille et baille puis, dans un deuxième plan, se lève, quittant le corps physique toujours allongé pour suivre le Diable qui vient de s'élever dans les airs. Par ce procédé, le réalisateur nous fait bien comprendre que lorsqu'il indique sur un carton[1] quelques secondes plus tôt : « La nuit, quand les feux du village sont réduits en cendres, le Diable va chercher sa vieille Apelone », il ne parle pas de la vieille femme mais bien de son âme – l'enveloppe charnelle d'Apelone restant allongée sur le sol tandis que son esprit suit le Diable.

Oppression

Oppression (2016), honnête petit thriller de Farren Blackburn, même s'il n'abuse pas des effets faciles, visuels ou même sonores, sait les amener au bon moment dans le seul but de faire monter l'angoisse et le suspense. Ainsi, lorsque Mary Portman (Naomi Watts) se réveille en sursaut sur son canapé à la suite du claquement brutal d'une des portes de la maison, les plans subjectifs qui s'enchaînent dans la séquence qui suit sont de moins en moins nets. Les images, de plus en plus floues, sont presque comme décalées, jusqu'à atteindre un point culminant au moment où Mary ouvre la porte de la chambre de son fils handicapé. Le plan subjectif qui suit, assez furtif, d'à peine 2 secondes sur le lit vide est totalement dédoublé. Tous les plans qui suivront, traduisant la vision de la jeune

1. Placé juste avant la scène.

femme, seront à nouveau comme les précédents mais agrémentés cette fois-ci d'un sound design angoissant.

Le plan dédoublé reflète évidemment le profond trouble qui agite soudainement Mary au moment précis où elle découvre un élément totalement inconcevable, la situation soulevant une question anxiogène : comment son fils tétraplégique a-t-il pu disparaître de son lit ? Au trouble lié à la fatigue, semble-t-il, se superpose une manifestation d'angoisse et de confusion mentale, matérialisée ici par une vision dissociée.

Twin Peaks : The Return

David Lynch est certainement un des réalisateurs qui aujourd'hui alimentent avec le plus de pertinence la grammaire des effets spéciaux. Ainsi dans *Twin Peaks : The Return*[1] (2017) il utilise la dissociation d'image pour un effet très particulier. Dans la deuxième partie, Phyllis Hastings (Cornelia Guest), qui est de retour chez elle après être allée voir son mari en prison, se retrouve nez à nez avec M^r^ C, le double maléfique de Dale Cooper (Kyle MacLachlan). Visiblement, tous les deux se connaissent bien et lorsqu'il lui tire dessus, le tremblement d'image, qui n'est rien d'autre qu'un dédoublement appliqué sur elle[2], nous en dit long sur sa nature : elle n'est pas vraiment humaine et semble plutôt avoir été « fabriquée » sur le même modèle que M^r^ C[3]. Le coup de feu tiré sur elle la renvoie irrémédiablement dans son (leur) monde, la Black Lodge.

En plus du dédoublement de Phyllis est appliqué sur le décor une sorte de déformation ondulatoire qui rajoute à l'étrangeté du ressenti, mais sur deux images seulement.

1. La troisième saison de *Twin Peaks*, même si elle est identifiée comme une « série télévisée », reste une sorte de long métrage. David Lynch lui-même a d'ailleurs dit qu'il s'agissait ni plus ni moins que d'un film de 18 heures !
2. Et sur sept images seulement.
3. À la question de la femme (« *Je peux savoir ce que tu fais ici ?* »), celui-ci répond par une affirmation donnant de sérieuses explications sur ce qu'elle est vraiment : « *Tu as bien réussi ton coup, tu as suivi la nature humaine à la perfection.* »

Flashes

Les flashes peuvent prendre diverses formes et durées. De la simple et unique image blanche insérée dans le montage aux matières picturales complexes avec ouverture au blanc et fondu en fin, les flashes sont toujours l'expression d'un danger immédiat, souvent brutal et anxiogène. Plus basiquement, ils peuvent également servir de liaisons entre des séquences.

Le Salaire de la peur

Dans *Le Salaire de la peur* (1953), Henri-Georges Clouzot a utilisé cette technique dans la dernière partie du film. Alors que Jo (Charles Vanel) est en train de rouler une cigarette pour Mario (Yves Montand) qui, lui, essaie de conduire son camion le plus prudemment possible, un souffle soudain puis des flashes blancs viennent brutalement perturber la fausse sérénité qui règne dans la cabine du véhicule. Regardant devant eux, les deux hommes découvrent une colonne de fumée s'élevant au-dessus des collines : la cargaison du camion de Luigi (Folco Lulli) vient d'exploser.

Ici les flashes, au nombre de quatre, sont réalisés simplement et s'insèrent à l'intérieur même de chaque plan, le montage se déroulant ainsi :

- gros plan de Mario regardant les mains de Jo ;
- une image blanche ;
- gros plan de Mario sur deux images ;
- une image blanche ;
- gros plan de Mario sur deux images ;
- une image blanche ;
- gros plan de Jo sur deux images ;
- une image blanche ;
- gros plan de Jo relevant la tête.

Le rendu, d'ailleurs plus proche du stroboscope que du flash, n'est accompagné d'aucun bruit spécial, ce qui oblige le spectateur à se sentir au même niveau que les personnages et à se poser la même question : d'où proviennent ces éclairs ? Ce n'est que quelques secondes plus tard, alors qu'on découvre la fumée au loin, qu'un bruit d'explosion se fait entendre.

En dehors de toute logique, Clouzot a placé les flashes après le souffle (matérialisé par le tabac de la cigarette qui s'envole), chronologie qui n'est absolument pas réaliste puisque, la vitesse de la lumière étant largement supérieure à celle d'un souffle d'explosion, nous aurions dû d'abord voir les éclairs. Simplement le montage réaliste des effets ne produisant vraisemblablement pas la sensation recherchée par le réalisateur, ce dernier a préféré inverser les plans.

Massacre à la tronçonneuse

Les flashes synonymes de peur, souvent employés dans les films de genre, trouvent vraisemblablement leur origine dans *Massacre à la tronçonneuse* de Tobe Hooper (1974 – illus. **45**). Dès le début du film, juste après le générique, ce sont six flashes d'appareil photo (on comprendra plus tard qu'il s'agit d'un Polaroid) qui trouent le noir complet. Espacés chacun de 6 à 7 secondes, les éclairs produits par l'ampoule du flash nous révèlent les détails macabres de cadavres putréfiés – mains, pieds, mâchoires. Accompagnés d'un gimmick sonore ultra-reconnaissable, ces flashes blancs et circulaires deviennent immédiatement le symbole de l'horreur. À tel point d'ailleurs que tout au long du film, il ne sera même plus utile de les réutiliser pour instiller une terreur permanente, la figure du cercle lumineux (soleil, torche, lune...) ou le son très spécifique utilisés seuls suffisant à faire monter l'angoisse.

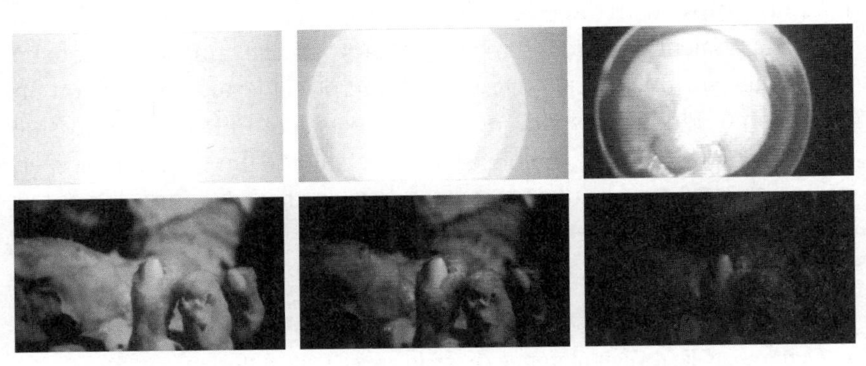

45 Flash révélant des détails macabres : *Massacre à la tronçonneuse* (Tobe Hooper, 1974).

Wonder Woman

À plusieurs reprises dans le film de Patty Jenkins (2017), lors de la rencontre entre Arès (David Thewlis) et Wonder Woman (Gal Gadot), cette dernière visualise, comme en un rêve éveillé, quelques moments importants de son passé : le champ de bataille, la déchéance d'Arès, Isabel Maru (Elena Anaya) au laboratoire ou le général Ludendorff (Danny Huston) en pleine réflexion. Afin d'apporter une touche de magie au visuel, la réalisatrice a travaillé de manière particulière chaque entrée et sortie de séquence. Tournant autour de l'idée du flash et de la lumière divine, elle va par exemple rajouter une sorte de gonflement de l'image en même temps que celle-ci s'éclaircit. Une dominante jaune va souligner un flash. Ou bien, plus simplement, elle raccordera le flash de liaison aux éclairs puissants émis par la main d'Arès.

Si l'idée est bien de faire original, de créer quelque chose de « magique » en accord avec le récit, tant au niveau de l'image que du sound design, certains diront que ces effets sont tout de même un peu vains là où de simples cuts auraient suffi. D'autres soutiendront que travailler chaque détail visuel est aussi important que de travailler chaque détail du décor ou du scénario, permettant ainsi d'aller jusqu'au bout de l'idée d'un film de genre, qui plus est fantastique. Le débat reste ouvert...

Flou

Il fut un temps où les directeurs de la photographie, pour rajouter du flou à l'image, usaient d'artifices directement au tournage : une légère couche de vaseline sur une partie précise d'un filtre placé devant l'objectif ou un bas nylon tendu lui aussi devant l'objectif[1] faisaient l'affaire. Aujourd'hui, dans la majorité des cas, le flou est soit le résultat d'une manipulation en postproduction, soit celui d'une profondeur de champ réduite.

Il peut servir à isoler dans un plan des éléments spécifiques en les faisant ressortir par leur netteté[2]. Mais il peut également exprimer l'hu-

1. Dans ce cas-là, il s'agit plutôt de ce qu'on appelle une diffusion.
2. Voir au chapitre 1 « Notions techniques liées à la prise de vues », la section 1.1 « La profondeur de champ ».

meur ou le ressenti d'un comédien au moment d'un malaise, du réveil ou de l'endormissement, et même être l'expression d'une vision défaillante.

Docteur Jivago

David Lean a parfois utilisé quelques procédés dans ses films, mais ce qui est assez étonnant, c'est que dans *Docteur Jivago* (1965), le cinéaste plaque un effet de flou assez hideux sur toute une séquence, vraisemblablement dans le but d'isoler les personnages. Cette scène, qui se situe dans la deuxième partie du film, est celle des retrouvailles de Jivago (Omar Sharif) et Lara (Julie Christie) à Yuriakin. En pourtour d'image, sur les quelques plans de leur promenade intime à travers la ville, on observe une espèce de diffusion (sûrement obtenue avec de la vaseline) qui ne fonctionne absolument pas... À tel point même que parfois, les personnages empiètent maladroitement sur cet effet de cadre. Lean reprendra un effet similaire une vingtaine de minutes plus tard, lorsque Yuri délire, isolant ainsi sur deux gros plans le visage du docteur.

Snake Eyes

Julia Costello (Carla Gugino) assiste au meurtre du secrétaire d'État à la Défense dans *Snake Eyes* (illus. **46**). Elle est myope. Lors de l'attentat, ayant perdu ses lunettes, elle ne voit donc plus grand-chose de loin. Cette myopie, que l'on découvre concrètement lors d'une longue scène à l'intérieur du casino, est matérialisée par de nombreux plans subjectifs flous. En effet, à chaque fois que Julia essaie de comprendre qui est en face d'elle, Brian de Palma nous montre en contrechamp des plans totalement flous, dans lesquels il est impossible d'identifier qui que ce soit. Le réalisateur va bien évidemment en jouer et construire pendant de très longues minutes un suspense autour de cette confusion visuelle : Julia ne saura jamais si celui qui est à ses trousses est digne de confiance ou non.

46 Plan subjectif flou : *Snake Eyes* (Brian De Palma, 1998).

Elephant

À la fin d'*Elephant* (2003) de Gus Van Sant, Alex (Alex Frost), un des deux tueurs, parcourt les couloirs du lycée à la recherche des derniers survivants tandis que de leur côté, Nathan (Nathan Tyson) et Carrie (Carrie Finklea) cherchent un moyen de s'extraire de cet enfer, sans alerter les deux meurtriers. Malheureusement, alors que le couple s'approche de la cantine, apparaît derrière eux au fond du couloir, dans le flou, une silhouette qui semble armée. Pris de panique, les deux jeunes gens s'enfuient en sortant du cadre par la droite. Puis la silhouette, que l'on identifie comme étant celle d'Alex, devient de plus en plus nette au fur et à mesure qu'elle se rapproche de la caméra. Ne semblant pas avoir vu les deux autres, Alex, sur lequel le point est maintenant fait, finit par aller s'asseoir dans la cantine déserte.

Le long flou d'une quarantaine de secondes dans lequel avance le tueur est en fait une toute petite partie d'un plan séquence qui, lui, dure plus de trois minutes et se trouve être le dernier plan du film (hors générique de fin). Ce plan débute donc en large avec Nathan et Carrie courant vers nous. Arrivés près de la caméra, eux sont nets tandis que l'arrière-plan, du fait de la profondeur de champ réduite, est totalement flou. C'est dans cette sorte de matière visuelle un peu molle et irréelle qu'apparaît le tueur. Le cadre restant fixe et le point ne bougeant pas, c'est lui qui va venir chercher la netteté du point, tout près de la caméra. Sa longue déambulation vers le spectateur, même si elle fait monter une tension certaine, peut nous faire espérer que les deux jeunes gens auront le temps de s'enfuir loin du tueur. Pendant ces 40 secondes le temps semble suspendu, puis lorsqu'Alex devient net, la terrible réalité des événements reprend le dessus...

Colorimétrie

Les effets visuels faisant intervenir des réglages colorimétriques permettent soit d'augmenter l'intensité de la couleur d'un ou de plusieurs plans, voire d'une séquence entière, soit de diminuer cette même intensité jusqu'à l'obtention d'une image noir et blanc. Ces changements d'intensité peuvent être progressifs ou cut.

Hautement signifiante, cette technique a souvent une valeur temporelle, la perte de couleur ramenant généralement le récit dans le passé, à la faveur d'un flash-back parfois mélancolique ou nostalgique. À l'opposé, l'intensification de la couleur serait plutôt le symbole d'une vie présente. D'autres utilisations de la colorimétrie peuvent provenir du symbolisme populaire des couleurs (le rouge pour la passion ou le danger, le vert pour la nature, le jaune pour le soleil et la chaleur, etc.).

Nosferatu le vampire

En 1922, Murnau colorise des séquences entières de son *Nosferatu le vampire* (à l'origine en noir et blanc), afin de donner des repères temporels au spectateur : l'orangé, par exemple, pour les scènes se déroulant de jour ou de nuit mais en intérieur sous une lumière artificielle, ou le bleu pour les scènes de nuit en lumière naturelle[1].

1. La convention du bleu pour la nuit est encore largement utilisée aujourd'hui.

Réincarnation

Dès la séquence prégénérique de *Réincarnation* (2005), Takashi Shimizu plonge le spectateur dans ce que sera l'ambiance du film : alors que le monde normal, celui d'aujourd'hui, est filmé dans des tons naturalistes et chaleureux mais sans effet particulier, un autre monde va semble-t-il cohabiter avec lui, un monde dont la couleur à dominante verte ou jaune est particulièrement contrastée.

Dans cette histoire, où un réalisateur (Kippei Shiina) recrée pour son film les meurtres commis dans un hôtel trente-cinq ans plus tôt, la jeune actrice Nagisa Sugiura (Yūka), qui joue le rôle principal, va se mettre à revivre chacune des situations passées. Plongée malgré elle dans cet univers morbide, Nagisa va évoluer dans un monde différent, aisément identifiable grâce à ses dominantes de couleur et sa texture granuleuse.

Takashi Shimizu, qui a tourné avec deux pellicules différentes (l'une de 100 ISO, l'autre de 500), a également de toute évidence demandé un traitement particulier (vraisemblablement « sans blanchiment »[1]) au laboratoire pour le développement du négatif des séquences hallucinatoires. Le but étant évidemment de ne pas perdre les spectateurs dans cette histoire labyrinthique et complexe, où les allers-retours entre passé et présent, entre vie réincarnée et vie réellement vécue, sont particulièrement imbriqués.

A Single Man

Dans *A Single Man* (2009), son premier film, Tom Ford utilise avec une certaine habileté un jeu autour des couleurs et de leur intensité. Si le présent est de prime abord légèrement désaturé avec des dominantes de marron ou de gris, le passé semble, lui, beaucoup plus chatoyant. Mais en y regardant de plus près, on comprend que les choses ne sont pas aussi simplistes. Ainsi, la séquence où George

1. Voir le glossaire en fin d'ouvrage.

Falconer (Colin Firth) arrive au Département d'anglais de son université : alors que la secrétaire, une jeune fille à la chevelure blonde très « *sixties* » (le film se passe en 1962), lui dit qu'elle a donné son adresse à un étudiant et s'en excuse, il la regarde avec insistance. Fixant d'abord ses magnifiques yeux verts habilement maquillés (gros plans au ralenti), George la complimente sur sa beauté. Puis il lui parle de son sourire ravissant et au gros plan d'œil succède un gros plan de sa bouche, sur laquelle est réalisé un effet simple mais particulièrement efficace : lorsqu'elle se met à sourire, son rouge à lèvres passe (en fondu) d'un rose désaturé à un rouge intense. Tom Ford utilisera plusieurs fois cet effet tout au long du film : lorsque George voit les torses nus des joueurs de tennis, quand il découvre le visage de Kenny (Nicholas Hoult) lors d'un cours d'amphi (gros plan des yeux), lorsqu'il rencontre Carlos (Jon Kortajarena) et fume avec lui (gros plan de bouche). Et deux autres fois, mais de façon presque invisible, lorsqu'il est de nouveau confronté à Kenny lors d'une première discussion et plus tard, dans le bar The Starboard Side. Cette saturation des couleurs chaudes est également systématiquement utilisée pour les flash-back avec son compagnon Jim (Matthew Goode) ou lorsqu'il se retrouve avec Charlotte (Julianne Moore), sa meilleure amie.

Ce n'est donc pas spécialement le présent ou le passé qui donnent une teinte spécifique aux plans ou aux séquences, mais bien plutôt la façon dont Georges ressent et reçoit chacun des moments qu'il vit. Certains moments lui rappelant immanquablement les chers instants passés avec Jim, ce sont les résurgences du passé qui influent sur les visions du présent, en les rendant plus joyeuses. À noter d'ailleurs que les scènes avec Jennifer, la fillette voisine de George, fonctionnent de la même manière, comme si l'enfance était également le symbole de l'insouciance et d'une vie agréable. Le jeu des couleurs entre nostalgie et mélancolie est donc particulièrement complexe mais fonctionne ici à merveille. Jusqu'au dernier plan, derniers instants de George, où la colorimétrie intense redescend jusqu'à la monochromie.

Image négative (inversion des couleurs)

L'image négative est un traitement en lien direct avec le laboratoire argentique transposé aujourd'hui en postproduction grâce au numérique. L'image négative, qui est une inversion des couleurs de l'image positive, fait directement référence à la synthèse additive utilisée au cinéma et dont les couleurs primaires sont le rouge, le vert et le bleu (RVB). Ainsi, dans une image négative chaque couleur prend la valeur de sa complémentaire : le rouge devient cyan, le vert devient magenta, le bleu devient jaune. En noir et blanc, le blanc devient noir et inversement.

La signification générale de l'image négative fait plutôt référence de manière très symbolique à l'expression d'une différence importante, voire d'un contraire ou d'un opposé : l'anormalité face à la normalité, la méchanceté face à la gentillesse, la violence face au calme, etc.

Alphaville

Quand un film de Jean-Luc Godard flirte avec le cinéma expérimental, cela donne par exemple *Alphaville* (1965), un faux polar aux allures de récit de science-fiction. À moins que ce ne soit l'inverse. Du coup, lorsque le réalisateur nous laisse à voir des plans qui sont le négatif noir et blanc de ce qu'il a tourné, on se pose forcément la question de la signification. Pure forme esthétique ou point clé de la narration ? Ici, ce sont six plans qui subissent ce traitement, tous en relation directe avec Lemmy Caution (Eddie Constantine). Comme si ce personnage venu d'ailleurs était le seul à Alphaville à ressentir des sentiments positifs, contraires à ceux que ressentent les habitants de cette cité déshumanisée, les plans négatifs n'étant plus que les quelques points de friction ressentis par Lemmy Caution avec sa vraie vie – des sortes de résurgences de ce qui existe ailleurs, dans les pays extérieurs.

Preuve en est, lorsque par exemple le détective réussit à s'échapper du laboratoire d'interrogatoire après avoir éliminé trois sbires d'Alpha 60 et que celui-ci se retrouve à l'extérieur du bâtiment dans un plan en négatif (un panoramique droite gauche) tourné de l'intérieur d'une voiture. Tandis que Lemmy Caution s'approche du véhicule et découvre le conducteur, le plan repasse en positif, comme si le fait d'être à nouveau subitement en contact avec des habitants d'Alphaville lui faisait perdre son humanité, sa liberté, sa poésie.

Cette interprétation est peut-être la bonne mais comme Godard ne donne jamais vraiment d'explication ou de « mode d'emploi » de son cinéma, y compris dans son écriture filmique, elle pourrait aussi bien être tout autre...

Le Couvent de la bête sacrée

À la fin du *Couvent de la bête sacrée* de Norifumi Suzuki (1972 – illus. **47**), Maya Takigawa (Yumi Takigawa) décide de faire justice elle-même afin de venger la mort de sa mère, Michiko Shinohara (Kyôko Negishi). Ayant révélé au prêtre Kakinuma (Fumio Watanabe) qu'elle connaît la vérité, celui-ci est soudainement foudroyé par un coup mortel porté dans son dos. Le fantôme de Michiko vient de frapper ; le prêtre s'écroule dans un montage d'images stroboscopiques de plus en plus rapide, alternant négatif et positif. Tout cela sur quelques notes de piano et avec, en fond de décor, l'ombre portée d'une croix.

47 Image négative :
Le Couvent de la bête sacrée (Norifumi Suzuki, 1972).

Symbole indubitable du passage dans l'au-delà, les images négatives permettent au réalisateur d'exprimer la violence de la justice divine. Alors que les nonnes ont infligé des punitions tout au long du film en se contentant d'invoquer le châtiment divin, cette fois-ci, à l'évidence, c'est Dieu lui-même qui, sous les traits de Sœur Marie-Michiko, vient rendre sa propre justice.

La Maison des 1 000 morts

Film d'horreur particulièrement gore, *La Maison des 1 000 morts* (Rob Zombie, 2002) utilise l'image négative parfois jusqu'à la nausée. Dès le début, l'effet est associé sans équivoque à l'épouvante et à la mort : alors que les quatre jeunes gens à la recherche d'une station-service viennent de dépasser des pancartes annonçant le *Musée des monstres du Captain Spauldings* – « Si vous habitiez ici, vous devriez déjà être rentré »[1] –, une succession d'images en négatif, évoquant justement les monstres, vient perturber la chronologie de l'histoire. Ce sont trois plans de lettrages (« *experience real life horror* », « *won't believe your eyes* », « *Museum* ») qui s'imposent au spectateur, entrecoupés d'un plan de visage inquiétant. Le décor est planté et les symboles aussi. Disséminées tout au long du film, les images négatives servent aussi de liens entre les plans de nuit pour fabriquer des flashes anxiogènes, l'inversion de ces plans faisant passer les images de la nuit noire en images très lumineuses. Et puis, deux séquences particulièrement longues sont faites exclusivement de plans en négatif : le cauchemar de Denise (Erin Daniels) dans lequel elle découvre la tombe du Dr Satan et plus tard, l'arrivée des flics (Tom Towles, William Bassett) et de Don Willis (Harrison Young) à la maison des dingues. Parfois, il semblerait que cet effet ait été également utilisé dans le seul but de redynamiser une séquence ou un montage un peu mous, le film frisant souvent l'hystérie grâce à un montage épileptique et furieusement cut.

Rob Zombie a donc sans hésitation servi aux spectateurs un effet qui revient tout au long du film tel un leitmotiv, une balise pas forcément nécessaire mais dont la symbolique appuyée permet tout de même de maintenir l'histoire au niveau de stress recherché.

Accéléré

Les accélérés sur des images, des plans ou des séquences entières peuvent être effectués aussi bien à la prise de vues qu'en postproduction. Lors du

1. « *If you lived here you'd be home by now.* »

tournage, il faudra déterminer quelle cadence la caméra doit adopter en fonction de l'effet souhaité. La cadence de 24 ou 25 images par seconde devra forcément descendre en dessous (à 12 images par seconde le mouvement sera deux fois plus rapide). Dans le cas d'un ultra-accéléré, on parlera de time-lapse, la caméra ne prenant par exemple qu'une image toutes les heures. Dans ce cas, pour fabriquer 1 seconde de film il faudra effectuer la prise de vues sur 24 heures. Cet effet peut être également réalisé en postproduction : ce sera alors l'ordinateur qui supprimera lui-même un nombre précis d'images en fonction de la vitesse demandée (à 200 % le plan sera deux fois plus rapide).

Souvent utilisé comme effet comique, l'accéléré peut aussi représenter la force (films de super-héros, par exemple) ou être l'expression d'un passage du temps, comme dans le cas du time-lapse.

Démolition et reconstruction du Star Theatre

Alors que le premier accéléré de l'histoire du cinéma est dû à Francis Doublier, un des opérateurs des frères Lumière, avec son film réalisé à Barcelone en 1897 lors d'une corrida[1], le premier time-lapse, lui, est l'œuvre de Frederick S. Armitage. Intitulé *Demolishing and Building Up the Star Theatre* (1901), le film est un plan large du carrefour où est située la salle de spectacle à New York, à l'angle de Broadway et de 13th Street. Débutant à vitesse normale, le plan s'accélère soudain, montrant le bâtiment grignoté étape par étape par la démolition, pour arriver environ une minute plus tard à une excavation où plus aucune trace du bâtiment ne subsiste. Puis le plan repart en marche arrière, comme si le Star Theatre se reconstruisait lui-même.

Les prises de vues ont consisté en un déclenchement d'une image toutes les 4 minutes, 8 heures par jour, pendant un mois. Le but étant bien ici de montrer ce qu'un œil normal ne peut que difficilement concevoir : le passage du temps.

1. Se rendant compte qu'il n'allait pas avoir suffisamment de pellicule pour filmer la totalité de la corrida, l'opérateur ralentit sa cadence de prise de vues en tournant la manivelle de la caméra deux fois moins vite.

Arrête ton char... bidasse !

Très souvent utilisé dans les années 1960-1970, l'accéléré à visée comique eut son heure de gloire avec l'explosion des comédies franchouillardes. Le navrant *Arrête ton char... bidasse !* (1977) n'échappe évidemment pas à cette folie. Il était en effet de bon ton à l'époque, pour amuser la galerie, d'accélérer des plans de véhicules roulant ou de personnages courant. Au début de ce désopilant métrage de Michel Gérard, le colonel Lessard (Darry Cowl) monte dans sa Peugeot 404. Soudain, tractée par le véhicule militaire du capitaine Marcus (Pierre Tornade), la voiture du colonel se sépare en deux. Dépité, le colonel resté sur place voit s'éloigner à grande vitesse l'avant de son véhicule qui finit par s'échouer lamentablement sur la pelouse de la caserne. Filmé en plan large afin de profiter pleinement de l'impression de vitesse, l'effet d'accéléré sur la demi-voiture est sans surprise (le moment où la voiture se coupe en deux est beaucoup plus « impressionnant »), mal cadré et d'une banale tristesse.

Alors que cet accéléré était au départ destiné à faire rire, les années passant on aurait plutôt tendance à vouloir le ranger au rayon des mises en scène navrantes. Preuve une fois de plus que l'humour, surtout celui-là, a le plus grand mal à bien vieillir.

Only Lovers Left Alive

Dans cette histoire d'amour vampire de Jim Jarmusch (2013), la vitesse des mouvements a une importance certaine. Alors que le ralenti est plutôt réservé à Eve (Tilda Swinton), l'accéléré, le seul du film d'ailleurs, est l'apanage d'Adam (Tom Hiddelston). Dans un club de Détroit, le couple est venu écouter de la musique en compagnie d'Ava (Mia Wasikowska), la jeune sœur d'Eve, et Ian (Anton Yelchin), un humain qui vend des guitares vintage à Adam. Alors qu'Ava propose à Ian de boire ce que l'on comprend être du sang, Adam, dans un mouvement ultra-rapide, lui confisque la petite bouteille en métal.

Destiné à exprimer les performances physiques hors normes du vampire mâle, le mouvement, qui d'habitude prendrait 1 à 2 secondes, a été réduit ici à 12 images en postproduction. Scindé en deux grâce à un raccord excessivement précis, il donne l'impression d'être encore plus rapide.

Films muets

Si les films muets ont tous l'allure de films accélérés, c'est parce qu'à l'époque la cadence de tournage pouvait varier de 16 à 20 im/s (les caméras ne possédant pas de moteur, l'entraînement de la pellicule se faisait manuellement en tournant une manivelle), alors qu'aujourd'hui la cadence de projection est de 24 ou 25 im/s. Ce qui revient donc, lorsqu'on projette un film muet à la vitesse d'un film moderne, à une accélération d'environ 125 %.

Ralenti

Le ralenti peut être réalisé de deux manières différentes :

- à la prise de vues : dans ce cas le plan, filmé à une cadence supérieure à la cadence normale[1] de 24 images par seconde, montrera des mouvements ralentis à la projection ;
- en postproduction : dans ce cas le plan, tourné en vitesse normale, est ralenti après coup.

La différence entre les deux manières réside dans la texture même de l'image, bien définie dans le premier cas mais plus floue dans le deuxième cas. En effet, lorsqu'on tourne à 48 images par seconde par exemple (c'est-à-dire deux fois plus vite que la normale), la caméra enregistre plus d'informations à la seconde qu'en vitesse normale. Résultat : les images ont une meilleure définition et les mouvements semblent plus nets.

Les plans ralentis ont de multiples significations, de l'évocation nostalgique du passé à la description approfondie d'un élément spécifique, mais ils ont tous un point commun, celui de fabriquer des images sur lesquelles le spectateur, de façon antinomique, devrait prendre le temps de s'arrêter.

1. Il ne faut pas confondre vitesse et cadence (voir ces mots dans le glossaire à la fin de l'ouvrage).

Motion blur

Le flou de mouvement, plus visible dans le cas d'un ralenti réalisé en postproduction, est appelé motion blur dans la chaîne de trucages. Il a été mis en évidence et recréé par Jim Danforth sur l'animation des animaux préhistoriques de *Quand les dinosaures dominaient le monde* de Val Guest en 1970[1]. Le motion blur est aujourd'hui réalisé par ordinateur dans le cas d'animations en images de synthèse.

La Cité des femmes

En chute libre sur le toboggan de ses souvenirs, Snàporaz (Marcello Mastroianni) se remémore ses premiers émois sexuels. Au milieu de ceux-ci figure en bonne place la dame de 1933, se changeant sur une plage.

À deux pas de la mer, quatre chenapans espionnent l'intérieur d'une cabine de plage par un trou pratiqué dans sa paroi. Alors que la jeune femme qui est à l'intérieur s'apprête à en sortir, les garçons reculent brusquement et l'observent en train de franchir le seuil de la cabine : sublime dans son maillot bleu turquoise assorti à son bonnet de bain, faux-cils, yeux en amande et rouge aux lèvres, celle-ci se dirige au ralenti vers la mer. De dos, perchée sur ses talons, elle adresse un dernier signe de la main à l'intention des enfants... ou des spectateurs (illus. **48**). En trois plans de la jeune femme (deux plans épaules et un plan large), tous ralentis, Federico Fellini a réussi à sublimer la notion de souvenir. Il en a fait une image onirique, légèrement nostalgique[2] et certainement beaucoup plus belle que dans la réalité (voir le décor tout en studio avec la mer magnifique faite de cellophane bleu). La séquence est d'ailleurs à ce titre particulièrement intéressante car construite uniquement autour du suspense de la découverte du visage de la jeune femme. Et lorsque le plan arrive, serré sur la porte

---

1. « Le fait de filmer le ptérodactyle accroché à des fils devant un fond projeté s'est avéré être une bonne chose. J'ai trouvé que je pouvais commencer à faire balancer légèrement la marionnette juste avant de déclencher la caméra. Ce qui a donné un flou très naturel aux ailes du ptérodactyle » (Jim Danforth interviewé par Peter Cook pour *Matte Shot* en 2012).
2. Le personnage de Snàporaz, parlant de ce grand toboggan du souvenir, en dira même : « *C'était le moment le plus agréable.* »

48 Ralenti : *La Cité des femmes* (Federico Fellini, 1980).

entrouverte, il faudra que le spectateur attende encore près de 2 secondes avant de voir apparaître ce visage lumineux sorti d'une revue de mode. Montage, découpage et ralenti sont ici utilisés avec une grande dextérité pour exprimer en moins d'une minute un épisode de la vie d'un homme, dont les souvenirs hésitent entre fantasme et réalité.

Blade Runner

On se souvient tous des derniers instants de Roy Batty (Rutger Hauer), le dernier des réplicants, dans *Blade Runner* (1982) de Ridley Scott. Un magnifique gros plan de nuit, sous la pluie. Un androïde qui évoque, avec bien plus d'émotion que n'importe lequel des êtres humains de 2019, les beautés de l'univers, croisées dans sa vie antérieure. Et puis une dernière phrase : « *Tous ces instants seront perdus dans le temps, comme les larmes dans la pluie... Il est temps de mourir.* »[1] Il baisse ensuite la tête dans un plan au ralenti et meurt.

Eh bien, les autres réplicants femmes[2] du film mourront aussi au ralenti. La première, Zhora (Joanna Cassidy), abattue par Deckard

1. « *All those moments will be lost in time like tears in rain... Time to die.* »
2. Le quatrième, Leon (Brion James), qui est un modèle mâle, est tellement dénué d'empathie et de sentiments quelconques qu'il mourra brutalement d'une balle dans la tête, sans autre forme de procès, ni fioriture !

(Harrison Ford) après une course-poursuite dans les rues de Los Angeles. Neuf plans au ralenti se succéderont, alternés avec des plans de Deckard tirant sur la réplicante. Cette façon de filmer rend finalement l'androïde beaucoup plus humaine, puisqu'elle la montre souffrant dans une course éperdue pour sauver sa vie.

La deuxième, Pris (Daryl Hannah), même si elle s'avère beaucoup plus coriace (ses soubresauts sur le sol sont terribles et d'une étrange violence), mourra elle aussi au ralenti, dans un dernier spasme.

Le ralenti, moyen a priori artificiel de représentation du réel, est ainsi utilisé ici avec cohérence et empathie pour des êtres dont on nous dit pourtant qu'ils en seraient privés.

Elephant

Par trois fois, et en seulement trois petites parenthèses de 7 à 17 secondes, Gus Van Sant interrompt le récit d'*Elephant* de manière presque conceptuelle à l'aide de trois ralentis. Le premier, intégré au plan fixe face au terrain de foot, voit Michelle (Kristen Hicks) entrer en courant dans le plan par la gauche, s'arrêter, lever la tête vers le ciel menaçant en fermant les yeux et goûter avec délectation (elle sourit) ce moment si particulier qui n'appartient qu'à elle, puis repartir, heureuse d'avoir profité de la vie. Le deuxième ralenti commence au moment où Nathan (Nathan Tyson) croise un groupe de trois filles dans un couloir du lycée. L'une d'elles, regard aguicheur et doigt sur les lèvres, prononce « *He's so cute* »[1], puis la caméra passant devant Nathan afin de le précéder en un travelling arrière, celui-ci se retourne avec un sourire et continue son chemin. Le troisième enfin débute au moment où, à l'extérieur de l'établissement, John (John Robinson) appelle le chien d'un de ses camarades et le fait sauter en l'air.

En une quarantaine de secondes réparties sur seulement trois plans, le réalisateur réussit à projeter une multitude de symboles extrêmement signifiants. Tout d'abord, la structure du film fonctionnant essentiellement sur l'imbrication de longs plans séquences au steadycam, ces passages sont

1. « Il est trop mignon… »

conçus comme des moments de vie, de minuscules parenthèses, à savourer avant l'horreur. Si l'on y regarde d'un peu plus près on se rend compte que le premier plan concerne l'élève la plus introvertie du lycée – Michelle, donc. Alors qu'elle ne tisse aucun lien avec personne, et n'a donc rien à voir avec les tueurs, elle sera pourtant la première à périr sous les balles. Et comme une prémonition, Gus Van Sant nous l'annonce à travers la bande son puisque sur ce plan est montée la *Sonate pour piano n° 14* de Beethoven, musicien que l'on retrouvera un peu plus tard sous les doigts d'un des tueurs, Eric, jouant *Lettre à Élise*. Le deuxième plan, en revanche, est un pur moment de vie où la séduction et le désir – aux antipodes des événements monstrueux qui vont se produire – sont les marqueurs incontournables de l'adolescence. Quant au troisième et dernier moment ralenti, alors que les deux autres ont la même durée (17 secondes), il ne dure que 7 secondes. Ce petit moment de bonheur simple est interrompu par l'apparition des deux jeunes tueurs (Alex Frost et Eric Deulen) arrivant au fond du plan. Fonctionnant lui aussi comme une sorte d'avertissement prémonitoire, ce ralenti en partie avorté sera le dernier avant la tuerie.

Loin des clichés sur le ralenti évocateur de sentiments nostalgiques, Gus Van Sant a su renouveler avec intelligence et pertinence l'utilisation de cette figure de style pourtant presque aussi vieille que le cinéma.

Matrix & Cie

L'extrême ralenti en trois dimensions popularisé par *Matrix* (1999) et autrement appelé bullet-time[1] fait partie de ces effets visuels tellement spécifiques qu'ils sont à utiliser avec parcimonie (illus. **49**). Pour le film des Wachowski, il permet, entre autres, de mettre en évidence les pouvoirs surnaturels du personnage de Neo (Keanu Reeves), ou plutôt son statut très particulier d'Élu.

1. Créé à l'origine par l'artiste photographe Emmanuel Carlier en 1995, le bullet-time est réalisé à l'aide d'une cinquantaine d'appareils photographiques (ou même plus) placés en cercle autour d'un personnage et déclenchés très précisément au moment d'une action. Réassemblé ensuite dans une suite continue d'images, il donne cette impression d'avoir arrêté le temps à un moment précis.

49 Bullet-time : *Matrix*
(Andy et Larry Wachowski, 1999).

Utilisé, depuis, dans pléthore de petits films de série B un peu prétentieux, le bullet-time est devenu l'effet des réalisateurs en manque d'imagination ou des productions sans scrupule.

Ainsi, le très zombiesque *House of the Dead* (Uwe Boll, 2003), compte pas moins d'une quinzaine de bullet-time mais dont les trois quarts sont des faux – des imitations très simples à réaliser puisqu'il suffit d'effectuer un travelling circulaire autour d'un comédien et d'ensuite le ralentir !

À l'opposé, le *Wonder Woman* de Patty Jenkins détourne, parfois avec élégance, le concept même du bullet-time. Dans la séquence où la reine Hippolyte (Connie Nielsen) raconte à sa fille (Lilly Aspell) l'histoire des Amazones, son propos est illustré par une longue séquence en images de synthèse hyperréalistes. En une dizaine de plans ralentis à l'extrême, et dont l'inspiration puise ses sources dans la peinture de la Renaissance, la réalisatrice parvient à captiver le spectateur tout en offrant un spectacle plutôt original pour un film de super-héros. Malheureusement, celle-ci n'hésite pas à abuser du bullet-time[1] – ou de son imitation – lors des multiples combats qui émaillent le film.

Image arrêtée (ou image figée)

Le principe : un plan se déroule normalement, puis on fige une des images de ce plan durant un certain laps de temps, en fonction de ce que l'on veut exprimer. Ensuite, le plan repart dans sa continuité ou bien on passe à un autre plan. Dans les génériques de film, les images arrêtées permettent de présenter les comédiens et/ou les personnages.

Génériques

Les images arrêtées dans les génériques de fin ou de début sont de deux ordres. Le premier, le plus répandu, consiste à figer l'image d'un personnage, le plus souvent en pleine action, afin de présenter le comédien. Mais avec *Le Bon, la Brute et le Truand*, Sergio Leone a choisi de procéder légèrement différemment. En effet, c'est seulement après avoir fait dérouler son générique de début, très graphique, qu'il va présenter les personnages et uniquement les personnages (les comédiens, eux, ayant donc déjà été cités précédemment dans le générique) : à la cinquième minute, un homme, Tuco (Eli Wallach), passe à travers une vitre qui vole en éclats. Image arrêtée de l'homme se redressant ; à l'écran, à côté de lui, apparaissent en rouge les mots THE UGLY (le Truand). Seizième minute, le tueur au chapeau noir (Lee Van Cleef) vient d'exécuter son dernier contrat, il rit ; image arrêtée, à droite de l'écran apparaissent en rouge les mots THE BAD (la Brute). Vingt-huitième minute, celui que l'on surnomme blondin (Clint Eastwood) vient d'abandonner Tuco en plein désert. Alors qu'il se fait copieusement insulter par le bandit, son image se fige sur un gros plan où il sourit ; image arrêtée, à droite de l'écran apparaissent en rouge les mots THE GOOD (le Bon). Sergio Leone présente ici ses personnages presque à la manière d'un livret de théâtre. Le spectateur connaît

1. En reprenant allègrement l'idée de la balle de fusil qui arrive au ralenti ou du personnage qui se penche en arrière pour éviter le danger !

déjà le nom des comédiens, ne reste donc plus qu'à lui présenter les rôles. En les situant dans l'action, le réalisateur choisit de justifier le titre de son film en les affublant ironiquement d'une sorte de sobriquet, un peu à la manière d'une fable, plutôt violente et sarcastique. Le décor et les personnages étant d'ores et déjà plantés, le film peut enfin commencer !

Une autre manière consiste à figer une image – la dernière du film – sur le ou les héros avec lesquels on vient de passer de longues minutes afin d'ouvrir naturellement l'histoire sur de nouvelles perspectives.

Si dans des films comme *Rocky 1, 3 & 4*, l'image arrêtée de fin sur Rocky (Sylvester Stallone) permet d'espérer une suite, dans un film comme *Butch Cassidy et le Kid* (George Roy Hill, 1969) l'image finale est tout autre : Butch (Paul Newman) et le Kid (Robert Redford), réfugiés dans un bâtiment à la suite des assauts de l'armée bolivienne, décident de tenter une dernière sortie. Armés de leur courage et de deux pauvres revolvers, ils se précipitent à l'extérieur sous le feu nourri des militaires. Image arrêtée : les deux hommes apparaissent en pleine action, semblant poser pour la postérité. Puis l'image vire lentement au sépia et zoom arrière découvrant la totalité de la place sur laquelle s'est jouée la fin de leur aventure[1]. Une manière comme une autre de signifier, finalement, que l'aventure continue mais cette fois-ci à travers la légende qu'ils ont construite.

Smoking / No smoking

De manière pratiquement identique, dans les deux longs métrages d'Alain Resnais, *Smoking* et *No smoking* (1993), le début de la toute première séquence de chacun de ces deux opus intègre la même image arrêtée.

Celia Teasdale (Sabine Azéma), qui est occupée par le traditionnel nettoyage de printemps de sa grande demeure, sort dans le jardin prendre une pause. Ramassant le paquet de cigarettes qui traîne par terre, elle hésite un instant avant de se laisser tenter ou non. Le découpage du premier film, *Smoking*, se déroule ainsi : fin de travelling latéral et plan

1. Une scène qui d'ailleurs vient faire écho à celle où on les voit, au milieu du film, se jeter d'une falaise pour atterrir dans une rivière afin d'échapper à leurs poursuivants.

américain de Celia qui se tourne vers le paquet ; plan moyen/gros plan en aller-retour sur le paquet de cigarettes ; plan moyen de Celia qui se dirige vers le paquet ; travelling avant sur le paquet de cigarettes pour finir en gros plan ; plan épaules de Celia arrivée près du paquet ; plan moyen du paquet, les mains de Celia s'en saisissent et l'ouvrent, image arrêtée (Celia, en off : « *Oh, et puis merde* ») puis retour à l'image normale ; plan épaules de Celia qui porte la cigarette à ses lèvres et l'allume, visiblement satisfaite.

Le découpage de *No Smoking*, lui, diffère très légèrement puisque deux plans sont supprimés. Mais surtout dans le plan moyen du paquet, à la suite de l'image arrêtée (lorsque l'image revient à la normale), contrairement au premier opus, cette fois-ci les mains de Celia reposent le paquet sans prendre de cigarette.

Cette image arrêtée, au milieu de ces mini-séquences, pose ainsi les règles de tout ce qui va suivre – prendre la cigarette et fumer, ou ne pas la prendre et ne pas fumer –, chacun des deux films allant ainsi dans deux directions différentes. Cette image arrêtée fonctionne donc comme une sorte de préambule portant le récit vers des horizons différents, une manière très cinématographique de prévenir le spectateur : avec ces deux films, nous allons vous raconter (presque) la même histoire mais vue sous des angles différents, où le choix et le hasard ont parfois leur place, comme dans la vraie vie.

Les Affranchis

Dans *Les Affranchis*, Martin Scorsese utilise beaucoup l'image arrêtée. Chez lui, cette image figée permet au narrateur de digresser sur le personnage que l'on voit à l'image, à la manière d'une parenthèse. Elle a aussi, semble-t-il, une véritable fonction de pause au milieu du rythme effréné du film.

Inversion de sens (marche arrière)

L'inversion de sens concerne le sens d'avancement de la pellicule à l'intérieur de la caméra et/ou à la projection. Cette inversion peut être de deux ordres :

- On filme en **marche avant** (c'est-à-dire de façon normale et habituelle), puis on inverse le sens de lecture. La dernière image devient ainsi la première image. Le plan est donc lu à l'envers.

- On filme **en marche arrière**, puis on lit le plan de manière normale. Là aussi la dernière image devient la première image car le plan est lu dans le sens inverse de son enregistrement.

Dans le premier cas, le trucage est réalisé en postproduction. Dans le deuxième cas, il est réalisé au tournage avec une caméra qui filme en marche arrière.

Quelle que soit la technique utilisée, le résultat est sensiblement le même. La différence réside plutôt dans ce que l'on filme :

- Soit on filme un mouvement normal et on l'inverse, la sensation d'inversion étant alors rendue évidente par le sens : par exemple, « une main remet un à un les pétales d'une fleur » est le mouvement inversé de la même main arrachant les pétales de la fleur.
- Soit on filme un mouvement volontairement joué à l'envers et on l'inverse, la sensation étant alors très étrange, comme distordue, puisque le mouvement paraît réel alors qu'en fait il ne l'est pas : par exemple, « un personnage avance normalement en marchant » est le mouvement inversé du personnage que l'on a filmé reculant. Dans cet exemple, la façon de marcher de l'homme paraît très bizarre, et pourtant on le voit bien avancer.

La sensation provoquée par ces deux techniques chez le spectateur sera toujours étrange car le monde décrit et raconté ainsi par le ou la cinéaste, bien que réel, semble irréel : soit les mouvements et les déplacements donnent l'impression d'imiter les vrais, soit ils semblent inversés.

Le Testament d'Orphée

Si Jean Cocteau est un passionné de l'inversion de sens – comme on peut le voir dans *La Belle et la Bête* (1946) avec les bras chandeliers qui s'allument tout seuls, le collier de perles qui « apparaît » dans la main de la bête, Belle qui crève le mur de la chambre de son père, le prince qui ressuscite... –, c'est certainement dans *Le Testament d'Orphée* (1960) qu'il l'utilise le plus complètement. Dans la longue séquence de 15 minutes où intervient Cégeste (Édouard Dermit), ce sont près d'une douzaine de plans qui furent tournés à l'envers. Tout commence lorsque l'homme-cheval entraîne Cocteau dans l'immense carrière. Là, au milieu du camp gitan, une femme entretient un feu dans lequel se matérialise une photo de Cégeste. Récupérant cette image déchirée, l'artiste se dirige vers la mer, dans laquelle il jette théâtralement les morceaux. Des flots sort Cégeste, qui emmène Cocteau vers une maison dans laquelle ce dernier va être mis face à lui-même. En tentant de dessiner une fleur, il exécutera en fait son propre portrait puis, sous l'uniforme d'un doctorant, devra reconstituer entièrement la fleur qu'il a détruite et enfin obéir à Cégeste et le suivre devant le tribunal. La première sous-séquence, qui se déroule au camp gitan, est certainement la plus remarquable de toutes. La sensation étrange qui s'en dégage est essentiellement liée aux deux plans de feu tournés en marche arrière : le premier, un plan moyen dans lequel on ne voit pas le haut du corps de la jeune femme, semble être normal – même si l'on peut trouver l'agitation des flammes quelque peu inhabituelle. En revanche, avec le deuxième plan (serré sur le feu lui-même), on comprend rapidement qu'ils ont été tournés à l'envers : en 40 secondes, la photo de Cégeste renaît de ses cendres (comme le Phœnix, thème récurrent de cette longue séquence) puis saute dans les mains de la gitane qui l'enroule et sort du cadre par la droite. Le plan suivant, celui où la gitane se dirige vers la voyante, semble avoir été lui aussi tourné en marche arrière : la démarche de la jeune femme donne la sensation de ne pas être très naturelle. Après quoi, Cégeste nous apparaît sortant des flots puis se posant sur le bord d'un promontoire rocheux : ce plan a aussi été tourné à l'envers, le comédien sautant en fait en arrière dans la mer.

Plus loin, la sous-séquence dans la maison est également construite autour de plusieurs plans inversés : par deux fois, le drap posé sur le tableau s'enlève tout seul, sortant du cadre par le haut ; dans un plan taille, Cocteau « dessine » à l'aide d'un chiffon sur le tableau noir ; dans un très long gros plan, les mains de Cocteau reconstituent la fleur qu'il a détruite quelques secondes plus tôt et enfin, lors d'un très gros plan, Cégeste s'adresse à Cocteau dans un charabia incompréhensible[1], dans la conti-

1. Remises à l'endroit ses paroles sont les suivantes : « Vous êtes-vous demandé ce qu'il m'arriverait après l'arrestation de Heurtebise et de la princesse ? Avez-vous pensé une minute que vous me laissiez seul et où ? »

nuité directe de sa phrase précédente : « *Vous m'avez laissé seul dans la zone où les vivants ne sont pas vivants, où les morts ne sont pas morts.* »

À l'évidence le réalisateur veut créer de la dissonance, donner du relief et de la rugosité à un film qui pourrait paraître lisse aux yeux de certains (ses querelles depuis les années 1920 avec les surréalistes y sont certainement pour beaucoup[1]). Mais au-delà de l'anecdote, le propos de Cocteau est bien celui d'une prose cinématographique et poétique où l'onirisme doit se confronter inlassablement aux visions du réel. Et l'inversion de sens, un effet parmi tant d'autres, est un de ces formidables outils dont il dispose pour construire son langage.

Dracula

Avec son *Dracula* (1992 – illus. **50**), Francis Ford Coppola s'est très largement inspiré des techniques utilisées par Cocteau un demi-siècle avant lui, allant même jusqu'à copier intégralement certains effets[2]. La première fois que Coppola exploite l'effet d'inversion de sens, c'est lorsqu'une des goules sort littéralement du lit[3] à côté de Jonathan (Keanu Reeves). Plus tard, ce sera sur le personnage de Lucy Westenra (Sadie Frost) à trois reprises : lorsqu'elle se réveille alors que le Comte (Gary Oldman) approche de sa chambre, lorsqu'elle fait une crise en découvrant un bouquet de fleurs d'ail à son chevet et enfin, lorsque Van Helsing (Anthony Hopkins) la force à réintégrer son cercueil avec une croix et des incantations. À chaque fois, il s'agit pour le réalisateur américain de caractériser sans équivoque un personnage passé sous la coupe du comte Dracula. Son comportement, ses déplacements, ses mouvements lorsqu'elle est en hyperémotivité vampirique, filmés à l'envers, donnent au personnage de Lucy une étrangeté en accord parfait avec son état bestial et inquiétant.

1. André Breton dira de sa « capacité poétique » : « Le contenu de sa versification [...] se ramène aux propositions qu'on lit dans les urinoirs. »
2. Voir l'exemple dans l'introduction de la section 8.2 « Effets signifiants (effets visibles) ».
3. Effet également identique utilisé par Jean Cocteau dans *La Belle et la Bête* lorsque Belle se matérialise dans le mur de la chambre de son père.

50 Inversion de sens : *Dracula* (Francis Ford Coppola, 1992).

Twin Peaks, Fire Walk With Me

Dans tout *Twin Peaks*, que ce soit dans le long métrage *Fire Walk With Me* (1992) ou les trois saisons de la série, il est un lieu où tout mouvement (ou presque) est inversé : il s'agit de la Black Lodge. Mais David Lynch va plus loin que tous les cinéastes qui l'ont précédé : non seulement il inverse le sens de lecture des images, mais il intègre également dans ses séquences du son et des paroles. De cette manière, nous voyons et entendons les comédiens parler de façon très étrange, avec des respirations et des accentuations inversées. Pour ce faire, Lynch a procédé de façon très simple : il a fait apprendre à ses comédiens un texte à l'envers[1] qui, lorsqu'on inverse le sens de lecture, redevient le texte normal.

Dans *Twin Peaks, Fire Walk With Me*, les trois séquences se passant dans la Black Lodge ont été réalisées ainsi. Et le nain, par exemple, the Man From Another Place (Michael J. Anderson), personnage principal du lieu, ne parle que de cette manière-là. La Black Lodge est comme une sorte d'inversion du monde réel qu'il est préférable de penser autrement.

1. Par exemple, « Bonjour » devient « Roujonb ».

Morphing et transformations

Lors d'un morphing, un personnage (ou un objet) passe d'un état à un autre de manière fluide. Cette transformation, a priori plus harmonieuse que le fondu enchaîné utilisé jusque dans les années 1980, est entièrement réalisée sur ordinateur : l'opérateur sélectionne certains points clés d'une première image, puis les mêmes points correspondants sur l'image finale. L'ordinateur calcule ensuite les images intermédiaires de manière « réaliste » – c'est l'interpolation.

Une excursion incohérente

Dans une scène d'*Une excursion incohérente* (Segundo de Chomón, 1909), deux domestiques ayant fait une halte dans une auberge avec leurs maîtres discutent autour de la cheminée, quand soudain une des marmites se transforme en tête d'homme. Certainement l'un des premiers « morphing » de l'histoire du cinéma (réalisé en pâte à modeler image par image, ou plus vraisemblablement en argile) en un gros plan de 20 secondes qui vient agrémenter la réalisation complètement délirante du réalisateur espagnol. Évidemment, aucun ordinateur n'est intervenu dans ce plan mais l'esprit du morphing et de la transformation image par image de manière fluide est bien là. Preuve une fois de plus que les envies des cinéastes précèdent de manière évidente les technologies permettant de concrétiser ces idées : c'est parce qu'un créateur ou une créatrice a une idée que des ingénieurs seront mis à contribution pour tenter de trouver une solution technique la plus réaliste possible.

Willow

Le premier véritable morphing du cinéma voit le jour à la fin des années 1980 pour le film de Ron Howard, *Willow* (1988 – illus. **51**). Afin de vaincre la méchante reine Bavmorda (Jean Marsh), Willow Ufgood (Warwick Davis) doit rendre forme humaine à la magicienne Raziel qu'un sortilège maintient dans la peau d'une chèvre. Après de longues incantations prononcées par Willow, la magicienne prend l'apparence de plusieurs animaux pour finir par retrouver son corps de femme. Le morphing est en fait réparti sur quatre plans, entrecoupés d'un contrechamp sur Willow

51 Morphing : *Willow* (Ron Howard, 1988).

maniant sa baguette magique. La transformation débute donc en gros plan sur la tête de la chèvre qui se change en autruche. Puis raccord dans l'axe sur un plan large où l'autruche finit de prendre sa forme définitive. Dans un troisième plan l'autruche, qui arbore maintenant une queue de paon, rapetisse pour prendre l'apparence d'une tortue. Et dernier plan (toujours en large), la tortue qui a cette fois-ci des pattes de félin se transforme en tigre rugissant qui lui-même devient femme.

Afin de faciliter le travail sur certaines transformations trop complexes, les techniciens ont fait l'impasse sur quelques étapes : on ne voit pas la queue de paon apparaître sur l'autruche et la tortue a déjà des pattes de tigre lorsque débute l'avant-dernier morphing. Mais le travail n'aurait pas été crédible sans également une intégration parfaite de ces images numériques dans les plans de référence, tournés en argentique : il fallut donc extraire image par image le morphing de son fond bleu, puis impressionner par laser avec un système de cache/contre-cache chacun des plans truqués.

Un travail d'incrustation qui aujourd'hui, grâce à la chaîne numérique, prendrait à peine quelques heures, mais qui à l'époque dura quatre mois.

Réincarnation

Réincarnation est l'exemple même de ce que le morphing est malheureusement trop souvent devenu aujourd'hui. Ce trucage numérique est en effet utilisé pas moins de sept fois dans le film. Dans le monde parallèle des incarnations, à chaque fois qu'une personne réincarnée meurt, elle se transforme définitivement en sa réincarnation. Par exemple, le personnage du réalisateur Ikuo Matsumura (Kippei Shiina) qui vient de mourir comme Yuya Omori (Hiroto Ito), le fils du tueur, va se transformer en petit garçon. Le morphing, sur environ 2 secondes (que ce soit pour ces personnages-là ou pour les autres), ne fonctionne absolument pas pour deux raisons :

- l'effet n'est pas appliqué que sur les visages, il l'est aussi sur le corps entier – et donc les vêtements –, ce qui accentue son artificialité ;
- la différence de corpulence entre les deux personnages qui doivent fusionner est telle que la transformation est esthétiquement très laide (on a la désagréable impression d'être dans une démo d'effets spéciaux des années 1990).

Le morphing est donc, comme le bullet-time d'ailleurs[1], un effet à utiliser avec parcimonie et seulement si aucune autre solution n'est exploitable pour faire passer l'idée de transformation.

1. Voir plus haut page 235.

Glossaire

À l'image Terme de montage signifiant que l'on monte le son en fonction de ce qui se passe précisément à l'image. Peut être également assimilé à l'expression « à l'image près ».

Amorce Portion de pellicule vierge, voilée ou neutre utilisée par les projectionnistes et les monteurs. Mise en début de bobine, elle permet d'enrouler la pellicule jusque sur les bobines réceptrices sans perdre les premières images utiles. Elle est parfois suivie d'une mire ou d'un décompte pour la projection.

Anamorphose Déformation de l'image par un système optique. Le CinemaScope est une anamorphose.

Bande originale (BO ou bande originale de film – BOF) Uniquement la partie musicale extraite de la bande son du film et très souvent éditée sur CD.

Bande son Continuité sonore du film rattachée à la continuité de l'image. Elle est composée des sons synchrones provenant du tournage, des ambiances, des sons seuls, des bruitages, de la musique, etc. Le premier film véritablement sonore est *Le Chanteur de jazz* d'Alan Crosland (1927).

Basses lumières Correspond à des zones de l'image où il y a peu de lumière et dans lesquelles les détails ne sont plus guère visibles. Analogue à la sous-exposition. Voir également *Hautes lumières*.

Blanchiment Traitement chimique de la pellicule réalisé en laboratoire et permettant d'éliminer les cristaux d'argent. Avec un traitement « sans blanchiment » l'image est plus contrastée avec une texture particulière et granuleuse.

Bobine Longueur de pellicule enroulée sur elle-même autour d'un noyau en plastique et que l'on charge dans un magasin, lui-même placé sur la caméra pour le tournage.

Bruiteur Professionnel qui, lors de la phase de mixage, vient recréer de toutes pièces les bruits manquant au film. Il possède ses propres valises dans lesquelles se trouve tout un bric-à-brac lui permettant de recréer n'importe quel bruit. Il a également à sa disposition dans les auditoriums de cinéma des bacs à gravier, à sable, à feuilles ou autres dans lesquels il viendra marcher ou « courir » en fonction de l'image qu'il a sous les yeux.

Cadence Nombre d'images défilant derrière la fenêtre de la caméra (ou du projecteur) pendant une seconde. La cadence en film 35 mm ou 16 mm est de 24 images par seconde. En vidéo, pour des raisons techniques liées à la fréquence du courant électrique (50 Hz), la cadence est de 25 images par seconde. Au temps du muet, l'entraînement du film étant manuel, la cadence pouvait varier de 16 à 20 images par seconde. La cadence ne doit pas être confondue avec la vitesse (de défilement).

Carton Titre, nom, date ou tout texte apparaissant à l'image. Cette dénomination est héritée du cinéma muet pour lequel les cartons étaient utilisés tout au long des films, souvent pour exprimer les dialogues, le temps qui passe ou donner une indication cruciale.

Chutes Tout ce qui a été tourné (image et son) mais n'a pas été utilisé au montage.

Cinéma numérique Ensemble des normes régissant les œuvres cinématographiques tournées et exploitées en vidéo numérique professionnelle (Full HD, 2K, 4K...).

CinemaScope C'est un format large d'image qui, à l'origine, était de 2,35:1. Au tournage, une lentille spéciale (l'hypergonar) anamorphose l'image en la comprimant en largeur. À la projection, l'image retrouve ses proportions normales grâce à cette même lentille qui, en l'inversant, en permet la décompression (désanamorphose). Ce principe optique, dû en 1926 à un Français, le Pr Chrétien, fut vendu en 1953 à la Fox qui l'utilisa pour la première fois sur *La Tunique*, un peplum de Henry Koster avec Richard Burton. En revanche, le Scope utilisé aujourd'hui (par la marque de caméra Panavision) n'est pas du 2,35:1 mais en fait du 2,39:1.

Clap Sorte d'ardoise reliée par une charnière à une réglette que l'on fait claquer afin d'obtenir un bruit sec permettant la synchronisation future de l'image et du son. Sur l'ardoise sont indiquées les références du film (titre, réalisateur/

trice, directeur/trice de la photo) et celles du plan à tourner (numérotation, jour/nuit, décor).

Compositing Étape d'assemblage de divers éléments visuels provenant de sources variées afin de fabriquer un plan homogène.

Continuité dialoguée (ou scénario) L'histoire complète et la plus précise du film, comprenant les dialogues et toute indication visuelle ou sonore importante pour la narration. Le scénario ne compte que très rarement des indications techniques, de valeurs de plans ou de place de caméra (pour cela, voir *Découpage technique*).

Décompte Portion de pellicule utilisée en projection. Il s'agit d'une succession de chiffres allant de 10 à 3 et décomptant le nombre de secondes restant avant le début du film. Les dernières secondes ne sont pas décomptées visuellement pour permettre au projectionniste d'ouvrir le projecteur sur du noir, juste avant le début du film. Peut être également utilisé en montage. En numérique, le système est identique.

Découpage technique Liste chronologique et exhaustive des plans à tourner. La première traduction graphique de ce document avant le tournage est le storyboard. Le découpage technique est un des documents qui sert à établir le plan de travail.

Découverte Élément de décor (peinture, photo, maquette, séquence filmée) que l'on aperçoit, en arrière-plan de l'action principale, à travers des fenêtres, des portes ou toute autre ouverture.

Dérusher Regarder, lister et annoter la totalité des plans tournés (les rushes) afin de préparer le montage.

Déroulant Texte en mouvement, le plus souvent du bas vers le haut du cadre, utilisé principalement pour les génériques.

DCP (*Digital Cinema Package*) Copie de projection numérique équivalant à la copie de projection 35 mm argentique. Ce package est composé de divers fichiers numériques (image, son, sous-titres...).

Diffusion Effet réalisé directement sur le tournage qui consiste à appliquer un léger flou à l'image, en plaçant devant l'objectif un tissu de type gaze, tulle ou bas nylon. Très en vogue jusque dans les années 1970[1], la diffusion tend à être remplacée aujourd'hui par des techniques numériques.

Eastmancolor Procédé couleur de Kodak concurrent du Technicolor dans les années 1950.

Ellipse Manière de faire passer le temps en omettant de montrer ce qui s'est passé pendant un laps de temps donné. L'ellipse peut donc s'apparenter à un saut dans le temps.

Étalonnage Opération intervenant en toute fin de postproduction et destinée à uniformiser le contraste et la colorimétrie des images afin d'établir la cohérence visuelle du film. L'étalonnage est effectué par un spécialiste appelé étalonneur.

Faire la bulle Mettre la caméra parfaitement horizontale, à l'aide d'un niveau à bulle la plupart du temps incorporé au pied.

Faux raccord Raccord entre deux plans ressenti comme une erreur, voulue ou non (valeurs de plans trop similaires ; mouvements contradictoires d'un comédien ; élément précis de décor, de costume ou de coiffure ayant changé ; règle des 180° non respectée ; etc.).

Flash-back Retour sur une action passée (déjà vue ou non par le spectateur), au milieu de la continuité temporelle du film. À noter que la construction de certains films est tout entière fondée sur le principe du flash-back. Dans ce cas-là, un premier plan, ou une première séquence plus ou moins courte, introduit l'histoire en en donnant la temporalité présente. Tout ce qui suivra sera donc un retour dans le passé.

Flash-forward Anticipation de l'action, au milieu de la continuité temporelle du film. Beaucoup plus rare que le flash-back.

Format de pellicule Il s'agit de la largeur de la pellicule, 70 mm, 65 mm, 35 mm, 16 mm. Les formats réduits (9,5 mm, Super 8, 8 mm) sont plutôt destinés à un usage amateur.

---

1. Cocteau, à propos de *La Belle et la Bête*, dans son journal de tournage : « Après la projection, je gronde Alekan dont la manie de tramer et de diffuser me révolte. C'est le genre artiste, rien ne vaut la sublimation du style documentaire. »

Hautes lumières Zones de l'image très ou trop éclairées et dans lesquelles les détails ont disparu. On dit que l'image est « cramée ». Analogue à la surexposition. Voir également *Basses lumières*.

Hors-champ Tout ce qui n'est pas dans le cadre, qui peut être suggéré et que l'on peut imaginer.

Image off Image « virtuelle » puisque imaginée par le spectateur grâce, le plus souvent, à un son off indiquant qu'une action se déroule hors cadre.

In Tout ce qui est à l'intérieur du cadre.

Louma Système de grue mobile inventé dans les années 1970 par les Français Jean-Marie Lavalou et Alain Masseron. La caméra, fixée à un bras pouvant monter jusqu'à huit mètres de hauteur, est commandée à distance par un seul opérateur qui peut agir sur le cadre grâce à des manivelles, tout en le contrôlant sur un moniteur.

Magasin Sorte de boîte totalement étanche à la lumière extérieure dans laquelle on charge la bobine de film qui va être impressionnée. Ce magasin est ensuite fixé sur le corps de la caméra.

Mire Images géométriques servant à régler les objectifs, les caméras et les appareils de projections. La mire peut être à filmer, dans ce cas-là elle se présente sous la forme d'un carton plus ou moins grand. Elle peut être également à projeter, pour faire par exemple le point sur un écran, et dans ce cas-là elle est impressionnée sur la pellicule. Dans le cas du numérique, une mire de calibrage est intégrée aux projecteurs.

Mixage Opération intervenant en fin de postproduction et destinée à lier entre eux tous les sons, y compris la musique, afin d'obtenir la bande son du film. Le mixage est effectué dans un auditorium par un ingénieur du son spécialiste du mixage.

Montage virtuel Montage sur ordinateur après numérisation des rushes (pour un tournage en argentique) ou à partir des fichiers numériques pour un tournage vidéo (HD ou non).

Motion blur Flou rajouté numériquement sur des éléments en images de synthèse afin de simuler la perte de définition liée au mouvement.

Motion capture (mocap) Technique numérique permettant la capture des mouvements d'un comédien grâce à des capteurs placés sur son corps. Les mouvements stockés par l'ordinateur sont ensuite appliqués à un personnage en images de synthèse.

Motion control Technique numérique permettant de reproduire à l'identique un mouvement de caméra : le système de prise de vues est relié à un ordinateur qui enregistre puis fait reproduire les mouvements à l'identique. Permet l'assemblage parfait de divers éléments entrant dans le compositing d'un plan en mouvement.

Nuit américaine Technique pour fabriquer des effets de nuit sur des plans tournés de jour et en extérieur. À l'origine, l'effet était réalisé grâce à l'utilisation de filtres spécifiques et d'une sous-exposition habilement dosée. Aujourd'hui, il peut être effectué en postproduction grâce aux logiciels de trucages. La nuit américaine est maintenant utilisée comme effet vintage ou pour réaliser des économies de budget (un tournage de nuit est difficile et coûte cher en éclairage et en main-d'œuvre). La nuit américaine était très prisée dans les années 1960-1970, la plupart du temps sur les films à petit budget et de série B.

Off Tout ce qui est en dehors du cadre.

Ours Premier bout-à-bout des rushes sélectionnés dans l'ordre du découpage technique.

Panoter Faire pivoter la caméra sur son axe pour réaliser un panoramique.

Pellicule (ou film) Support photochimique de l'image du film. Elle est composée de deux couches : une base en polyester (parfois en acétate) et une émulsion sensible à la lumière. De la naissance du cinéma et jusque dans les années 1920, la base des films était composée de nitrate, mais vu son caractère extrêmement inflammable le film nitrate a été abandonné. Avec la généralisation des caméras numériques haute définition, la pellicule est, aujourd'hui, assez peu utilisée. Elle est remplacée par des supports numériques tels que disques durs, cassettes, ou cartes mémoires. Certains utilisent, à tort, le terme de pellicule pour désigner un support vidéo alors qu'il s'agit en fait d'une bande magnétique.

Perforations Trous pratiqués sur les bords de la pellicule permettant de la faire avancer par l'intermédiaire de griffes tournantes, que ce soit à la prise de vues ou à la projection. La pellicule 35 mm utilisée traditionnellement au cinéma comprend quatre perforations de chaque côté de chaque image.

Performance capture Technique identique à la motion capture mais appliquée uniquement aux expressions faciales.

Photogramme Image du film tirée directement des rushes. Elle peut servir à la promotion du film, mais également de référence entre les différents intervenants dans le cas d'effets spéciaux ou de plans particuliers.

Piste son (ou piste sonore) Les pistes sonores peuvent être simples (son mono) ou multiples (son stéréo, 5.1...). Au mixage, un nombre important de pistes sonores peut être utilisé, chaque piste correspondant à un type de son particulier et repérée comme telle (son synchrone 1, son synchrone 2... ambiance 1, ambiance 2... bruitages, sons seuls, voix off, musique, etc.). Sur le support physique d'un film (la copie argentique), le terme désigne la place prise par la bande son, à côté de l'image.

Pitch Résumé du film en quelques lignes et donnant envie de le produire et/ou de le voir.

Plateau Lieu où l'on tourne.

Plan de travail Document en forme de grand tableau journalier établi par l'assistant réalisateur et sur lequel sont portées toutes les indications nécessaires au tournage (décors, comédiens, séquences, plans, etc.).

Postsynchronisation (ou post-synchro) Opération permettant de refaire en auditorium certains dialogues de mauvaise qualité (technique ou artistique).

Prégénérique Toute première séquence du film placée juste avant le générique de début et destinée, le plus souvent, à tenir le spectateur en haleine.

Prévisualisation (ou préviz) Ensemble des process permettant l'anticipation et l'optimisation de la fabrication de plans à effets. Grâce aux différentes étapes de prévisualisation (storyboard 2D, storyboard 3D, animatique, D-viz, Tech-viz, On-set previz...), le réalisateur ou la réalisatrice et ses équipes peuvent visualiser très en amont du tournage ce que seront les plans (ou les séquences) truqués et adapter en conséquence leur travail.

Rapport scripte Gros bloc papier de plusieurs pages pré-imprimées comportant de nombreuses cases (titre du film, date, réalisateur/trice, décor, Intérieur/Extérieur, Nuit/Jour, objectif utilisé, n° de bobine, n° de plan, n° de prise, durées, son direct, muet...) à remplir par la scripte lors du tournage. Chaque page étant auto-carbonnée, plusieurs exemplaires sont remplis en même temps : un exemplaire est destiné au laboratoire, un autre à la production et un au monteur ou à la monteuse.

Regard caméra Généralement il s'agit d'une faute de jeu du comédien, puisqu'il ne doit jamais regarder la caméra afin que le spectateur oublie celle-ci totalement. Cependant, parfois, un personnage s'adressera directement à la caméra, prenant par exemple volontairement le spectateur à témoin. Il pourra s'agir également, dans le cas de plans subjectifs tournés pour un champ-contrechamp, d'un regard s'adressant au personnage que l'on ne voit pas puisqu'il « est » la caméra. Voir aussi *Caméra subjective.*

Repérages Recherche par l'assistant-réalisateur et le décorateur ou la décoratrice des décors naturels possibles pour le tournage. Certains en ont fait une spécialité, ils sont appelés repéreurs.

Rotoscopie Technique issue du dessin animé et permettant à un graphiste de tracer image par image les contours d'un personnage se déplaçant. Chaque dessin sert ensuite à générer un cache et/ou un contre-cache nécessaire(s) à la réalisation des effets spéciaux.

Rushes La totalité des plans tournés, y compris les plans ratés et les chutes.

Scénario Document écrit comprenant toutes les indications nécessaires au tournage (actions, décors, jour, nuit...) ainsi que les dialogues mais sans précisions techniques. Également appelé *continuité dialoguée* (voir ce terme).

Scripte Personne qui, sur le tournage, note absolument tout ce qui a été tourné avec toutes les indications techniques utiles (focales, durées, diaph., format, nuit, jour, accessoires, costumes...). Elle est également là pour veiller aux raccords et à la cohérence de la continuité du film. À la fin du tournage, elle remet un document (le *rapport scripte*, voir ce mot) au monteur afin qu'il puisse préparer son dérushage dans les meilleures conditions. Un des feuillets du rapport part également au laboratoire lorsqu'il s'agit de pellicule argentique.

Séquencier Liste chronologique des séquences du film permettant la rédaction du traitement puis du scénario.

Série B Film à petit budget. Il s'agit généralement d'un film de genre (western, policier, horreur, gore...) dont l'âge d'or hollywoodien correspond approximativement aux années 1930 à 1950 puis en Europe jusque dans les années 1970.

Série Z Film le plus souvent à très petit budget frôlant le niveau zéro de la créativité. Également appelé « navet » ou « nanard ».

SFX Abréviation pour effets spéciaux (vient de l'anglais *Special Effects*). Les premiers effets spéciaux au cinéma sont dus au Français Georges Méliès avec par exemple, en 1902, *Le Voyage dans la Lune*.

Skycam Nom donné aux différents systèmes permettant de déplacer une caméra dans l'espace à l'aide de câbles et de moteurs télécommandés. L'inventeur du *Skycam flying camera system* originel est Garrett Brown, l'inventeur du *Steadicam*.

Sound design Étape de la postproduction par laquelle le sound designer récupère, fabrique et manipule diverses sources sonores (ambiances, bruitages, sons seuls, musiques...) entre elles afin de créer des sons nouveaux nécessaires à la fabrication d'une bande son complexe. Le métier de sound designer a vu le jour aux États-Unis dans les années 1970-1980, et est devenu une réalité en France dans les années 1990 grâce à l'explosion des technologies numériques. Il travaille en étroite collaboration avec le monteur son et le mixeur.

Spoiler Texte dévoilant tout ou partie de l'intrigue et risquant de gâcher la première vision du film.

Steadicam Système de suspension hydraulique sur lequel on fixe la caméra et attaché par un harnais à l'opérateur. Le Steadicam permet, en éliminant les vibrations et l'instabilité de l'image, de faire des mouvements fluides en caméra portée. Le Steadicam a été inventé par Garrett Brown dans les années 1970 et les premiers films sur lesquels il l'a utilisé sont *Rocky* de John Avildsen (1976) avec Sylvester Stallone et *Marathon Man* de John Schlesinger (1976) avec Dustin Hoffman.

Stop motion Technique traditionnelle d'animation image par image de personnages en trois dimensions. A été très largement remplacée par l'animation en images de synthèse.

Storyboard Représentation graphique des plans du film avant sa réalisation. Il permet aux divers intervenants, du tournage (directeur de la photo, décorateur, costumier, maquilleur...) à la postproduction (monteur, directeur des effets spéciaux...), d'anticiper sur les problèmes éventuels et les choix techniques à effectuer, en fonction des impératifs narratifs.

Support Désigne la base sur laquelle l'image du film existera. On distingue trois sortes de supports : le film ou pellicule (35 mm, 16 mm), les cassettes vidéo (HDcam, Beta numérique, HDV) et les fichiers numériques (disques durs, cartes mémoires).

Synchroniser Faire correspondre exactement les sons et les images enregistrés sur des supports différents (pellicule film + bande son magnétique ou fichier image + fichier son – voir également *Postsynchronisation*).

Synopsis Résumé du film de 1 à 10 pages.

Technicolor Procédé couleur nécessitant une caméra spéciale mise au point dans les années 1930. Dans cette caméra Technicolor trichrome sont entraînées de façon parfaitement synchrone trois pellicules négatif noir et blanc. L'une est sensible au rouge, la deuxième au vert et la dernière au bleu. Lors du tirage de la copie finale, les trois pellicules sont superposées avec une grande précision afin de restituer toute la gamme des couleurs. Très utilisé jusque dans les années 1950, le Technicolor avait deux concurrents, l'Eastmancolor de Kodak et l'Agfacolor de la firme allemande Agfa.

Tireuse optique Matériel de laboratoire destiné à fabriquer des plans truqués combinant un système de projection et un système de prise de vues. La tireuse optique certainement la plus connue est la Truca, inventée par André Debrie en 1929. Elle permettait entre autres les arrêts sur image, les ralentis ou les accélérés, les surimpressions, les inversions de sens, les plans composites avec cache/contre-cache, etc.

Traitement Continuité du film beaucoup plus aboutie que le synopsis, sans les dialogues et de quelques dizaines de pages.

Vidéo (format) Technologie permettant l'enregistrement ainsi que la restitution d'images et de sons sur un support électronique (bande, cassette, carte mémoire, disque dur...). Lors des premières expérimentations de la télévision, dans les années 1930, la vidéo ne pouvait pas être enregistrée, elle n'était qu'un moyen de transmettre des images et du son.

Vidéo (bande ou cassette) Support magnétique sur lequel est enregistrée une image électronique, qu'elle soit analogique (VHS, HI-8, U-Matic, Betacam, 1 pouce...) ou numérique (DV, Betacam numérique, HDCam...).

Vitesse Dans le magasin de la caméra ou dans le projecteur, une pellicule 35 mm qui défile à la cadence de 24 images par seconde a une vitesse de 0,456 m/s.

Voiture travelling (ou véhicule travelling) Véhicule sur lequel est fixée la caméra et avec lequel on peut tracter un plateau permettant d'accueillir le véhicule et les personnages que l'on filme. Le véhicule filmé et celui servant à filmer se déplaçant à la même vitesse, il est plus aisé d'éclairer (des projecteurs peuvent être montés sur le véhicule travelling) et de cadrer.

Voix off Parole intérieure d'un des personnages, souvent superposée à l'image du personnage « qui pense ». Peut être également la voix d'un narrateur qui n'apparaît pas à l'image.

Workflow Ensemble des process permettant l'organisation et l'optimisation du travail dans la chaîne numérique en fonction des délais de fabrication et de validation.

52 Carton de fin des *Diaboliques* (Henri-Georges Clouzot, 1955).

Bibliographie

L'Analyse des films, Jacques AUMONT et Michel MARIE, Armand Colin, 3e éd., 2015.

Comment faire un film, Claude CHABROL et François GUÉRIF, Rivages, 2004.

Henri-Georges Clouzot cinéaste, Marc GODIN ET José-Louis BOCQUET, Éditions La Sirène, 1993.

David Cronenberg, entretiens avec Serge GRÜNBERG, Cahiers du cinéma, 2000.

Le Vocabulaire du cinéma, Marie-Thérèse JOURNOT, Armand Colin, 5e éd., 2019.

La Dramaturgie, Yves LAVANDIER, Le Clown et l'Enfant, 2014.

Le Langage cinématographique, Marcel MARTIN, Éditions du Cerf, 1955-1985.

Techniques du cinéma, Vincent PINEL, Presses Universitaires de France, « Que sais-je ? », 9e éd., 2015.

Truffaut par Truffaut, Dominique RABOURDIN, Chêne, 2004.

David Lynch, entretiens avec Chris RODLEY, Cahiers du cinéma, 2010.

Grammaire du cinéma, Jos ROGER, Éditions Universitaires, Bruxelles-Paris, 1955.

Hitchcock Truffaut, l'édition définitive, François TRUFFAUT, Gallimard, 2003.

Trucages et effets spéciaux au cinéma, Alan McKENZIE et Derek WARE, Éditions Atlas, 1987.

Le Livre des trucages au cinéma, Daniel BOULLAY, Dreamland Éditeur, 1998.

Effets spéciaux, crevez l'écran ! sous la direction de Réjanne HAMUS-VALLÉE, La Martinière, 2017.

Dictionnaire technique du cinéma, Vincent PINEL et Christophe PINEL, Armand Colin, 3e éd., 2016.

Écoles, genres et mouvements au cinéma, Vincent PINEL, Larousse, 2000.

Index des notions

A

Accéléré, 48, 159, 228
Amorce, 68, 71, 122, 132
Animatronique, 202
Arrière-plan, 13, 67, 119, 184
Avant-plan, 67

B

Bande son, 46, 60, 235
Bruitage, 46
Bullet-time, 235

C

Caches et contre-caches, 182, 187, 195
Cadre, 13, 36, 57, 58, 65, 139
Caméra subjective, 88, 103, 116
Champ, 59
Champ-contrechamp, 20, 21, 41, 72, 132, 150
Colorimétrie, 223
Compositing, 198, 203
Contre-plongée, 17, 77, 82
Cut, 39, 144

D

Décor de studio, 188
Décor naturel, 188
Décor peint, 190
Dédoublement d'image, dissociation, 215
Diaphragme, 13, 22
Direction artistique, 201
Dominante couleur, 203, 207, 220, 223
Doublure, 196

E

Effet invisible, 200
Effet mécanique, 189
Effet signifiant, 198, 205
Effet Vertigo, 119
Entrée de champ, 66, 139, 150

F

Filé, 160, 175
Film muet, 231
Final cut, 30
Fish-eye, 19
Flash-back, 51, 167, 168, 223
Flashes, 218
Flou, 19, 76, 175, 208, 220
Focale, 13, 17
  courte focale, 15, 17
  longue focale, 16, 19
Fond vert, 205
Fondu au noir, 31, 160
Fondu de couleur, 166
Fondu enchaîné, 167, 170, 206, 211
Formats d'image, 26
  formats spéciaux, 28

G

Générique, 237
Glass shot, 187, 189
Gros plan, 20, 62, 150

H-I-J

Hologramme, 213
Hors-champ, 59
Image arrêtée, image figée, 196, 207, 237
Image blanche, 218

Image de synthèse, 199, 204
Image négative, inversion des couleurs, 226
Images stroboscopiques, 227
Incrustation, 177, 193, 196, 204, 246
Insert, 42
Inversion de décor, 206
Inversion de sens, marche arrière, 198, 206, 239
Jump cut, 154

M

Maquillage, 202
Matte painting, 178, 179, 180, 184, 187
Miniature, 189
Mise au point, 13, 23, 71
Monochromie, 213
Montage, 29, 126, 131, 219
Montage alterné, 41, 48, 150
Montage image, 39
Montage parallèle, 47
Montage son, 46
Morphing, 204, 244
Motion blur, 232
Mouvements de caméra, 95, 126
Musique, 47, 59, 157

O-P

Ouverture au noir, 65, 159, 163
Panoramique, 36, 64, 100
Plan, 30
Plan américain, 32, 62, 64
Plan de coupe, 45, 143
Plan débullé, plan cassé, 84
Plan d'ensemble, 20, 62, 66
Plan fixe, 96
Plan italien, 62
Plan large, 62, 66
Plan moyen, 62, 64, 66
Plan séquence, 20, 34, 59, 64, 82, 111, 116, 119
 faux plan séquence, 37, 91
Plan serré, 62
Plan subjectif, 88
Plan taille, 66
Plans dans l'image, 67
Plongée, 78
Plongée totale, plongée verticale, 81
Position de la caméra, 76
Prégénérique, 207, 224
Premier plan, 13, 67, 184
Préparation, 11
Profondeur de champ, 13, 14, 17, 19, 22, 203, 220
Projection frontale, 178, 180, 182, 186

R

Raccords, 38, 126, 131
 dans l'axe, 145, 151
 dans le mouvement, 144
Ralenti, 159, 207, 231
Règle des 180°, 132
Rotoscopie, 195

S

Second plan, 13, 67, 184
Séquence, 32
Sons directs, 46
Sons seuls, 46
Sortie de champ, 139
Sound design, 200, 208, 217
Split Field, 75
Split screen, 51
Stop motion, 185
Surimpression, 160, 206, 209, 215
Suspense, 42, 44, 49-51, 60, 146, 216, 221
Synthèse additive, 226

T

Time-lapse, 229
Tournage, 11
Transformation, 244
Transition, 144
Transparence, 178, 180, 182, 183, 186
Transparence fantomale, 212
Travelling, 36, 103, 137
Travelling arrière, 13, 107

Travelling avant, 32, 36, 105
Travelling circulaire, 114
Travelling compensé, travelling contrarié, transtrav, 119
Travelling latéral, 109
Travelling matte, 178, 179, 180, 193
Travelling optique, 123
Travelling vertical, 105, 112
Très gros plan, 63, 207
Trucages, 37, 160, 179, 198

V

Valeurs de plan, 61, 134
Volet, 159
- artificiel, 170
- naturel, 171

Z

Zoom, 36, 120, 123
Zoom arrière, 31

Index des films

37°2 le matin (Jean-Jacques Beineix, 1986), 32
2001, l'Odyssée de l'espace (Stanley Kubrick, 1968), 186

A

À bout de souffle (Jean-Luc Godard, 1960), 155
A History of Violence (David Cronenberg, 2005), 43
A Single Man (Tom Ford, 2009), 224
Affaire Thomas Crown, L' (Norman Jewison, 1968), 51
Affranchis, Les (Martin Scorsese, 1990), 30, 128, 239
Agora (Alejandro Amenábar, 2009), 79, 82, 84
Alphaville (Jean-Luc Godard, 1965), 226
Arrête ton char... bidasse ! (Michel Gérard, 1977), 230
Arrivée d'un train en gare de la Ciotat, L' (Auguste et Louis Lumière, 1895), 31
Autant en emporte le vent (Victor Flemming, George Cukor et Sam Wood, 1939), 180

B

Balance, La (Bob Swaim, 1982), 128, 150
Beauté du diable, La (René Clair, 1949), 23, 72
Becky Sharp (Rouben Mamoulian et Lowel Sherman, 1935), 180
Belle et la Bête, La (Jean Cocteau, 1946), 206, 240, 242
Bête humaine, La (Jean Renoir, 1938), 160, 165
Bienvenue chez les Ch'tis (Dany Boon, 2008), 77
Bird People (Pascale Ferran, 2014), 204
Birdman (Alejandro González Iñárritu, 2014), 38
Black Coal (Yi'nan Diao, 2014), 118
Blade Runner (Ridley Scott, 1982), 233
Blue Velvet (David Lynch, 1986), 163, 168, 211
Blueberry, l'expérience secrète (Jan Kounen, 2004), 113, 116
Bon, la Brute et le Truand, Le (Sergio Leone, 1966), 65, 237
Bullitt (Peter Yates, 1968), 102, 104, 106
Butch Cassidy et le Kid (George Roy Hill, 1969), 238

C

Cabinet du docteur Caligari, Le (Robert Wiene, 1920), 86
Camping (Fabien Oteniente, 2006), 77
Carrie (Brian De Palma, 1976), 75
Casse-tête chinois (Cédric Klapisch, 2013), 157
Cérémonie, La (Claude Chabrol, 1995), 102
Charulata (Satyajit Ray, 1964), 105, 107
Cinquième élément, Le (Luc Besson, 1997), 41
Cité des femmes, La (Federico Fellini, 1979), 232
Citizen Kane (Orson Welles, 1941), 13, 78, 82, 168, 175
Collatéral (Michael Mann, 2004), 16
Commando de la mort, Le (Lewis Milestone, 1945), 108, 110

Convoi, Le (Sam Peckinpah, 1978), 211
Corde, La (Alfred Hitchcock, 1948), 37
Course contre l'enfer (Jack Starrett, 1975), 49
Couvent de la bête sacrée, Le (Norifumi Suzuki, 1972), 227
Cris et Chuchotements (Ingmar Bergman, 1972), 64, 166

D

Dalhia noir, Le (Brian De Palma, 2007), 76, 165, 169
Dame du lac, La (Robert Montgomery, 1947), 92
Démolition et reconstruction du Star Theatre (Frederick S. Armitage, 1901), 229
Demonlover (Olivier Assayas, 2002), 138
Dents de la mer, Les (Steven Spielberg, 1975), 122
Diamants sur canapé (Blake Edwards, 1961), 81, 83
Dickson Greeting (William Kennedy Laurie Dickson, 1891), 97
Docteur Jivago (David Lean, 1965), 221
Docteur Mabuse (Fritz Lang, 1922), 86
Dossier 51, Le (Michel Deville, 1978), 81, 90
Dracula (Francis Ford Coppola, 1992), 206, 242
Drive (Nicolas Winding Refn, 2011), 61
Duellistes, Les (Ridley Scott, 1977), 121
Dunkerque (Christopher Nolan, 2017), 202

E

Elephant (Gus Van Sant, 2003), 222, 234
Elle s'appelait Scorpion (Shunya Ito, 1972), 126
Enchaînés, Les (Alfred Hitchcock, 1946), 42
Enfants terribles, Les (Jean-Pierre Melville, 1950), 88, 112, 170
Enfer d'Henri-Georges Clouzot, L' (Serge Bromberg et Ruxandra Medrea, 2009), 132
Enter the Void (Gaspar Noé, 2009), 92
Escamotage d'une dame chez Robert Houdin (Georges Méliès, 1896), 39
E.T., l'extraterrestre (Steven Spielberg, 1982), 122
Étrangleur de Boston, L' (Richard Fleisher, 1968), 34, 51
Eye 2, The (Oxide et Danny Pang, 2004), 30, 74, 208

F

Fabuleux destin d'Amélie Poulain, Le (Jean-Pierre Jeunet, 2001), 159
Faculty, The (Robert Rodriguez, 1998), 206
Faux-semblants (David Cronenberg, 1988), 195
Fish Tank (Andrea Arnold, 2009), 106, 148
Fleurs d'équinoxe (Yasujiro Ozu, 1958), 96, 143
Foxy Brown (Jack Hill, 1974), 78

G

Garde du corps, Le (Akira Kurosawa, 1961), 67, 127
Ghost in the Shell (Ruppert Sanders, 2017), 214
Grand Prix (John Frankenheimer, 1966), 52

H

Häxan, La sorcellerie à travers les âges (Benjamin Christensen, 1922), 216
Homme de l'Ouest, L' (Anthony Mann, 1958), 40, 134, 151
Homme qui en savait trop, L' (Alfred Hitchcock, 1956), 42
Homme qui rétrécit, L' (Jack Arnold (1957), 194
House of the Dead (Uwe Boll, 2003), 236

I

Inconnu du Nord-Express, L' (Alfred Hitchcock, 1951), 49
Intolérance (D.W. Griffith, 1916), 27, 47
Ipcress, danger immédiat (Sidney J. Furie, 1965), 73, 87

J

Jesse James, le brigand bien-aimé (Henry King, 1939), 140, 164
Jour de fête (Jacques Tati, 1949), 33
Jurassic Park (Steven Spielberg, 1993), 199

K

Kid de Cincinnati, Le (Norman Jewison, 1965), 152
King Kong (Ernest B. Schoedsack et Merian C. Cooper, 1933), 183
Kwaïdan (Masaki Kobayashi, 1965), 212

L

Labyrinthe de Pan, Le (Guillermo del Toro, 2006), 187
Loup-garou de Londres, Le (John Landis, 1981), 173
Lucky Luciano (Francesco Rosi, 1973), 18, 115

M

M le maudit (Fritz Lang, 1931), 150
Main au collet, La (Alfred Hitchcock, 1955), 42
Maison des 1 000 morts, La (Rob Zombie, 2002), 228
Marathon Man (John Schlesinger, 1976), 255
Mary Poppins (Robert Stevenson, 1964), 193
Massacre à la tronçonneuse (Tobe Hooper, 1974), 219
Matrix (Andy et Larry Wachowski, 1999), 30, 235
Mercenaires de l'espace, Les (Jimmy T. Murakami, 1980), 193
Missouri Breaks (Arthur Penn, 1976), 19
Môme, La (Olivier Dahan, 2007), 174
Mommy (Xavier Dolan, 2014), 28
Mondwest (Michael Crichton, 1973), 197
Mort à l'arrivée (Rudolf Maté, 1950), 170
Mouton enragé, Le (Michel Deville, 1974), 137, 156
Muukalainen (ou *The Stranger*, Jukka-Pekka Valkeapää, 2008), 71

N

New York 1997 (John Carpenter, 1981), 190
Nosferatu le vampire (Friedrich Wilhelm Murnau, 1922), 223
Nuit américaine, La (François Truffaut, 1973), 95
Nuit des morts-vivants, La (George A. Romero, 1968), 125
Nuits blanches (Luchino Visconti, 1957), 33

O

Old Boy (Park Chan-wook, 2003), 111
Only Lovers Left Alive (Jim Jarmusch, 2013), 230
Oppression (Farren Blackburn, 2016), 216
OSS 117 : Le Caire, nid d'espions (Michel Hazanavicius, 2006), 185
Osterman week-end (Sam Peckinpah, 1983), 29, 135

P

Passagers de la nuit, Les (Delmer Daves, 1947), 92
Pauline à la plage (Éric Rohmer, 1983), 77
Persona (Ingmar Bergman, 1966), 98, 110
Petits Mouchoirs, Les (Guillaume Canet, 2010), 21
Phénomènes (M. Night Shyamalan, 2008), 153

Planète des singes, La (Franklin J. Schaffner, 1968), 31
Planète des vampires, La (Mario Bava, 1965), 124
Porte de l'enfer, La (Teinosuke Kinugasa, 1953), 101
Postman Blues, The (Hiroyuki Tanaka, 1997), 142
Predator (John McTiernan, 1987), 214
Printemps, été, automne, hiver... et printemps (Kim Ki-duk, 2003), 30, 98
Procès, Le (Orson Welles, 1962), 17
Psycho (Gus Van Sant, 1998), 48
Psychose (Alfred Hitchcock, 1960), 48, 210
Pulp Fiction (Quentin Tarantino, 1994), 207
Pulsions (Brian De Palma, 1980), 76

R

Rebecca (Alfred Hitchcock, 1940), 117
Réincarnation (Takashi Shimizu, 2005), 224, 246
Répulsion (Roman Polanski, 1965), 162, 171
Retour vers le futur (Robert Zemeckis, 1985), 60
Reviens-moi (Joe Wright, 2007), 36
Rocky (John Avildsen, 1976), 238, 255
Rocky 3 (Sylvester Stallone, 1982), 238
Rocky 4 (Sylvester Stallone, 1985), 238
Rue de la honte, La (Kenji Mizoguchi, 1956), 145
Rue de la violence (Sergio Martino, 1973), 29, 123
Ruée vers l'or, La (Charlie Chaplin, 1925), 194

S

Sacrifice, Le (Andreï Tarkovski, 1986), 57
Salaire de la peur, Le (Henri-Georges Clouzot, 1953), 131, 218
Sang d'un poète, Le (Jean Cocteau, 1932), 206
Secret de la Pyramide, Le (Barry Levinson, 1985), 198
Seigneur des anneaux, Le (Peter Jackson, 2001-2003), 28, 33
Shining (Stanley Kubrick, 1980), 118
Shooting, The (ou *La Mort tragique de Leland Drum*, Monte Hellman, 1966), 69
Slumdog Millionaire (Danny Boyle, 2008), 30, 50, 87
Smoking / No smoking (Alain Resnais, 1993), 238
Snake Eyes (Brian De Palma, 1998), 38, 175, 221
Soif du mal, La (Orson Welles, 1958), 34
Solaris (Andreï Tarkovski, 1972), 30, 57
Solitaire, Le (Michael Mann, 1981), 112
Sonatine (Takeshi Kitano, 1993), 104
Sortie des usines Lumière à Lyon, La (Auguste et Louis Lumière, 1895), 76
Soy Cuba (Mikhaïl Kalatozov, 1964), 59
Stalker (Andreï Tarkovski, 1979), 57
Star Wars, ép. IV, A New Hope (George Lucas, 1977), 171, 213
Starship Troopers (Paul Verhoeven, 1997), 66
Strange Days (Kathryn Bigelow, 1995), 25, 91, 92
Sueurs froides (Vertigo, Alfred Hitchcock, 1958), 120
Suez (Allan Dwann, 1938), 189
Suspiria (Dario Argento, 1977), 146
Sweet Sweetback's Baad Asssss Song (Melvin Van Peebles, 1971), 24, 30

T

Tarantula (Jack Arnold, 1955), 195
Temps du massacre, Le (Lucio Fulci, 1966), 15
Temps modernes, Les (Charlie Chaplin, 1936), 47
Terminator 2 : Le Jugement dernier (James Cameron, 1991), 201

Testament d'Orphée, Le (Jean Cocteau, 1960), 206, 240
Thing, The (John Carpenter, 1982), 166
Tigre et Dragon (Ang Lee, 2000), 167
Time Code (Mike Figgis, 2000), 53
Tire encore si tu peux (Giulio Questi, 1967), 20, 62, 63
Troisième Homme, Le (Carol Reed, 1949), 85
Tron (Steven Lisberger, 1982), 198
Tuche, Les (Olivier Baroux, 2011), 77
Twin Peaks, Fire Walk With Me (David Lynch, 1992), 243
Twin Peaks : The Return (David Lynch, 2017), 217

U

Un homme et une femme (Claude Lelouch, 1966), 114
Un linceul n'a pas de poches (Jean-Pierre Mocky, 1974), 140
Une belle rencontre (Lone Scherfig, 2016), 192
Une excursion incohérente (Segundo de Chomón, 1909), 244
Une femme disparaît (Alfred Hitchcock, 1938), 42
Une histoire vraie (David Lynch, 1999), 136
USS Alabama (Tony Scott, 1995), 16, 109

V

Vallée de Gwangi, La (Jim O'Connolly, 1969), 42
Visiteurs, Les (Jean-Marie Poiré, 1993), 18
Voleur de bicyclette, Le (Vittorio De Sica, 1948), 104

W

Whiplash (Damien Chazelle, 2014), 176
Willow (Ron Howard, 1988), 244
Wonder Woman (Patty Jenkins, 2017), 220, 236

Index des cinéastes

A

Amenábar Alejandro, 79, 82, 84
Annaud Jean-Jacques, 127
Argento Dario, 146
Armitage Frederick S., 229
Arnold Andrea, 106, 148
Arnold Jack, 194
Arnold Pascal, 16
Assayas Olivier, 138

B

Baroux Olivier, 77
Barr Jean-Marc, 16
Bava Mario, 123, 124
Beineix Jean-Jacques, 32, 127
Bergman Ingmar, 64, 98, 110, 166
Berri Claude, 127
Besson Luc, 41, 127
Bigelow Kathryn, 25, 91, 92, 126
Blackburn Farren, 216
Boll Uwe, 236
Boon Dany, 77
Boyle Danny, 30, 50, 85, 87

C

Cameron James, 126, 190, 201
Canet Guillaume, 21
Carpenter John, 166, 190
Chabrol Claude, 12, 102
Chaplin Charlie, 47, 194
Chazelle Damien, 176
Christensen Benjamin, 216
Clair René, 23, 72
Clouzot Henri-Georges, 131, 218
Cocteau Jean, 198, 205, 240
Cooper Merian C., 183
Coppola Francis Ford, 242
Corneau Alain, 127
Cronenberg David, 43, 195
Cukor George, 180

D

Dahan Olivier, 174
Daves Delmer, 92
de Chomón Segundo, 244
De Palma Brian, 38, 75, 165, 169, 175, 221
De Sica Vittorio, 104
Deray Jacques, 127
Deville Michel, 81, 90, 137, 156
Dickson William Kennedy Laurie, 97
Dolan Xavier, 28
Dwann Allan, 189

E

Edwards Blake, 81, 83

F

Fellini Federico, 232
Ferran Pascale, 204
Figgis Mike, 53
Fleischer Richard, 34, 51
Flemming Victor, 180
Ford Tom, 224
Frankenheimer John, 52
Fulci Lucio, 15
Furie Sidney J., 73, 87

G

Gérard Michel, 230

Godard Jean-Luc, 90, 155, 226
Griffith D.W. , 47

H

Hazanavicius Michel, 185
Hellman Monte, 69
Hill George Roy, 238
Hill Jack, 78
Hitchcock Alfred, 12, 37, 38, 42, 49, 117, 120, 129, 188, 210
Hooper Tobe, 219
Howard Ron, 244

I

Iñárritu Alejandro González, 38
Ito Shunya, 126

J

Jackson Peter, 33
Jarmusch Jim, 230
Jenkins Patty, 220, 236
Jeunet Jean-Pierre, 159
Jewison Norman, 51, 152

K

Kalatozov Mikhaïl, 59
Ki-duk Kim, 30, 98
King Henry, 140, 164
Kinugasa Teinosuke, 101
Kitano Takeshi, 104
Klapisch Cédric, 157
Kobayashi Masaki, 212
Kounen Jan, 113, 116
Kubrick Stanley, 118, 186
Kurosawa Akira, 67, 127

L

Landis John, 173
Lang Fritz, 150
Lean David, 221
Lee Ang, 167
Lelouch Claude, 114
Leone Sergio, 65, 127, 237
Lucas George, 171, 213
Lumière Auguste et Louis, 31, 76
Lynch David, 136, 163, 168, 211, 217, 243

M

Mann Anthony, 40, 134, 151
Mann Michael, 16, 112
Martino Sergio, 29, 123
Maté Rudolf, 170
Méliès Georges, 39, 177, 255
Melville Jean-Pierre, 88, 112, 170
Milestone Lewis, 108, 110
Mizoguchi Kenji, 145
Mocky Jean-Pierre, 140
Montgomery Robert, 92
Murnau Friedrich Wilhelm, 223

N

Noé Gaspar, 92
Nolan Christopher, 177, 202

O

O'Connolly Jim, 42
Oteniente Fabien, 77
Oury Gérard, 127
Ozu Yasujiro, 96, 143

P

Pang Oxide et Danny, 30, 74, 208
Park Chan-wook, 111
Peckinpah Sam, 29, 135, 211
Penn Arthur, 19
Poiré Jean-Marie, 18
Polanski Roman, 162, 171

Q

Questi Giulio, 20

R

Ray Satyajit, 105, 107
Reed Carol, 85
Refn Nicolas Winding, 61
Renoir Jean, 160, 165

Resnais Alain, 238
Rohmer Éric, 77
Romero George A., 125
Rosi Francesco, 18, 115

S

Sanders Ruppert, 214
Sautet Claude, 22
Schaffner Franklin J., 31
Scherfig Lone, 192
Schoedsack Ernest B., 183
Scorsese Martin, 30, 126, 128, 239
Scott Ridley, 121, 233
Scott Tony, 16, 109
Shimizu Takashi, 224, 246
Shyamalan M. Night, 153
Spielberg Steven, 122, 126, 199
Stallone Sylvester, 238
Starrett Jack, 49
Suzuki Norifumi, 227
Swaim Bob, 128, 150

T

Tanaka Hiroyuki, 142
Tarantino Quentin, 207
Tarkovski Andreï, 30, 57
Tati Jacques, 33
Truffaut François, 90, 95

V

Valkeapää Jukka-Pekka, 71
Van Peebles Melvin, 24, 30
Van Sant Gus, 48, 222, 234
Verhoeven Paul, 66
Vintenberg Thomas, 16
Visconti Luchino, 33

W

Wachowski Andy et Larry, 30, 235
Welles Orson, 13, 17, 34, 78, 82, 168, 175
Wood Sam, 180
Wright Joe, 36

Y

Yates Peter, 102, 104, 106
Yi'nan Diao, 118

Z

Zemeckis Robert, 60
Zidi Claude, 127
Zombie Rob, 228

Table des matières

Avant-propos 5

Première partie — Petites notions cinématographiques

1 Notions techniques liées à la prise de vues 11
1.1 La profondeur de champ 13
1.2 La focale 17
Courte focale (ou grand-angle) 17
Fish-eye 19
Longue focale (ou téléobjectif) 19
1.3 Le diaphragme (ou ouverture) 22
1.4 La mise au point (ou faire le point) 23
1.5 Les formats d'image 26
Les formats standards 27
Les formats larges 28
Les formats spéciaux 28

2 Notions de montage 29
2.1 Le plan 30
2.2 Séquence *vs* scène 32
Le plan séquence 34
Faux plan séquence 37
2.3 Le montage image 39
Le cut 39
L'insert 42
Le plan de coupe 45
2.4 Le montage son 46
Les sons directs 46
Les sons seuls 46
Les bruitages 46
La musique 47
2.5 Montage parallèle et montage alterné 47
Le montage parallèle 47
Le montage alterné 48
Le split screen 51

Deuxième partie — Des principes et des règles

3 Cadres, cadrage et caméra 57

3.1 Le cadre, le champ et le hors-champ 58
Le cadre 58
Champ et hors-champ 59
3.2 Les valeurs de plan 61
3.3 Les plans dans l'image 67
3.4 Amorce 71
La bonnette Split Field 75
3.5 Position normale de la caméra 76
3.6 Plongée 78
Plongée totale (ou plongée verticale) 81
3.7 Contre-plongée 82
3.8 Plan débullé (ou plan cassé) 84
3.9 Caméra subjective (plan subjectif) 88
Des films subjectifs 91

4 Les mouvements de caméra 95

4.1 Plan fixe 96
4.2 Panoramique 100
4.3 Travelling 103
Travelling avant 105
Travelling arrière 107
Travelling latéral 109
Travelling vertical 112
Travelling circulaire 114
4.4 Travelling subjectif 116
4.5 Transtrav (ou travelling compensé ou travelling contrarié) 119
4.6 Zoom (travelling optique) 123
4.7 Mouvements et raccords 126

5 Les raccords 131

5.1 Le champ-contrechamp 132
Déroger à la règle des 180° 137
5.2 Entrée et sortie de champ 139
Déroger à la règle des sortie/entrée de champ 143
5.3 Raccord dans le mouvement 144
Des raccords hétérogènes 149
5.4 Raccord dans l'axe 151
5.5 Raccord plan sur plan (ou jump cut) 154

6 Fondus, transitions visuelles, effets 159
6.1 Fondu au noir (ou fermeture au noir) 160
6.2 Ouverture au noir (ou fondu à l'ouverture) 163
6.3 Fondus de couleur 166
6.4 Fondu enchaîné 167
6.5 Volets 169
Volet artificiel 170
Volet naturel 171
6.6 Filé (ou panoramique filé) 175

Troisième partie — Du trucage aux effets

7 Trucages et effets spéciaux, les origines argentiques 179
7.1 Transparence et projection frontale (ou Transflex) 182
7.2 Glass shot et matte painting 187
7.3 Travelling matte et incrustation 193

8 Effets visuels, la révolution numérique 197
8.1 Effets invisibles 200
8.2 Effets signifiants (effets visibles) 205
Surimpression 209
Transparence fantomale 212
Dédoublement d'image (ou dissociation) 215
Flashes 218
Flou 220
Colorimétrie 223
Image négative (inversion des couleurs) 226
Accéléré 228
Ralenti 231
Image arrêtée (ou image figée) 237
Inversion de sens (marche arrière) 239
Morphing et transformations 244

Glossaire 247
Bibliographie 258
Index des notions 259
Index des films 262
Index des cinéastes 267

262251 - I - OSB 80° - NOC - MPN

JOUVE
1, rue du Docteur Sauvé, 53100 MAYENNE
N° : 2872443T
Dépôt légal : mai 2019

Imprimé en France